大數據時代行銷顯學

Numerical thinking X Excel = Results

業績長紅的數字思考力與Excel商用技巧

植山周志 著 / 羅淑慧 譯

大數據時代行銷顯學

Numerical thinking X Excel = Results

業績長紅的數字思考力與Excel商用技巧

作　　者：植山 周志
譯　　者：羅淑慧
企劃主編：宋欣政

董 事 長：蔡金崑
總 經 理：古成泉
總 編 輯：陳錦輝

出　　版：博碩文化股份有限公司
地　　址：221 新北市汐止區新台五路一段 112 號 10 樓 A 棟
電話 (02) 2696-2869　傳真 (02) 2696-2867

郵撥帳號：17484299　戶名：博碩文化股份有限公司
博碩網站：http://www.drmaster.com.tw
讀者服務信箱：DrService@drmaster.com.tw
讀者服務專線：(02) 2696-2869 分機 216、238
（周一至周五 09:30 ～ 12:00；13:30 ～ 17:00）

版　　次：2018 年 6 月初版

建議零售價：新台幣 350 元
I S B N：978-986-434-307-2（平裝）
律師顧問：鳴權法律事務所 陳曉鳴

本書如有破損或裝訂錯誤，請寄回本公司更換

國家圖書館出版品預行編目資料

大數據時代行銷顯學：業績長紅的數字思考力與Excel商用技巧 / 植山周志著；羅淑慧譯. -- 初版. -- 新北市：博碩文化, 2018.06

面；　公分

ISBN 978-986-434-307-2(平裝)

1.EXCEL (電腦程式) 2.行銷管理

312.49E9　　　107007702

Printed in Taiwan

博碩粉絲團

歡迎團體訂購，另有優惠，請洽服務專線
(02) 2696-2869 分機 216、238

前言

非常感謝您購買本書！

您會購買本書，肯定是因為希望增進自己的行銷能力。

直接切入主題吧！其實行銷是由「藝術」和「科學」所構成的。因此，我認為行銷人員必須同時具備感性和邏輯的兩種能力。

「感性」的部分或許可以單靠閱讀書籍來培養。可是，關於運用數字的邏輯方法，則必須透過學習才能養成。本書將針對「使用數字的邏輯方法」進行詳細的解說。

在編寫這本書的時候，我特別重視實務上可以實際運用的論點，而非紙上談兵。本書所介紹的各種Excel活用，便是實務運用上的環節之一。對此，我準備了有利於學習和實務運用雙方面的Excel工作表。我相信，除了閱讀之外，只要能夠實際接觸工作表，就能夠有更深厚的理解。

本書介紹的內容，全都是我在實務上持續使用，同時極具效果的方法。嚴格來說，這本書算是我歷經長時間的學習和實踐所累積下來的知識彙整。

如果這本書能夠幫助您提升行銷能力，那就太令人開心了。

植山 周志

CONTENTS

第2部 行銷實務篇

STEP 1 統計數字 73

Chapter 04 STEP 2 分析統計數字 119

Chapter 05 STEP 3 根據分析進行預測 175

STEP 4 製作報告、簡報資料 223

關於Excel工作表的下載

本書的第2部「行銷實務篇」(Chapter03～06)
將針對Excel的活用方法進行各種不同的解說。
解說過程中所出現的Excel工作表，
可透過下列網址免費下載。
只要親自確認那些工作表，並試著操作，
就可以進一步提高學習效果。
另外，除了學習用途之外，
那些工作表亦可以在實務上活用。
請依照自身的業務來自由設定、使用。
再者，工作表裡面亦含有本書未能詳細解說的操作部分，
還請一併有效利用。

http://www.drmaster.com.tw/download/example/MI11801_Example.rar

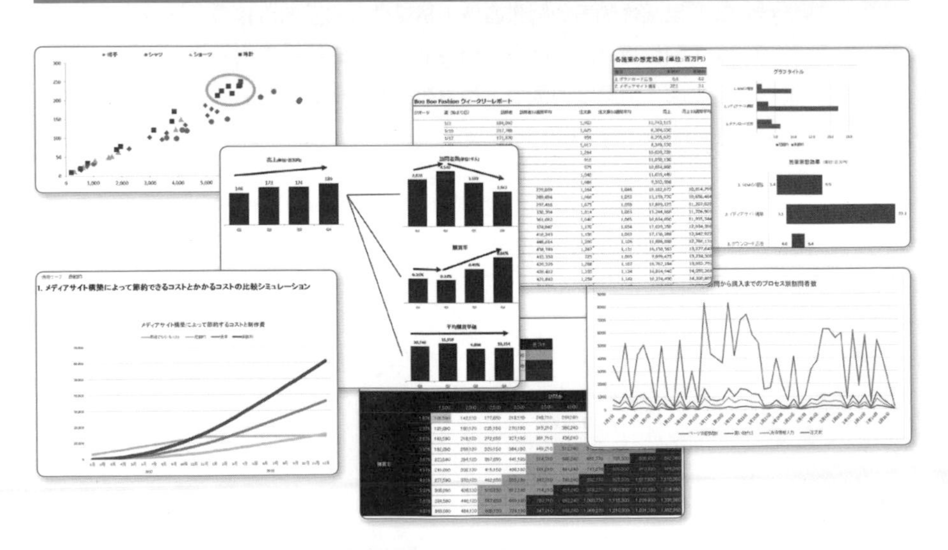

- 工作表是作者熱誠提供的檔案，嚴禁未經許可的轉載、二次散播。
- 對於Excel工作表算出的計算結果，已經做過再三確認；但仍無法對所有事項做出任何保障，對於使用Excel工作表所造成的結果，作者及博碩文化概不負一切責任。
- 關於範例檔案的下載使用，必須具備連接網路的環境，同時電腦中必須安裝有Microsoft Excel。

第1部
基礎知識篇

Chapter 01

行銷業務的概要

近年來，不論是哪種職業類別，「行銷力」開始逐漸受到重視。
那麼，所謂的行銷究竟是什麼樣的業務呢？
另外，若要使行銷業務的執行更加順遂，
又應該以何種流程、何種態度去面對呢？
首先，就先從「行銷的基礎」開始說起吧！

Section
01 行銷的工作

聽到「行銷」的時候，腦海中浮現的是什麼？

「所謂的行銷就是建構大賣的機制」，這是我過去所學習到的；不過，彼得．杜拉克（Peter F. Drucker）在其代表著作《Management》中曾提到「行銷的究極目標就是不再需要推銷」，我對這句話深有同感。

另一方面，公益社團法人「日本行銷協會」把行銷定義如下。

所謂的行銷，指的是企業及其他組織立足於全球視野，在取得與顧客之間的相互理解，同時透過公平競爭，進行市場創造的綜合性活動。

整體來看，似乎有點難懂；不過，只要把它拆開來看，似乎就不難理解了。「企業及其他組織立足於全球視野」是指拓展視野，不該只把視野侷限在國內，而必須擴展至海外，不該只侷限於自己的業界，也必須顧慮到其他的業界；「取得與顧客之間的相互理解」是指行銷不僅是企業對顧客的「單方面溝通」，應該具備雙方性的關係；「透過公平競爭」從這句話便可想像出，正因為有「競爭」，所以會有「競爭企業的存在」。最後是「市場創造的綜合性活動」，意思就是說，所謂的行銷並不光只是指廣告或宣傳等單一作業，而是含有更為廣泛的意義在其中。

如果根據上述內容來做最終定義的話，我認為所謂的行銷工作是指「提供價值給顧客，並獲得等價報酬的所有活動與業務」。

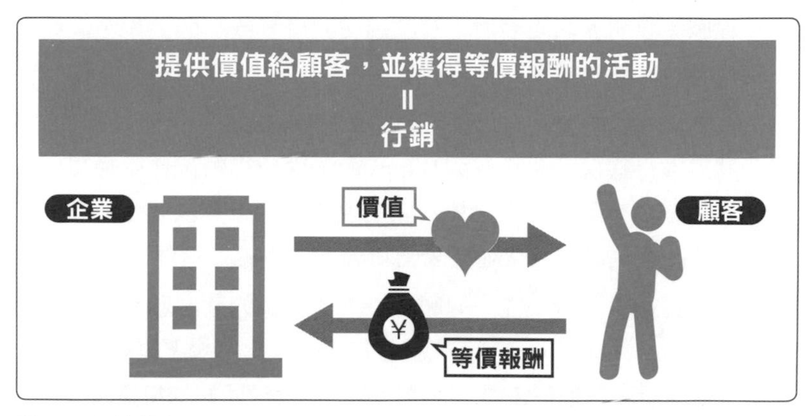

圖 1-1：行銷業務

如果說得簡單一點，**我認為「為了讓顧客和企業雙方都Happy的思想與行動」，就是行銷的秘訣。**很多人經常把「Win-Win（雙贏）」掛在嘴邊；不過，我在這裡所使用的字眼並不是「Win」，而是「Happy」，因為如果有某人「Win（贏）」的話，就肯定會有一方「Lose（輸）」；然而行銷的目標應該是「所有人都Happy」。

行銷的最終目標

知名的投資家華倫・巴菲特（Warren E. Buffett）曾說過一句名言：「Price Is What You Pay, Value Is What You Get（你所付出的只是價錢，你所得到的才是價值）。」這句話的根本就在於「價格是否符合所得到的價值」，這個視點也相當符合行銷的想法。

例如，假設我是營養飲品銷售公司的行銷員，而你是顧客。你認為營養飲品大約200日圓左右；不過我的商品卻要「500日圓」，比你所認知的價格高出許多。

這個時候，我透過行銷活動把營養飲品值「500日圓」的價值傳達給顧客（你）。在這個場合下，營養飲品本身當然不用說，用語的挑選方式、訴求的重點、資料使用的形象等，全都和行銷息息相關。

當你聽完說明並試喝看看，實際感受到營養飲品的效果，之後在感到疲勞時，便會購買此營養飲品。

這個時候，我的公司可以獲得利益，感到Happy，而你（顧客）的疲勞狀態獲得緩解，也會感到Happy。這就是行銷業務中最想要的狀態。進一步來說，如果這種關係呈現持續狀態，也就是自家公司的營養飲品受到顧客喜愛並持續購買的話，那就是最理想的狀態。

於是，對企業來說，從一個顧客身上所得到的利益和顧客終身價值（Customer Lifetime Value）就會持續擴大。**商場上的最大利益，不是來自於新顧客的銷售額，而是既有顧客反覆回頭的持續購買。**可是，因為既有的回頭客未必會100%回頭，還是會有離開的既有顧客，所以必須持續透過行銷來網羅新的顧客。只要網羅的新顧客數量超過離去的顧客數量，既有顧客的數量就會逐漸增加。

為了增加既有顧客的回頭率，首先，就要想辦法讓新顧客、既有顧客Happy，這是行銷上最重要的事情。就企業的利益獲得來說，其優先順序應該就如下列吧！

圖 1-2：讓商務蒸蒸日上的做法

Section 02 現在需要的行銷力

相較於我初入社會的20年前，近幾年來感受到的變化有兩個。一個是「工作的無邊界化」；另一個則是「媒體和消費者的變化」。分別來檢視一下吧！

工作的無邊界化

近年來，單種職業類別所要求的工作範圍有逐漸擴張的趨勢。例如，以前業務員或許只要一股腦兒地四處拜訪客戶，用充滿自信的宏亮聲音，推銷自家公司的產品就行了；不過最近的業務員除了銷售商品之外，還必須像個顧問，幫顧客解決煩惱，同時還要必須具備精準分析數字或銷售預測的能力。

或者是，企業的網站負責人除了製作網站、監控存取紀錄之外，還必須進一步分析存取資料、進行假設與驗證、思考提高PV用的曝光戰略。

媒體和消費者的變化

媒體和消費者的變化同樣也不容小覷。在我還是學生的1990年代前半，主要的媒體是電視。當時，《東京愛情故事》之類的偶像劇造成轟動，節目播出的隔天，每個人都在談論這部偶像劇。那是個電視影響力相當大的時代。另外，在企業身上也一樣，只要在電視上推出廣告，就可以把商品訊息傳達給目標客群。

可是，這種模式在之後有了極大的變化。具體來說，有下列四種大幅的變化。

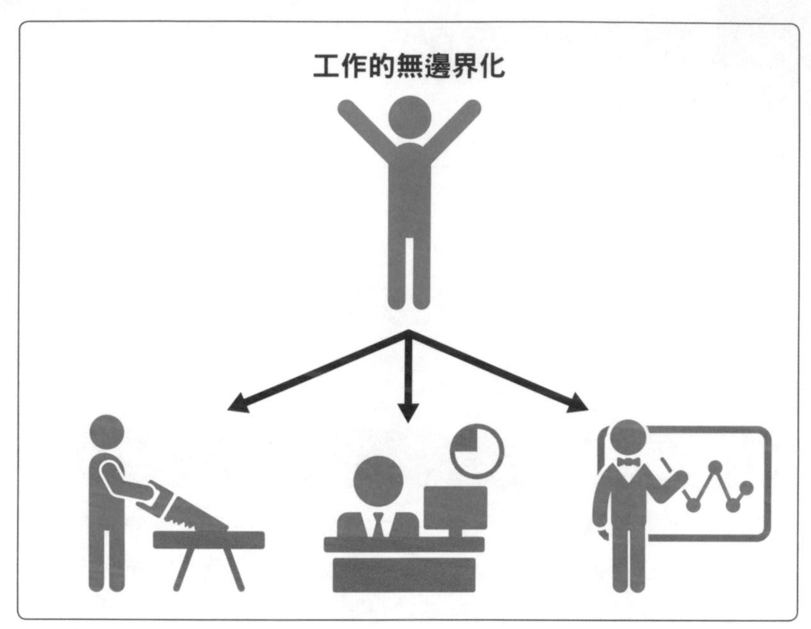

圖 1-3：要求的工作範圍變廣

[①使用者的興趣嗜好多樣化]

大家不再做「同樣的事」，每個人都有不同的喜好和樂趣。也可以說是，享受人生的選項變多了，時代變得更加多采多姿。

[②抵達的頻道多樣化]

以前大家都看電視，不過藉由網路的普及，用戶開始把更多的時間花費在YouTube、各種SNS或部落格、各種網路媒體或社群應用程式上頭。也就是說，企業可抵達的頻道增加更多了。

[③充斥的廣告和進化的廣告技術]

過去，「廣告」都是以電視、報紙、廣播等大眾媒體為主流，由於宣傳費用比較高，僅限於資金較為充裕的企業才有辦法推出廣告。

可是現在已經邁入可以用低價在網路上推出廣告的時代，因此到處都充斥著各種不同的廣告。

為了盡可能吸引用戶的目光，網路上開始出現許多費盡各種巧思的廣告，廣告技術的進步也跟著覺醒。

[④變得更聰明的用戶]

過去，「只要推出廣告就一定大賣」；不過現在，那樣的時代已經逐漸不復存在了。因為網路變得普及，用戶可以在瞬間蒐集到更多的情報。想購買某種東西的時候，用戶不是會透過比價網站比較同類的競爭商品，就是透過電子商務網站確認商品，然後再判斷是否購買。企業和用戶的資訊差異不再那麼懸殊，相對之下，用戶也就變得越來越聰明了。

任何職業類別都需要行銷力

基於上述的種種狀況，**近年來，就算商務人士有再靈敏的直覺、豐富的經驗，或過人的膽識，還是很難提高工作成果。**因為在這個時代裡，商務人士必須培養行銷力，根據往返於經營者和用戶之間的彈性視點、龐大的資料，適當地分析現狀，同時還必須具備成就新發現的能力，以及能夠讓自己的提案更淺顯易懂的溝通能力。

本書的目的就是要針對用來把資料做成自己夥伴的分析力、發現力、溝通力進行解說，同時強化你的「行銷力」。

過去，為了改善實務上的銷售額，我會試著調查原因，並且針對用戶的行動進行假設，同時進行數字的分析，有時也會檢討執行方案。當然，過程中也經歷過多次的失敗和成功經驗；不過我還是會竭盡所能地把自己長年累積下來的知識傳達給各位。

Section
03 行銷業務的流程

行銷的四個流程

行銷的工作可大略分類成「推出新的商務或商品」和「使既有的商務或商品更好」。可是，不管是哪一種業務都**應該依照「①調查與分析→②計畫→③執行→④評估與修正」這樣的流程來推行。**

那麼，就來檢視看看各個的流程吧！

[①調查與分析]

首先，根據調查與分析，掌握現況。現況分析的對象有自家公司、競爭對象、銷售目標的用戶，也就是「3C」。所謂的「3C」是指用「市場（Customer）」、「競爭（Competitor）」、「自家公司（Company）」這三種「C」進行分析的架構。

[②計畫]

掌握現狀之後，計畫應該對現狀採取何種動作（例如，該怎麼做才能夠提升用戶的滿意度等等）。策劃戰略、戰術的時候，也是這個時機。

[③執行]

計畫完成後，就是執行。就算計畫再完美，如果無法順利執行的話，前面的作業就全都白費了。

似乎也有人認為：「只要可以進入執行階段，就可以安心了。」不過其實執行階段所需付出的心力，也是不輸給調查與分析、計畫階段，也是非常重要。因為實際執行之後，可以學習到很多知識。

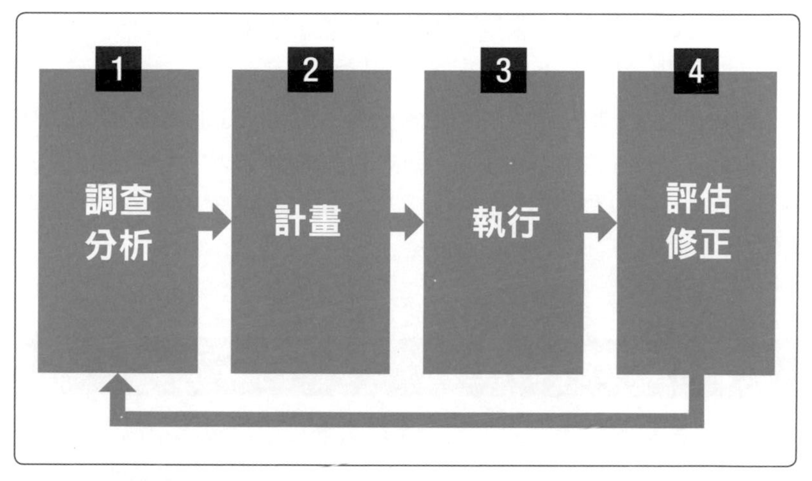

圖 1-4：大略的工作流程

[④評估與修正]

試著執行計畫後，就會出現許多計畫時所沒有看到、預料到的情況。另外，結果不如預期的情況也不少，所以必須評估實施後的結果，並進行修正，在下次加以活用。

為了成為優秀的行銷人員

只要能夠確實執行這四個階段，提高成效的機率肯定會向上。

可是，在實際的業務現場中，**上述四個流程中的「①調查與分析」和「④評估與修正」經常被省略。**

尤其是省略「評估與修正」的專案，更是看過不少。「成效不彰的專案」經常發生這種情況，或許是因為「失敗」的關係，跟專案有關的人往往都會想忘了那個專案。結果，專案就這麼被擱下不管，無疾而終，而難得可以從經驗中獲得的「學習機會」，也就這麼白白地流失了。這樣真的太可惜了。

對於成為一個優秀行銷人員來說，反覆實施上述四個階段的流程是相當重要的事情。尤其不要忘記實施評估與修正，並且在下次加以活用。即便是加上「失敗」烙印的專案，仍必須加以反省，找出失敗的原因，並且在下次的專案中加以活用。

「PDCA」是代表上述四個階段的縮寫。PDCA分別代表「Plan(計畫)」、「Do(執行)」、「Check(結果的確認與反省)」、「Action(改善)」的流程。只要反覆這些流程，就可以累積經驗和實績，增進自己的實力。

為了培養「數字的直覺」

希望進一步增強實力的人，請在計畫階段中用數字預測「執行該計畫所能收到的成果」。例如，銷售額會增加多少、來客數會增加幾人、購買率會提升多少等。

然後，執行計畫，並且在Check的階段中確認計畫和現實的數值差距多少。

如果可以從執行階段看出結果的話，應該就可以判斷專案的推行是否順利。然後，請在最終結果出爐之後，檢視執行後的結果，並進行評估與反省。

透過這樣的反覆動作，就可以培養「數字的直覺」。**只要培養數字的直覺，就可以預測出「實行這樣的策略，能夠產生什麼程度的效果」。**當然，就算不是自己實行的策略，即便是下屬或工作夥伴所提出的策略，仍然也可以做出同樣的判定。

只要培養數字的直覺，就能夠讓你的行銷力大幅地提升。因此，留意以「數字」為基礎的計畫擬定、執行與評估，也是相當重要的事情。

Section 04 商務上的三種共通語言

「數字」、「邏輯」、「熱情」最重要

我認為商務上的三種共通語言是「數字」、「邏輯」，還有「熱情」。在商務擴大至全球化的今日，則還要加上「英語」。

依照邏輯來組織自己想傳達的話，利用「數字」提出所有人都能夠接納的依據，然後把一切託付給「熱情」，進行內容的陳述。只要同時兼具「數字」和「邏輯」所建構的理論，以及積極的「熱情」，就可以讓對方更容易信服。

反過來說，「邏輯和數字」和「熱情」光只有單一方面，絕對是遠遠不足的。如果是行銷人員的話，請務必記住這一點。

行銷現場經常看到毫無「數字和邏輯」，單憑一股「熱情」來說明事項的案例。如果說明的要求內容是小金額的投資或是採購，或許無傷大雅；然而遇到大金額的投資或採購時，如果沒有可作為依據的數字和邏輯，就很難獲得認可。

相反地，明明「數字和邏輯」相當確實，卻欠缺「熱情」的話，則會讓對方感到不安，「這個人提出的內容很不錯，可是他真的想做嗎？交給他沒有問題嗎？」這樣的案例其實也不少。

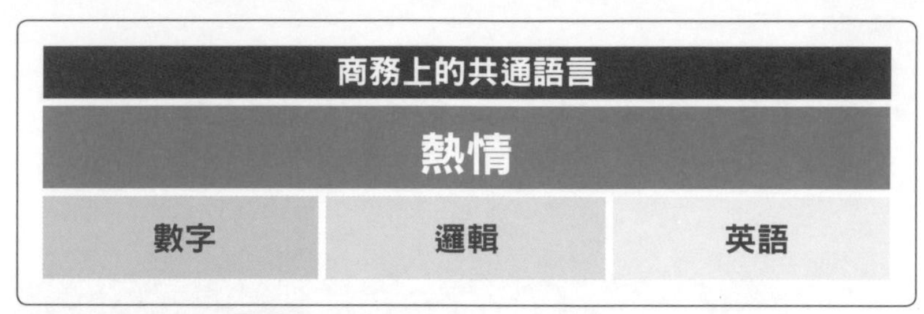

圖 1-5：商務上的共通語言

該策略能解決「問題」嗎？

假設有個服飾企業面臨「店面的銷售額持續下降 2 年」的問題。賣場負責人要求提出解決方案，某個行銷人員說：「我也不知道。不然，要不要試著在雜誌或電視上刊登廣告？」這個時候，賣場負責人能夠接受嗎？我想絕對無法信服。為什麼呢？因為行銷人員沒有分析問題、探究原因，同時也不知道「實施的策略是否真的能夠解決問題」（圖 1-6）。

另一方面，另一個行銷人員的做法和前一個行銷人員不同，不是憑直覺提出問題的解決對策，而是為了分析問題，把店面的銷售額拆成下列三個變數，並試著檢視其過去的變化。

①來店客數
②購買率
③平均購買單價

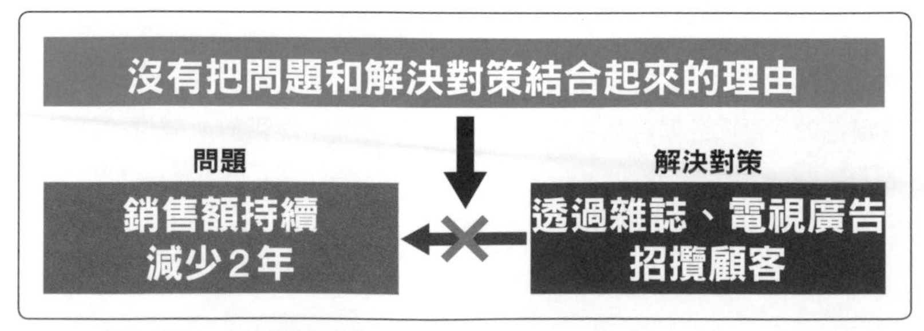

圖 1-6：沒有問題分析的提案缺點

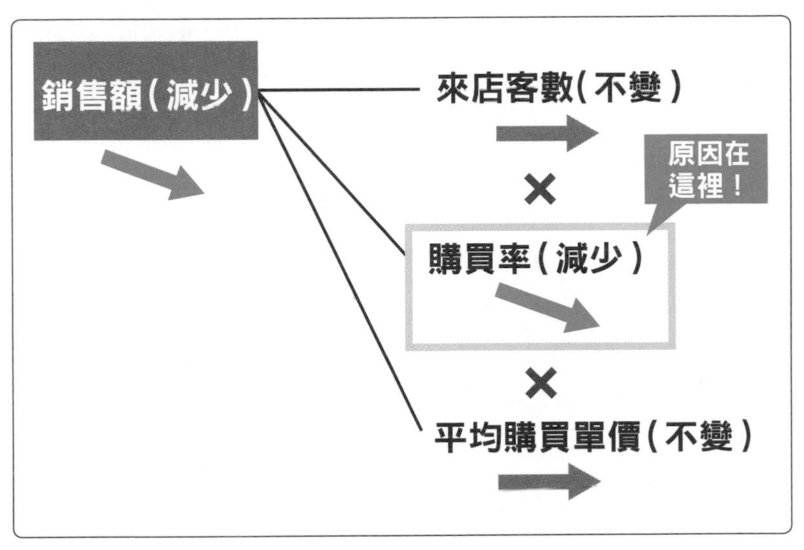

圖 1-7：透過問題分析，便可看見「應解決的事項」

於是，從分析結果中發現，明明①「來店客數」和③「平均購買單價」沒有改變，②「購買率」卻下降（圖 1-7）。因此，該名行銷人員便分析購買率下降的原因，並針對用來提高購買率的策略，提出附上數字的提案。

如何？比起毫無根據的「打廣告方案」，後者似乎比較有說服力吧！因為後者的提案完全是基於問題的分析及數字而得來的。

沒有「熱情」就不會成功！

然後，還有一件事情絕對不能忘。那就是前面提到的「熱情」。聽了上述行銷人員的提案之後，賣場負責人應該會在意兩件事。**一個是在於「那個提案的妥當與否」；另一個則是「能否放心託付給該名行銷人員」。**

「提案的妥當性」只要思考，就能理解。另一個「能否放心託付給該名行銷人員」的問題，卻不是能夠單憑思考來找出答案的。行銷人員的執行力、實力當然不在話下，除此之外，「熱情」將會是影響力極大的判斷材料。

行銷人員只要能夠抱著熱情進行簡報，並與對方建構起信賴關係，就可以讓對方產生「這個人應該可以完成任務」的感覺。

「數字」和「邏輯」、「熱情」都是不可欠缺的要素；但嚴格來說，最不能夠欠缺的還是「熱情」。**如果沒有「熱情」，就算有再好的專案，還是無法展現出符合期待的成果。**

作者重視「共通語言」的理由

一旦進一步形成全球化的環境，正如前面開頭所說的，商務的共通語言還必須再加上「英語」這個項目才行（嚴格來說，不單僅是「英語」，應該是指「可廣泛通用於商場的語言」才對。因為我個人的情況是英語，所以便用英語來表現）。

在全球化的環境裡，有許多情況並不適用於我們日本人所熟知的常識。因為必須把我們的意圖傳達給不瞭解日本文化的人，所以在組織說明內容的時候，必須比日本人更善於使用「數字」和「邏輯」。

我也是在每週向外商企業的美國人社長、俄羅斯人的CMO（Chief Marketing Officer ／首席行銷負責人）進行簡報時，才察覺到「數字」、「邏輯」、「熱情」、「英語」這幾個共通語言的重要性。

就算跟他們說：「日本文化就是如此！」他們還是不會理解。於是，結論就是「用數字來呈現調查結果」。因此，我會在提交給對方的資料裡面，填滿「事實就是如此」的邏輯與數字，在實際進行簡報的時候，我會展現出令人中暑般的熱情，讓人感受到「我真的很想挑戰！」的意向。

Section 05 工作重視的不是「量」而是「效率」

正因為是忙碌的行銷人員……

誠如前面所說的，以前我也曾經在俄羅斯人的CMO旗下工作過，他隨口說出的一句話，至今仍言猶在耳。

在半年一次的人事考核面試中，他的下屬們紛紛討功勞：「你知道我工作到大半夜，做了多少工作嗎？」於是，他便說：「重點不在於做了多少工作、或是加班到大半夜，效率才是關鍵！」

「工作不在於量，效率和質才是重點」……我想，任何人都非常清楚這一點。可是，在實務上，一旦提及「能否追求效率和質」，應該很多人的頭頂上都會浮出問號吧？

我以前也認為工作到大半夜是理所當然的事情。尤其在編列行銷預算的時候，更是不分晝夜。

可是，只要稍微想一下就知道，就算工作到大半夜，也未必是件好事。工作到大半夜，不是會導致睡眠不足，就是會使腦部興奮，導致睡眠品質變差，於是就會對隔天的工作狀態造成負面影響。另外，工作到深夜，也會使集中力下降，導致工作的品質變差。結果，只會陷入「工作做不好」→「老是加班」的惡性循環。

以前認識的某個社長，一定會在18點回家，和家人一起吃晚餐，並且在21點的時候上床就寢。當然，他下班回家的時候，工作未必已經完成。所以，他會在凌晨3點起床，在7點之前，花4個小時的時間把工作完成。他說：「早上工作，大腦特別清醒，而且因為有『7點之前』這樣的時間限制，所以更能夠集中精神，把工作做好」。

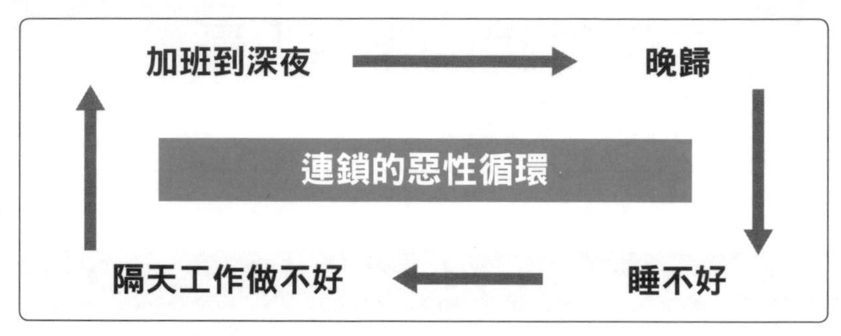

圖 1-8：加班的惡性循環

我自己本身會在早上進行寫作、演講稿的作業，並且在晚上早早上床睡覺。老實說，比起在晚上工作，這樣的方式反而會更加有效率，這是我實際感受到的。

控制身體組織的成長和代謝的成長荷爾蒙會在晚上22點～2點之間，也就是睡覺的期間分泌。如果因為睡眠不足，導致成長荷爾蒙的分泌減少，就會出現「無法消除疲勞」、「對疾病的抵抗力下降」、「肌膚老化」、「脂肪增加」等症狀。大家是否贊同呢？

效率化工作的三種方法

行銷這種工作的業務內容相當多元，因此必須想辦法在有限的時間內提升成果。

除此，在工作時間內能有多少程度的精神集中，也很重要。就拿我自己來說，因為每到19點之後，我的集中力就會下降，所以我會想辦法在那之前完成工作。

具體來說，我都是利用下面介紹的三種方法。

[①製作工作清單]

把該日要處理的工作寫在筆記本裡面。應該也有人是採用把便利貼貼在桌上，或者是使用工作管理軟體的方式吧！

據說製作工作清單的最佳時機是前一天（似乎大腦會在晚上反芻隔天的工作）。我自己也比較喜歡在工作結束後，記錄隔天的工作清單。

此外，**篩選工作的時候，我會用「重要度」和「緊急度」雙軸來進行分類。**如此一來，就可以更有效率的處理工作。希望進一步了解的人，史蒂芬・柯維（Stephen R. Covey）的全球暢銷書《與成功有約（The 7 Habits of Highly Effective People）》有詳細的敘述與說明，請務必拜讀。

[②加上優先順序，從高優先開始處理]

工作清單寫好之後，為各工作加上優先順序。我是以A、B、C三個階段標記優先順序。

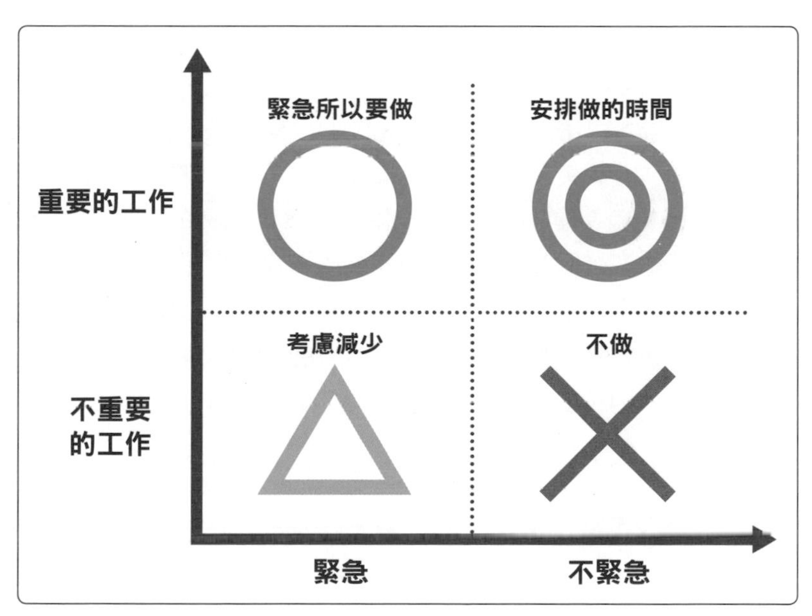

圖1-9：用「重要度」和「緊急度」分類工作

A是「當天一定要做的工作」，B是「隔天處理也可以的工作」，C是「只要在一周內完成即可的工作」。A當中如果有優先度特別高的工作，有時也會寫成「A＋」。

[③放鬆、轉換心情]

雖然大腦和身體累得精疲力竭；不過「非處理不可的工作」還是很多。

遇到那種時候，我不會勉強自己，會索性放鬆自己，讓自己轉換心情。我個人的方法多半都是做5分鐘左右的瑜珈，或是午睡20分鐘。

如果這樣還是無法轉換心情的話，我只會處理非得在當天內完成不可的工作，把其他工作留到隔天。有時，看開反而可以得到更好的結果。

參考已婚女性的工作方式？

這三個作業完成之後，要從該日必須完成的工作中處理乾淨。

雖然有點離題，我的身邊有很多努力工作的已婚女性。

她們為了接送小孩，會在每天16點或17點下班。正因為有時間限制，所以工作會更有效率、更加集中精神，「善用時間」的做法總是讓我十分佩服。當然，對她們來說，這種方式或許辛苦，不過或許人應該多少有些限制，才能夠有更好的工作表現。

時間是公平的，每個人1天可以使用的時間是「24小時」。**在有限的時間內，能夠做出多少成果，取決於每個人運用時間的方式。**為了在較少的時間內做出成果，請不要忘記「有效使用時間」的觀念。

Section 06 尋找「Low Hanging Fruit」吧！

集中在「該做的任務」

我現在的上司住在舊金山。他是義大利血統的美國人，是位既熱情又溫柔的人。

我從他的身上學到了很多知識，其中一件就是「提高成果的方法為決定好該做的事情並集中在該任務」。

我當初以「日本行銷人員」的身分進入現在任職的公司。當時，日本公司的人數很少，行銷人員只有我一個人，所以工作範圍很廣，什麼都得一個人做。

結果，在我為遲遲做不出成果所苦的時候，他跟我說：「如果沒有決定好『該做的事情』，並專注於那件事，不管是多麼優秀的人，都很難做出成果」。

的確，當時我老是「這個也想做，那個也想做」，結果每件事情總是半途而廢。

之後，公司正好來了一位新的行銷人員，於是我就在決定好「該做的事情」之後，採取積極專注的作為，結果成果總算逐漸提升。

「什麼都想做」的積極態度當然很重要。雖然不至於會「腳踏雙船兩頭空」；不過，如果「積極態度」沒辦法引導出「成果」，那就沒有任何意義。

只要集中在該做的業務上，就可以去思考、執行更多的事物並驗證之。

意思就是說，**選擇該做的事並採取積極專注的作為是非常重要的。**

用最少心力換取最大成果

還有另一件事，就是我的上司常說的「尋找Low Hanging Fruit！」這件事，**所謂的「Low Hanging Fruit」就是低垂的果實，意指「就算不做出最大的努力，仍可提升成果」。**

不管是怎麼樣的專案，在思考執行方案時，我總是會努力尋找這個「Low Hanging Fruit」。然後，從找到的「Low Hanging Fruit」開始執行。

若是反過來以「高處的果實」為目標的話，就必須避免我前面所說過的，那就是「毫無計畫，走一步算一步」的做法。

這樣一來，就會變成「花最多心力，換取最小成果」，而且耗費許多時間。

具體來說，思考任務或專案的時候，只要把構思出的策略分類成下列四種即可。

> **①實施簡單，成果較大**
> **②實施困難但成果會提升**
> **③實施簡單，成果較小**
> **④實施困難，成果也較小**

以我個人來說，在此四種分類中我會把①和②置入到執行計畫，③和④則不置入。因為我覺得為小成果付出勞力實在沒什麼效率。

另外，也請以不同的視點去思考「短期成果」和「中期成果」。短期提高成果的策略當然有其必要；不過達到中期成果的策略則應該並行實施。如果一昧追求短期的成果，就只會專注於眼前的作業，使未來的發展停滯不前。

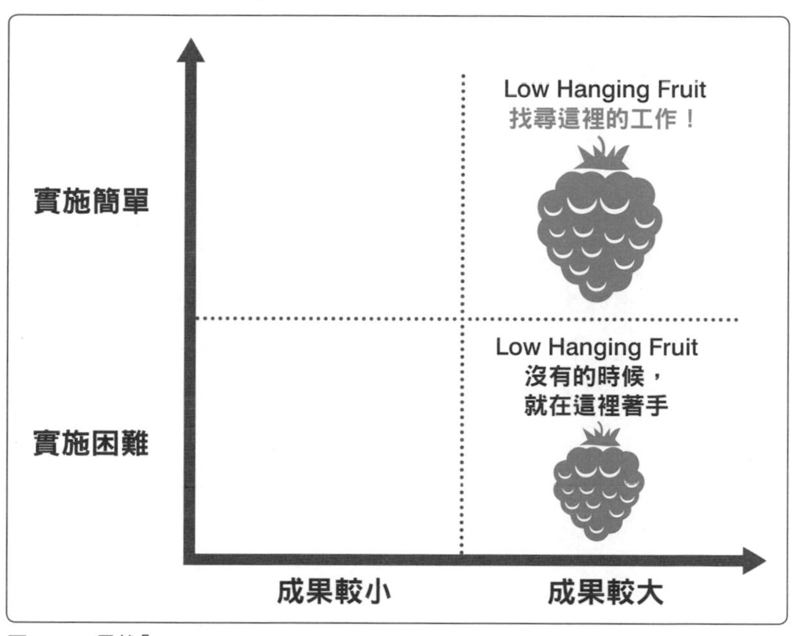

圖 1-10：尋找「Low Hanging Fruit」

彙整後，思考工作或專案時，只要從下列開始執行即可。

> ①簡單且成果較大
> ②不簡單，卻會提升成果
> ③不會馬上有成果，但未來會有較大的成果

在這當中，①就是所謂的「Low Hanging Fruit」，所以我通常都是尋找這個「Low Hanging Fruit」，然後去執行。

同事不該批判而是「幫助」

接下來是有點離題的內容。我從上司那裡學習到的重要事情還有一件，**那就是「幫助夥伴、身邊的人」。**

我的上司和同事們開會的時候，總是會問：「有沒有需要幫忙的地方？」然後，當我提出：「我有件事需要幫忙。」他們就真的會伸出援手。不知不覺地我也變得跟他們一樣，也會對上司或同事產生「如果他們需要幫忙，就該伸出援手」的想法。

人對於某人做的事情，往往都會做出諸如「這樣不太好，應該重做會比較好吧！」的批判。

可是，用「既然對方有麻煩，就應該詢問，試著找出自己可以提供協助的地方」這樣的心態，絕對遠勝於對他人的批判。這樣的態度有益於工作自然不在話下，對於職場上的人際關係肯定也會有正面的影響。

回到原本的話題，要找到工作裡的「Low Hanging Fruit」，就必須檢視現況，透過邏輯和數值去進行分析。

而且為了達到該目的，你所需要的是本書之後詳細解說的「數字思考力」和「Excel力」。

第1部
基礎知識篇

Chapter 02

通往優秀行銷人員的捷徑

為了以高水準推動行銷業務，有幾個應該要培養的能力和觀念。
本書的主題「數字思考力」和「Excel力」當然也是其中之一。
培養這些的能力和觀念，將是通往「優秀行銷人員」的捷徑。

Section 01

行銷人員應有的觀念

行銷人員的必備能力

所謂的「優秀行銷人員」是什麼樣的人呢？就我個人的定義來說，我認為優秀的行銷人員指的是「能夠建構顯著提升銷售率的機制者」，或是「可以讓機制所建構的銷售率顯著提升者」。

儘管「建構提升銷售的機制」、「提升銷售率」說來簡單，然而所謂的「行銷」業務卻相當多元，所以方法也會因銷售商品的特性、客層、行銷人員的作用而改變。可是，不管是什麼樣的行銷業務，所需要的能力都是相同的。具體來說，我認為以下的幾種能力是被要求的。

右腦
→為顧客設想的能力
→比顧客早一步察覺的洞察力
左腦
→假說思考力
→數字思考力
→邏輯思考力

當然，沒有人天生就以高水準具備了這些能力。然而，只要知道這些能力是何物，並且用心磨練，就應該能夠逐步地培養出這些能力來。

因此，接下來將針對這些能力，做更進一步的詳細解說。

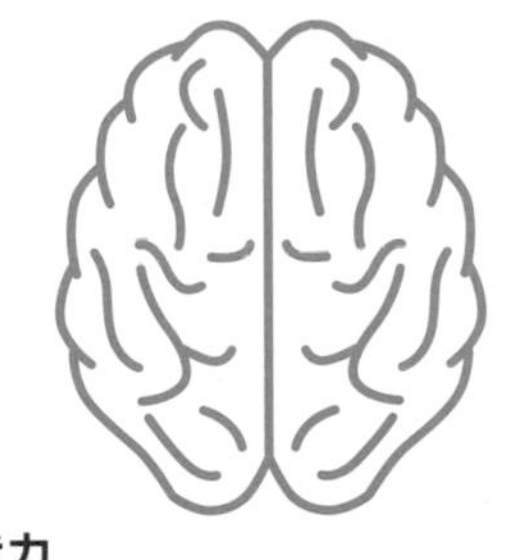

圖 2-1：右腦能力和左腦能力

右腦① 為顧客設想的能力

「為顧客設想的能力」誠如字面所寫，指的是能夠站在預設目標顧客的視線、立場去做思考的能力。這是「觀察」和「想像力」的混合技能。

以「觀察」的層面來說，人類容易自然地以「自己的立場」去思考事物。可是，構思企劃或內容時，就必須具備「自己是這麼認為沒錯，但對方會怎麼看待」的「觀察」能力。只要反覆「觀察」，自然就會逐漸習慣以顧客的立場去做思考。

接下來是「想像力」，就是實際把自己想像成顧客，試著感受一下「顧客會怎麼想」、「會採取什麼樣的行動」。這裡的重點是具體地定義實際的使用者。這個時候，能夠派上用場的就是「人物誌（Persona）」。所謂的人物誌是根據既有顧客等的採訪、調查所虛構的理想型顧客。人物誌不該是「30歲男性社會人士」這類的曖昧定義，必須更進一步地深入挖掘思考才行。

例如，假設我是結婚戒指的行銷人員，就會以下列的人物誌來作為目標顧客。

A先生，30歲男性社會人士。年收入600萬日圓，畢業後就進入員工2000名的日系企業任職。他和在前一部門共事2年的女性員工交往2年。進入30歲後，他開始思考今後的生涯藍圖，考量到小孩的問題，心想著應該差不多也到了該結婚的時機。他打算和現在的女朋友結婚，於是決定在女朋友2個月後的生日時求婚，並在當場送她結婚戒指。可是，因為不知道該挑選什麼樣的結婚戒指，所以平常日的晚上在他回家之後，都會用智慧型手機上網搜尋「結婚戒指」。

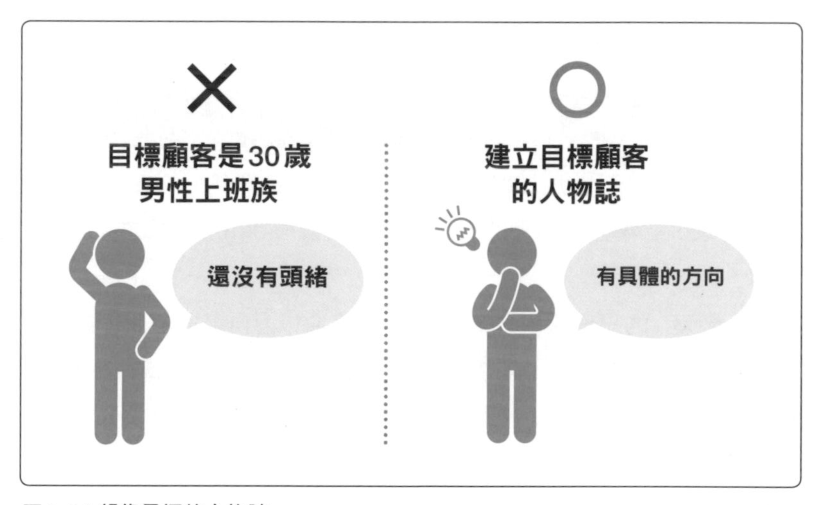

圖2-2：想像目標的人物誌

只要試著像這樣建立一個人物誌，以顧客的立場去思考或感受事務，就會變得更加容易。

右腦② 比顧客先行的洞察力

建立人物誌，並能夠以顧客的立場來做思考之後，再試著深入思考吧！**此時，最重要的事情就是推測「顧客本身也沒有察覺到的潛在需**

求」的洞察力。一旦有了這個洞察力，那就會更加完美了。

試著以剛才的結婚戒指為例來思考吧！ A先生針對結婚戒指做了調查。他想要了解的是「結婚戒指有什麼樣的種類」、「該怎麼挑選」、「其他人會在戒指上花費多少金錢」、「受歡迎的結婚戒指排行」等訊息。至此，應該會比較容易聯想。

可是，試著再進一步深入思考吧！ A先生的最終目標不是「買結婚戒指」，而是「求婚成功」。因此，結婚戒指必須是「女朋友所喜歡的」，而不是「其他人所喜愛的」。另外，如果可以，應該會希望求婚時，還可以帶點驚喜吧！只要根據這些推測，就能夠想起如下般的企劃。

- 希望知道求婚成功的方法
- 找出她可能喜歡的戒指的方法
- 在不被察覺下取得她的戒圍的方法

藉由像這樣苦思冥想顧客的立場，就可以看出「顧客本身真正想了解，卻沒有察覺到的事情」。而此處的探究正是行銷的醍醐味。

左腦① 假說思考力

接著，也來看看左腦的能力吧！首先是「假說思考力」。所謂的假說思考力，指的是當從事某些課題時，以那時候所想到的「假說結論」去做思考的方法。

例如，假設有個「店鋪營業額減少」的課題，如果把所能想到的「銷售額減少的原因」全部調查一次，就會花費相當龐大的時間。因此，要像「其原因或許是促銷和競爭店家的增加」這樣，預先去猜測原因，然後進行驗證。這麼一來，就能在短時間內得到結論。

和我關係親密的顧問朋友曾說過：「一旦妄想加上邏輯，便是假說。」我認為這是相當淺顯易懂的說明。

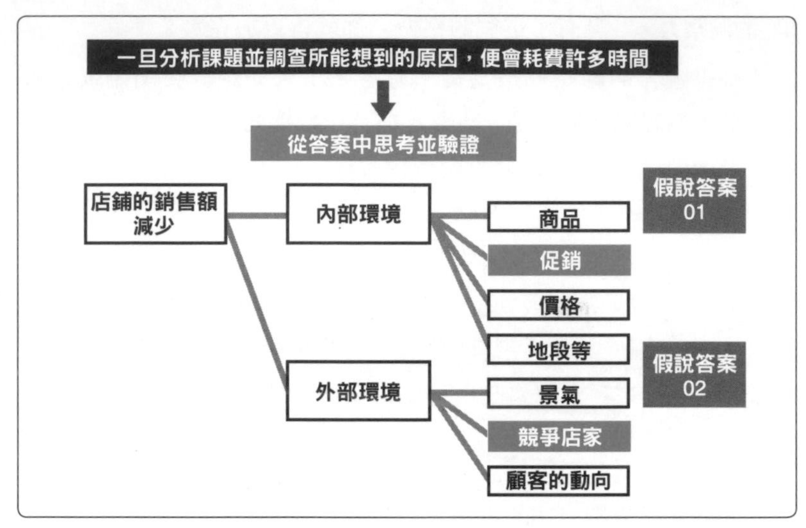

圖2-3：從答案中思考並驗證的「假說思考」

左腦② 數字思考力

左腦的第二種能力，就是本書的主題「數字思考力」。所謂的數字思考力，指的是「把事物邏輯性建構並反映在數字上的能力」。……感覺起來或許有些困難，簡單來說，**請理解成「以數字基礎去思考事物的能力」。**

例如，如果思考拉麵店一天的銷售額，銷售額可分解成圖2-4的情況。

這個分解式完成後，只要把數字套用到各個項目，就可以像圖2-5那樣計算出一整天的銷售額。

像這樣分解事物之後，一旦套用數字到各項目，就可以推算出更大的數值。另外，只要把實際的數值套用於分解的因數，也可以計算出銷售額等的最終數字。關於訓練數字思考力的方法，將會在P.50有更詳細的解說。

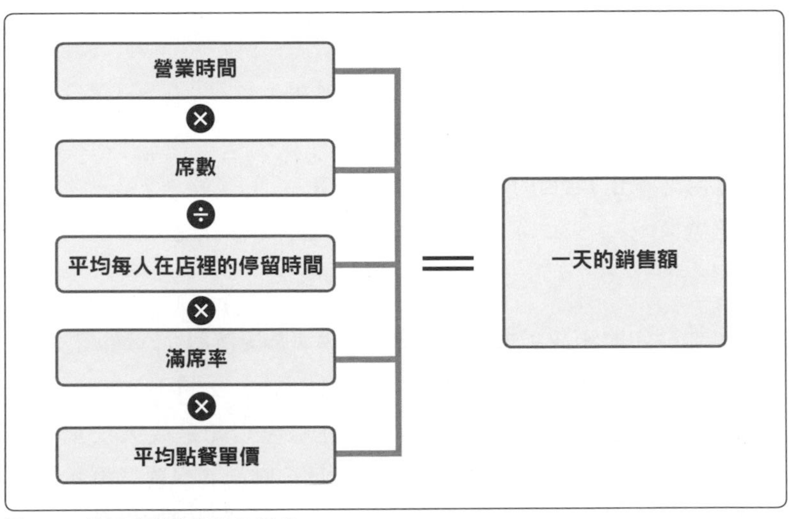

圖 2-4：拉麵店銷售額的分解式

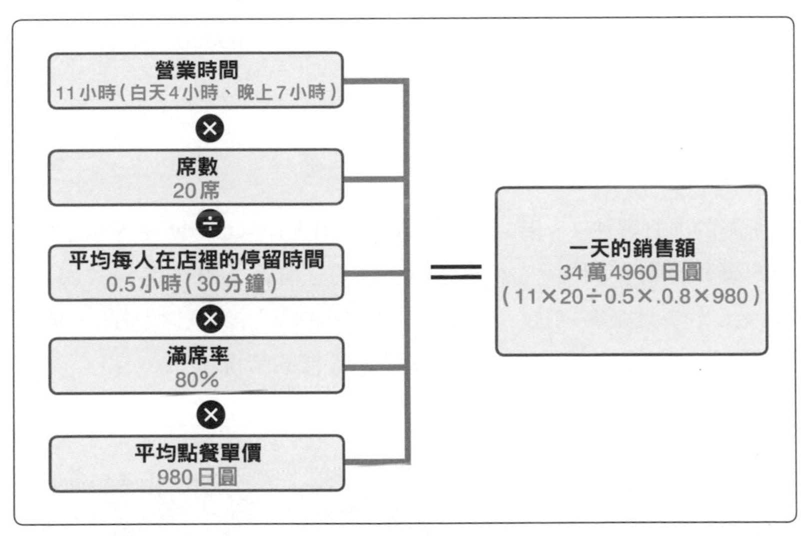

圖 2-5：套用數字

左腦③ 邏輯思考力

左腦的最後一種能力就是「邏輯思考力」。邏輯思考的定義如下。

所謂的邏輯思考：

①以事實或任何人都認同的事物作為基礎依據。

②具有與導致結論的展開道理相聯結。

③用來導出符合目的之明確結論的思考。

出處：ロジカルシンキング研修.com(https://www.ltkensyu.com/)

簡單地換句話來說，**邏輯思考就是「以誰都瞭解的形式構成談話，能夠傳達自己想說內容的能力」。**

我過去完全沒有半點邏輯思考力，在職場上總是成天挨罵。之後，我學習邏輯思考，並持續練習，總算一點一滴學會了邏輯思考力。在邏輯思考力精進之後，我的工作品質有了明顯的提升，因此深深地覺得「學習邏輯思考力真好」。

再者，邏輯思考有「演繹法」和「歸納法」兩種，接下來就分別簡單地解說一下。

[演繹法]

所謂的「演繹法」，指的是「如果A＝B、B＝C，就會A＝C」這樣的邏輯結構。例如，「A＝B：一旦刊登廣告，來客就會增加」、「B＝C：一旦來客增加，購買數就會增加」、「A＝C：因此，倘若刊登廣告，購買數就會增加」，就像是這樣的情況。

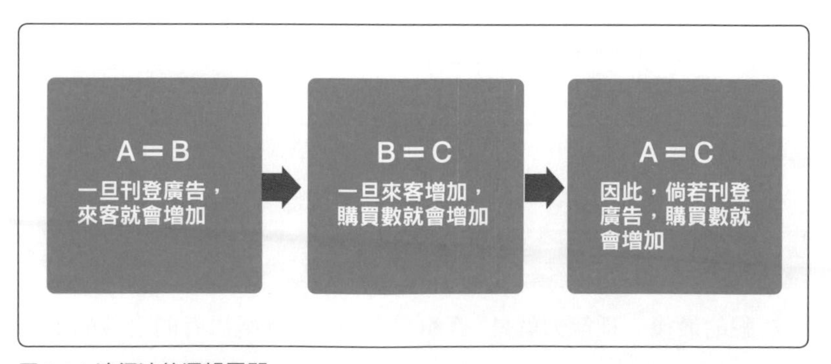

圖2-6：演繹法的邏輯展開

[歸納法]

另一方面，歸納法是「如果A＝D、B＝D、C＝D，那麼A、B、C項所共通的E就是D」的邏輯展開方法。

例如，「A→D：只要以附帶照片的方式，把顧客的留言刊載在傳單上面，購買率就會提升」、「B→D：只要以附帶照片的方式，把知名人士的留言刊載在傳單上面，購買率就會提升」、「C→D：只要以附帶照片的方式，把開發者的留言刊載在傳單上面，購買率就會提升」、「E→D：因此，只要把人物的留言和照片刊載在傳單上面，購買率就會提升」的情況。也就是說，從A、B、C共通的事項（E）導出結論（D）。

然而，即使記住這類演繹法、歸納法的思考方法，也未必能夠馬上做出邏輯思考。**邏輯思考不是死背的東西，而是讓自己的腦袋學會新的思考模式。**因此，邏輯思考並非一朝一夕能夠體會的東西，必須藉由反覆的練習，才能夠慢慢地記在腦中。

只要搞懂邏輯思考，每天採用這樣的思考模式，應該就能慢慢加強自己的邏輯思考力。

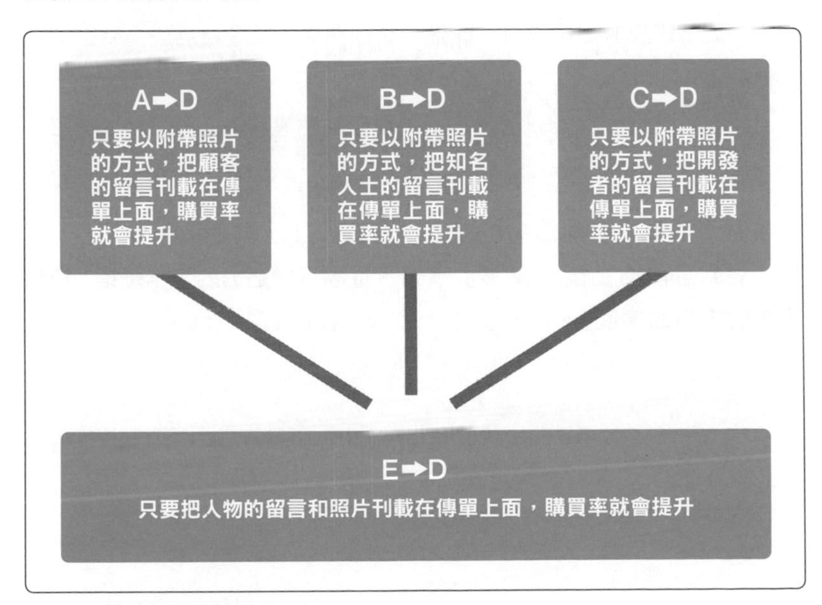

圖2-7：歸納法的邏輯展開

為了從事有創造力的工作

前面介紹了「為顧客設想的能力」、「比顧客先行的洞察力」、「假說思考力」、「數字思考力」、「邏輯思考力」五種能力。

行銷人員必須留意，把這些能力全部匯集於一身，並有創造力地從事工作。所謂的有創造力的工作，也就是指創造性的工作。

京瓷（KYOCERA）的創辦人稻盛和夫，經常舉從事創造性的工作，作為用來從事更良好工作的哲學。他以淺顯易懂的話語闡述了這麼一段話，大家來看看吧！

經常從事創造性的工作

在努力工作的同時，更為重要的是每天反覆問自己：「這樣做已經可以了嗎？」並不斷地加以改善、改進。絕對不能漫不經心地重複與昨天同樣的工作。

在每天的工作中，要經常思考「這樣好嗎」，同時要抱持「為什麼」的疑問。今天要比昨天好，明天要比今天好，對於交給自己的工作，要持續思考如何改善、改進，久而久之，就會發展成為有創造性的工作。

引用自稻盛和夫 OFFICIAL SITE

我原本以為「有創造力的工作」是指「自己親手做些什麼」。可是，看到這段話之後，我才了解到，**從事有創造力的工作是指「持續思考對工作的態度」。**希望身為行銷人員的大家，也務必記住這一點。

Section 02 行銷新手應該注意的事

為了好的「起跑衝刺」

前面介紹了「優秀行銷人員」應該具備的能力；不過要將這些能力全部培養起來並不容易。對於行銷資歷尚淺的新手來說，更是一大難事。

可是，即便是新手，既然從事行銷業務的話，當然應該會想要早日成為「優秀的行銷人員」。

我認為資歷尚淺的時期應該以「數字思考力」為優先，那才是達成業務的捷徑。因為是新手，所以沒有資深行銷老手般的「經驗值」。**既然沒辦法仰賴「經驗」，就應該仰賴「數字」。**

以案例研究的形式來思考看看吧！

山田先生是健身房營運公司的行銷部人員。才剛進入部門不久，上司便拋出「健身房的會員數遲遲沒有成長，必須想辦法增加會員人數」的議題。

雖然上司說：「你也試著思考一下！」可是山田先生完全沒有行銷經驗，對於前輩們所提出的「推行什麼樣的策略之後，就能增加多少會員人數」的做法，更是完全一頭霧水。

因此，山田先生就先從掌握現狀開始做起。會員人數應該是「上個月的會員人數－退會人數＋新入會人數」。於是，他試著把前輩們過去所實施過的策略分成「增加新會員人數的宣傳活動」和「減少退會人數的宣傳活動」兩種。

另外，他更進一步向前輩們請教，過去曾經做過什麼樣的宣傳活動，並且將那些宣傳活動加以分類（圖2-8），同時依照月別列出新會員人數和退會人數，然後試著把這些數字和宣傳活動實施月份的

增加新會員人數的宣傳活動

- 現在加入則免入會費！月費前三個月減半！
- 超優惠體驗專案
- 現在開始，半年免費健身諮詢！可以實際感受身體的轉變！
- 新生活應援活動（會員卡申辦免手續費、4月的設施利用費免費、價值5000日圓的培訓禮券）

減少退會人數的宣傳活動

- 滿周年感謝禮（獨家水壺）
- 續會滿三年提供免費諮詢服務及自選好禮
- 強身健體月！按目的類別實施免費諮詢服務！
- 空手來就OK的全裝備出租服務
- 春季運動應援活動（限時優惠的課程價格）

圖2-8：增加新會員人數的宣傳活動、減少退會人數的宣傳活動

關係圖表化（圖2-9）。

結果，山田先生透過圖表發現，「只要沒有會員招募宣傳活動，新會員的增加率就會下降」，而且「降低退會率的宣傳活動幾乎收不到成效」。於是，他便檢視會員資料庫，針對月利用次數和退會、續會的關係進行調查，最後得到圖2-10的結論。

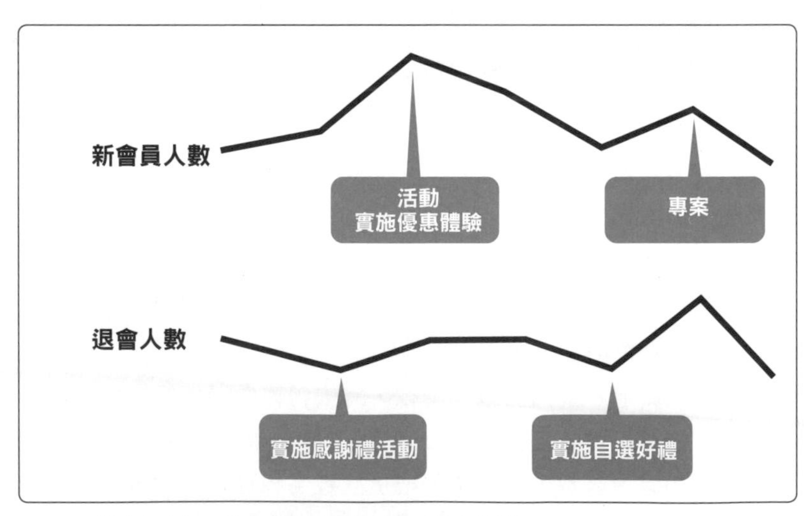

圖2-9：新會員人數＆退會人數和宣傳活動之間的關係

月利用「4次以上」的人 → 整體的5%。其中有95%在1年後續會

月利用「3.0次～3.9次」的人 → 整體的15%。其中有70%在1年後續會

月利用「2.0次～2.9次」的人 → 整體的20%。其中有50%在1年後續會

月利用「1.0次～1.9次」的人 → 整體的35%。其中有65%在1年內退會

月利用「0.5次以下」的人 → 整體的25%。其中有90%在1年內退會

圖2-10：月利用數和退會、續會的關係

當他把這些調查結果呈報給上司時，受到上司的讚賞：「儘管一直都有那樣的感覺，然而卻從未具體以數字做過調查。」甚至還說：「我知道一旦沒有招募新會員的宣傳活動，新增的會員人數就會減少；不過到底該怎麼做會比較好呢？你可以再稍微深入分析一下，想出更具體的策略嗎？」

於是，為了檢討具體性的策略，山田先生試著把會員分成「月利用3次以上，滿意度較高的人」與「月利用2次以下，滿意度偏低的人」兩種。

為什麼要這樣分類？因為只要把需求、生活型態與「前者（月利用3次以上）」相同的人招募作為新會員，就可以增加續會的數量，同時，只要提高「後者（月利用2次以下）」的顧客滿意度，就可以防止「退會」。

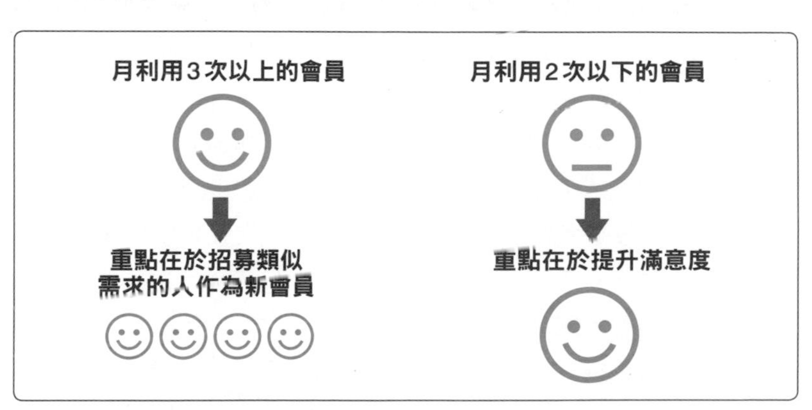

圖2-11：依照滿意度的高低，思考對策

和鄰座的前輩商討之後，前輩告訴他：「月利用3次以上的人，很樂見身體變得緊實、體型逐漸改變的狀況，所以他們就會持續來健身房。」

於是，山田先生便向上司提議，把依上健身房次數而改變內容的電子報送給會員。具體來說，就是以每3個月1次的頻率，把通知宣傳活動的電子郵件寄送給經常光臨健身房的會員；另一方面，則是每週1次，透過電子郵件把有助於健身的有利資訊，寄送給月利用2次以下的會員。

在獲得上司的許可、寄出電子郵件之後，有部分原本月利用2次以下的會員，現在上健身房的次數變成了3次以上。上司因而肯定了山田先生的能力，並承諾下次也將讓他參與更大的案件。

……大家覺得如何？以山田先生的這個案例來說，這樣的結果絕對不是無稽之談。很多隨機行銷的公司，在採用邏輯分析的行銷方式之後，多半都能夠提高成果。

誠如前面所說的，行銷人員沒有「經驗法則」。可是，只要像山田先生那樣以數字為基礎進行分析，就能夠有全新的發現，同時針對發現到的事物思考對策。然後，應該就能夠找出專屬於你的企劃。

在自己也能有所貢獻的戰場上一決勝負

聊個題外話，我的好朋友畢業於美國的商務學院，他在美國的管理顧問公司（Consulting Firm）任職。

當時，在英語的口頭簡報中，他沒辦法和同事較量，所以他充分意識到自己只能靠運用數字和邏輯的分析，也就是使用「左腦的能力」來取勝。嚴格來說，這可說是他之所以能夠在嚴峻的美國管理顧問公司生存的主要原因。

他從那之後就不斷地累積經驗和實績，和我認識的時候，他已經爬上了社長的位置。現在，「邏輯性的問題」只需要交給下屬去煩惱即可，他不用在意邏輯問題，只需要不斷地運用右腦的創意即可。

前面提到，行銷人員新手應該以「數字思考」為優先；不過最重要的是在必要的時候找到「屬於自己的戰場」，然後在那個戰場上一決勝負。既然不能靠經驗法則做出貢獻，那就在其他地方，**在自己也能有所貢獻的戰場上，思考自己的有用貢獻，這就是新手做出成果的秘訣。**即便一開始只是小小的成功，不過隨著「成功體驗」的累積，最後一定可以帶來更大的成功。

圖 2-12：為了讓新手成功起跑衝刺

Section 03

行銷人員需要的「數字思考力」？

在前一節和P.36中曾經提過，對行銷人員來說，「數字思考力」是絕對必要的。所謂的數字思考力，就是邏輯性分解事物，並在分解後的各要素上套用數字的思考方法。

數字思考的第一個步驟就是從邏輯性分解事物開始。此時，分解的關鍵就是「彼此獨立、互無遺漏」。彼此獨立、互無遺漏稱之為「MECE（Mutually Exclusive Collectively Exhaustive）」，如果沒有注意到MECE，就無法做出正確的數字思考。

事物分解完成後，接下來要把數字套用在分解後的各要素上。如果沒有數字可以套用在分解的要素上，就要進一步分解。P.37以「拉麵店1個月的銷售額」為例，簡單說明了數字思考力的思考方法；這裡就以同一個拉麵店的案例，再進一步詳細介紹數字思考的流程吧！

首先，試著粗略地分解「拉麵店1個月的銷售額」。於是，就可以分解成圖2-13。

接著，試著思考是否可以把現實中的數值套用在「1天的客數」、「平均購買單價」、「營業天數」。「營業天數」可自行決定，所以應該沒有問題。這裡就設定為「25天」吧！「平均購買單價」也一樣，

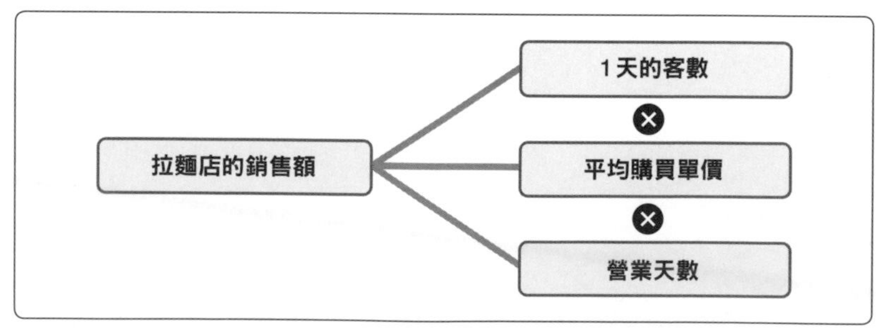

圖2-13：拉麵店的1個月銷售額

「1碗拉麵的單價」也是自己設定的，所以應該不會有問題。這裡就設定成「980日圓」吧！

可是，「1天的客數」就有點困難了。不是單憑想像，就可以決定「有○人」，所以必須再進一步分解。因此，這裡就試著把「1天的客數」進一步分解。

「1天的客數」可以用幾個觀點去做分解，這裡試著從「①店內可接待的最大客數」和「②從地理位置推算出的客數」的兩個觀點去做分解。首先，「①店內可接待的最大客數」可分解成圖2-14。另一方面，「②從地理位置推算出的客數」則可分解成圖2-15。

只要分解到這種程度，應該就可以把數字套用在各要素上。那麼，這裡分別把「1天的客數」設成「①店內可接待的最大客數」的

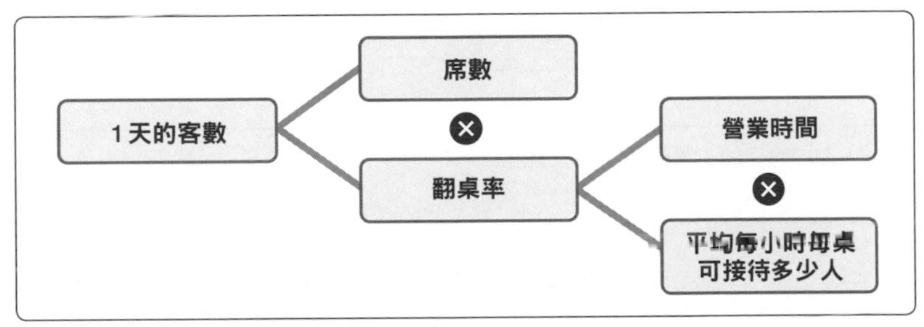

圖2-14：1天的客數①（店內可接待的最大客數）

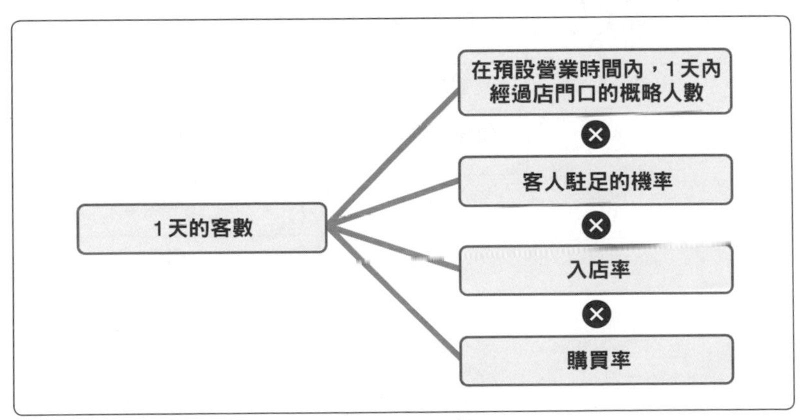

圖2-15：1天的客數②（從地理位置推算出的客數）

模式，和「②從地理位置推算出的客數」的模式，以這兩種模式來計算這家拉麵店的1個月銷售額吧！（圖2-16、圖2-17）

在比較圖2-16和圖2-17之後，發現圖2-17「從地理位置推算出的客數」的試算模式比較符合現實的數字。

如果銷售額無法滿足利益，就要藉由增加銷售額或減少成本的方式來增加利益。

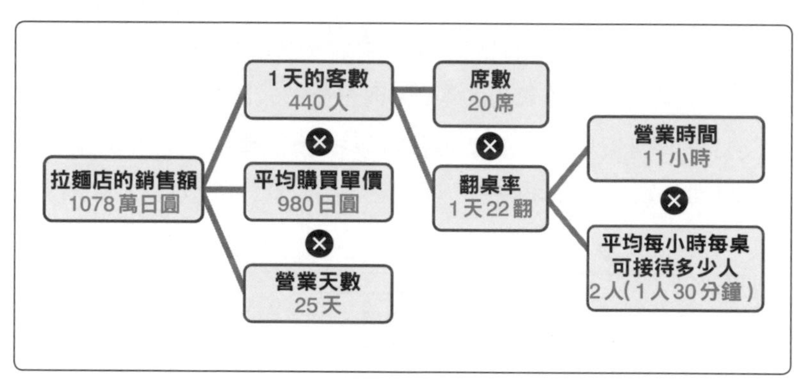

圖2-16：拉麵店的1個月銷售額試算①

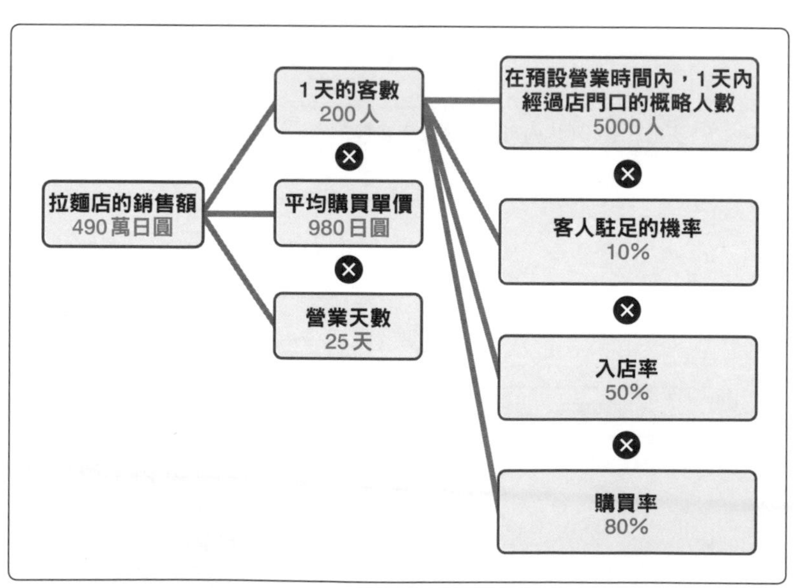

圖2-17：拉麵店的1個月銷售額試算②

另外，如果希望增加利益的話，就要知道非得增加下列變數中的任一個。

- 在預設營業時間內，1天內經過店門口的概略人數：5000人
- 客人駐足的機率：10%
- 入店率：50%
- 購買率：80%
- 平均購買單價：980日圓

難以列出上述變數時，或許就必須重新檢討原本的「地理位置」。

像這樣藉由要素的分解，列出「增加銷售額」或「減少成本」等問題的時候，就會比較容易找出應該列舉出的變數。就算沒頭沒腦的說：「提高銷售額吧！」**一旦在「不知道該具體做些什麼」的狀態下採取行動，「就算拚了老命，也未必會有成果」。**相反地，只要進一步分解要素，就可以讓「提高行人駐足停留的機率」或「提高入店率」等用來提高銷售額的策略更加明確化。

獲得數字思考力的各種好處

只要鍛鍊數字思考力，讓自己可以看清事物的結構，在業務上採取某些分組的時候，便能夠**意識到「這個策略將會使哪些變數改變」**並完成工作。

數字思考力不僅可以了解策略在整體上的定位，同時也會具備「為了提升整體的成果，而能夠去提高其他變數」的觀點。另外，在向任何人說明策略的時候，也可以更淺顯易懂地傳達必要性與效果，因此就能夠更容易讓對方理解。

像這樣培養數字思考力會有各種不同的好處。

Section 04

培養數字思考力的方法

事物的「分解力」是必備的

該怎麼做才能培養數字思考力呢？很遺憾地，人類的大腦是無法天生就以邏輯性進行思考。

P.39針對「邏輯思考」進行解說時，曾經提過：「邏輯思考並非一朝一夕能夠體會的東西，必須藉由反覆的練習，才能夠逐漸培養起來。」數字思考也是一樣，只能靠反覆的練習，一點一滴地改造腦中的思考回路。

可是，**既然「並非人人都辦得到」，那就代表只要擁有數字思考力，你的價值就會瞬間水漲船高。**

那麼，該怎麼練習，才能夠培養數字思考力呢？誠如P.46所說的，數字思考的第一個步驟是彼此獨立、互無遺漏的分解事物。事實上，這就是最困難的地方，同時也是最需要練習的部分。相反地，只要能夠分解，日後就只要憑藉著自己的直覺、實績等去套用數字即可。

那麼，接下來就針對「分解力」的鍛鍊方法來進行介紹吧！

使用分解的範本

對新手來說，最迅速的方法就是**針對「銷售額」、「利益」、「會員數」、「活躍用戶（Active User）數」等商務場景上頻繁出現的主要變數，事先以合乎自己的商務或課題的形式準備好範本。**之後，只要把實際的數字放進範本裡，所以就連新手也可以簡單地進行數字思考。首先，只要先透過這種做法把要素分解的直覺培養起來即可。

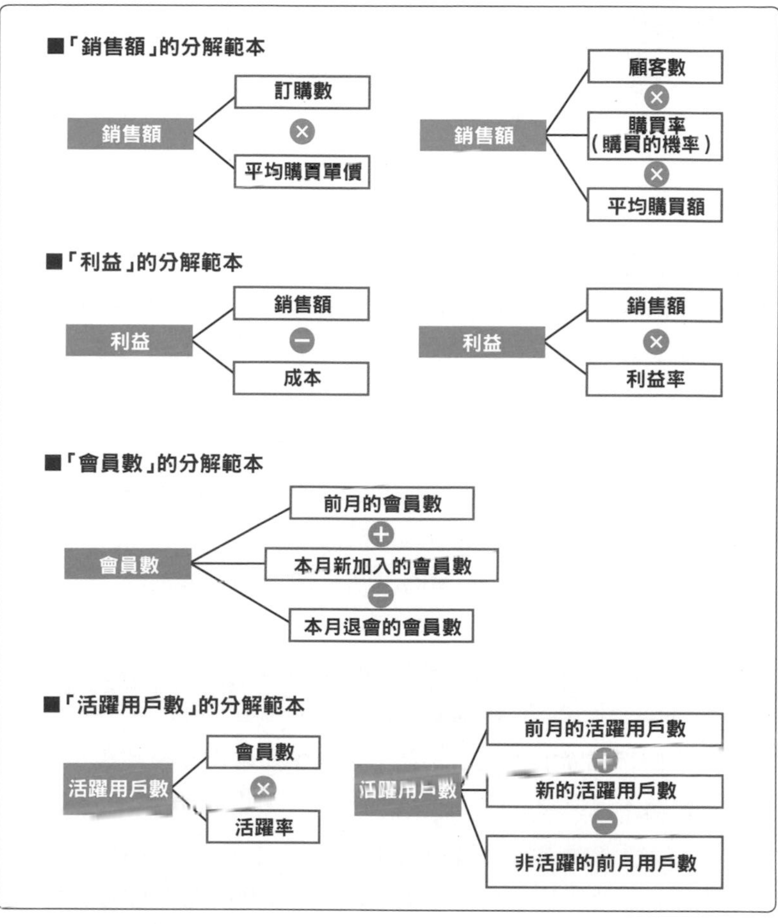

圖 2-18：分解式的範本例

自己製作分解式

使用範本的方式雖然方便，不過有時應該會出現範本所沒有的變數。另外，記住所有範本也是件挺累人的事，所以在有了某程度的習慣之後，就請以可自行製作分解式為目標吧！

自行製作分解式時，有三件事必須考量。「①要分解什麼」、「②觀點」、「③細膩度」。接下來分別針對各項進行解說。

[①要分解什麼]

首先，決定「自己最終想要追求的是什麼」。大部分都是以「銷售額」、「利益」、「會員數」等居多吧！

[②觀點]

接著，思考要以什麼樣的觀點找出想要求出的變數。由於可以想出各種不同的觀點，因此只要試著多加練習，就應該能夠找到「最佳的觀點」。

[③細膩度]

所謂的「細膩度」是指要多麼細膩地分解想要求取的變數。分解得越細膩，就越能夠看得到更細微的部分；不過花費的心思也會更多。因此，請依照自己想了解的程度，調整分解的細膩度。

「可見的事物」會依分解的觀點而不同

透過範例來思考看看吧！例如，這裡想要求出一家超級市場的1個月營業額。這個時候，「①要分解什麼」就是「銷售額」。

接下來是「②觀點」。這裡可推想出各種不同的模式；不過，首先先以從「超級市場的來客數」進行分解的觀點來思考看看（圖2-19）吧！從圖2-19的分解式來看，我把前來超級市場的顧客之購買率想像得非常高。因此，如果我是這間超級市場的行銷人員，就要以如何提升「顧客來店數」和「平均購買單價」，作為提高銷售額的策略。

那麼，再回到原本的話題，這次也來介紹另一個觀點，用「商品類別」來分解銷售額的範例（圖2-20）吧！

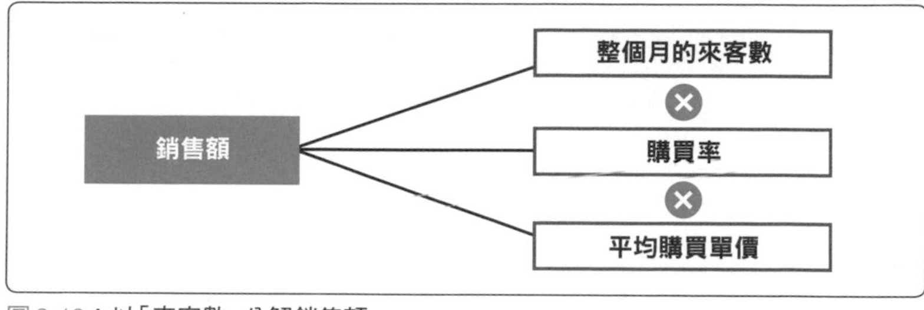

圖2-19：以「來客數」分解銷售額

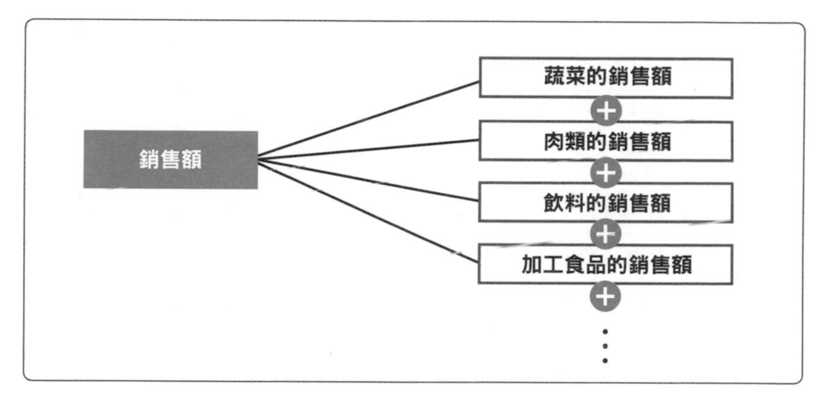

圖2-20：以「商品類別」分解銷售額

一旦切割成各個商品類別，就應該可以看出來各個類別的銷售規模。如果是我的話，會把重點放在銷售額較高的前三種商品類別，先思考提高這些類別的銷售額的方法。

前面試著以「超級市場的來客數」和「商品類別」的兩個觀點來分解利益；根據分解式的不同，所呈現出來的事物也會有所不同，此點應該是可以理解的吧！

找不到觀點的時候……

找不到分解的觀點時，一邊回想「5W1H」一邊尋找觀點，也是一種方法（圖2-21）。

另外，著眼在直到銷售額提升的「流程」，並且根據「流程」進行分解，也是相當有效的辦法（圖2-22）。

5W1H	觀點	例
What：事物	依商品類別分解超級市場的利益	蔬菜、肉、熟食…
Where：何地	●・・依超級市場內的貨架位置分類，或是依離地高度分類 ●・・依照各地區分解超級市場100家店的銷售額	東京都、神奈川縣、埼玉縣…
When：何時	依月別分解1年期間的銷售額	1月、2月、3月…
Who：誰	依購買顧客的性別、年代類別分解利益	女 性、10 ～ 19歲、20 ～ 29歲、30 ～ 39歲…
Why：為什麼	依照購買動機類別分解	購買家庭（3人以上）的伙食食材、購買夫婦的伙食食材、購買個人的食材…
How much：多少	依照購買金額類別分解	未滿1000日圓、1000日圓以上～未滿3000日圓、3000日圓以上～未滿5000日圓

圖2-21：用「5W1H」尋找觀點

例如，假設採取了在超級市場附近的住宅發放5000張宣傳單的策略。這個時候，策略會有「發放宣傳單→被宣傳單的內容所吸引→實際前往超級市場→購買商品」這樣一連串的流程。這個時候，就可以透過下列的分解式導出銷售額。

日期	宣傳單發放數	來店客數	客數的增加
1月	0	400	
2月	5000	504	+104
3月	5500	510	+110
4月	6500	645	+245

圖2-22：用「發放宣傳單」的流程進行分解

分解直到可以想像數值為止

最後，針對分解的「細膩度」（該分解到何種程度）進行說明吧！以結論來說，關鍵就是持續分解，直到「可以理出或想像出可套用於分解要素的數值」為止。

以前面圖2-22的範例來說！把「來客數」分解成「發放宣傳單」的流程，並進行來客數的試算。

憑空想像「來客數」雖然有點困難，不過只要以「發放5000張宣傳單」這樣的數字為標準，對於之後的「宣傳單發布數」、「看宣傳單的人的比例」、「對宣傳單的內容感興趣的比例」、「看了宣傳單而來店的人的比例」等項目，應該就可以找出可套用的數字。也就是說，像這樣持續分解，直到「了解（可以想像）套用於要素的數字」為止，這是非常重要的事情（圖2-23）。

如果有「過去曾發放的宣傳單數量」和「實際的來客數」等以往的資料的話，也可以導出更具體的來客數。假設圖2-22是過去的實績數字，那麼發放宣傳單所帶來的顧客增加數就是「459」（104＋110＋245）；宣傳單的總發放數是「17000張」（5000＋5000＋6500），所以就能夠以單純的計算，算出「宣傳單所帶來的來客數」為「2.7％」（459÷17000）。這個時候，分解式就如圖2-24所示。

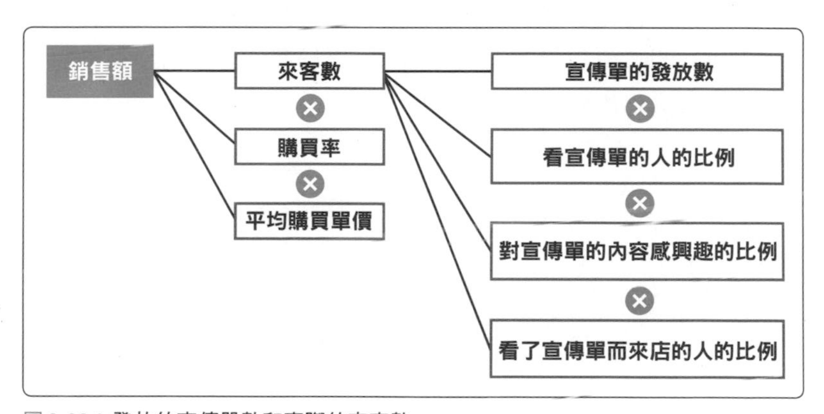

圖2-23：發放的宣傳單數和實際的來客數

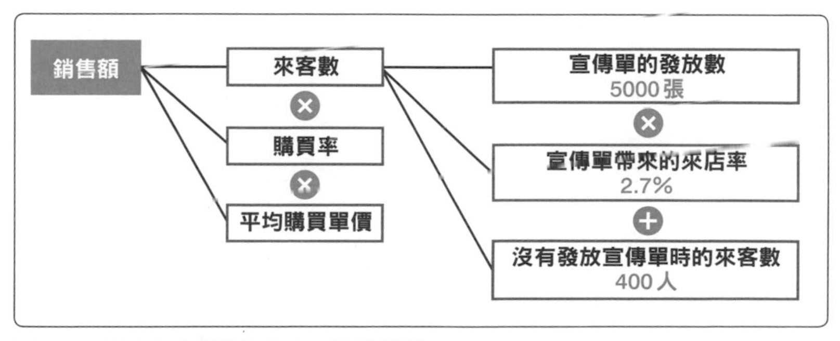

圖2-24：用來自宣傳單的來店率試算銷售額

像這樣分解直到可以把數值套用在要素上的做法是相當重要的；不過，一旦分解得太過，有時反而會產生過多的變數，導致把數值任意套用在變數的情況。因此，恰到好處的分解才是關鍵所在。

試著「分解」周邊的事物

找尋分解的「分析觀點」是任何人都會碰到挫折的作業。我也曾經有過找不到分析觀點而遲遲無法分解事物的經驗，因此我會針對工作中出現的事物，不斷地透過各種不同的觀點在腦海中進行分解。這樣的做法差不多持續了三個月之後，就會對分解的作業慢慢地得心應手。

大家也請務必試著分解所有在工作或私生活上出現的事物吧！

就算一開始沒辦法順利，只要透過持續不斷的練習，應該就可以逐漸精進。對於身為行銷人員的你來說，這將成為幫助你獲得數字思考力，提高你的個人價值的至寶。

Section 05

把商務結構化便能瞭解的事

只要使用數字思考力分解商務，並進一步理解各個要素的數值，就可以在自己的大腦中結構性地掌握商務。

然後，結構性地掌握商務有以下的兩個好處。

> ①可以理解根本原因
> ②可以掌握自己可控和不可控的事物

那麼，分別來細看這兩個好處吧！

可以理解根本原因

例如，「銷售額」可以分解成「來客數×購買率×平均購買單價」。於是，當銷售額下降時，就能輕易查明「原因」。假設「來客數」停滯、「購買率」減少、「平均購買單價」輕微減少，就可以馬上明白「購買率下降」是導致銷售額減少的最主要原因。

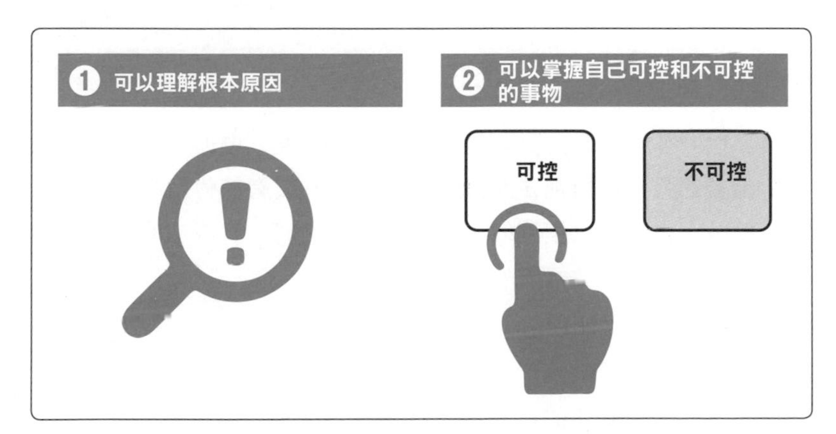

圖 2-25：把商務結構化並確實掌握的好處

相反地，如果不去分解、掌握的話，就無法查明銷售額減少的理由。結果，往往會出現蒙眼瞎打的情況，公司內部講話比較大聲的人說：「客戶減少許多，給我想辦法增加！」於是就一股腦兒擬定增加顧客的策略。明明真正的理由是「購買率下降」，卻想著怎麼提高集客數，完全無法從根本上解決問題。結果，就會演變成「集客數增加，可是銷售額卻沒有太多成長」的情況。

相反地，藉由找出原因並深入挖掘，能夠取得全新發現的情形也不在少數。把商務結構化，確實掌握問題結構，就可以更容易揪出原因，對於行銷人員來說，我認為這是相當基本的常識。

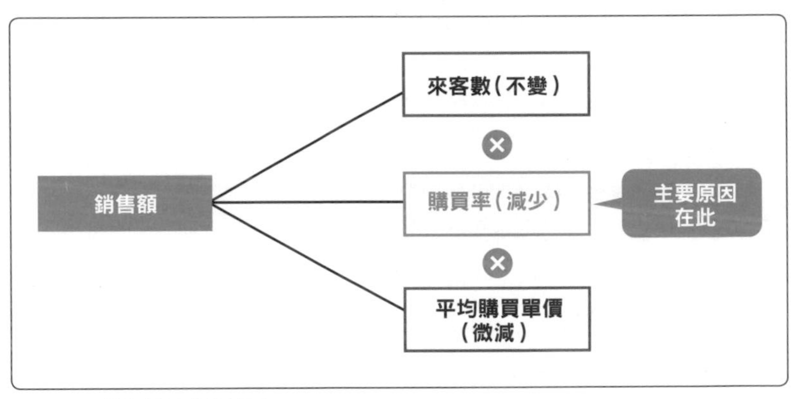

圖 2-26：銷售額減少的原因……

可以掌握「可控事物」

第二個「可以掌握自己可控和不可控的事物」也很重要。為什麼呢？**因為思考自己所無法掌控的策略，根本沒有任何用處。**嚴格來說，集中在自己可以控制的事物上並施行策略，其成功的機率當然會比較高。

例如，假設你是服飾公司的行銷人員，這間公司的主要銷售通路是實體店面。

依照下列分解此店的銷售額之後，哪幾個項目是行銷人員（你）可控的呢？請試著想一想看吧！

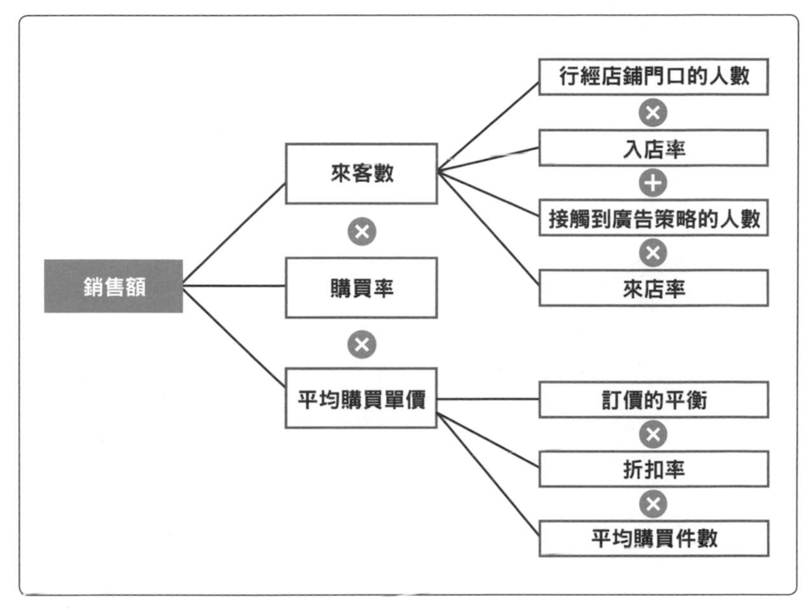

圖2-27：銷售額的分解範例

答案是「接觸到廣告策略的人數」、「來店率」、「購買率」、「折扣率」、「平均購買件數」五個（圖2-28）。具體來說，會考量哪些策略呢？接下來就一併來介紹一下（圖2-29）。

像這樣一旦了解「可控的項目」，就可以更容易想出，針對原因該怎麼做才好。例如，如果是「購買率下降」的話，就可以集中在購買率改善對策的檢討上。

相反地，不可控的是「行經店鋪門口的人數」、「入店率」、「訂價的平衡」三個。行經店鋪的人數（人流），並不是行銷人員能夠控制的部分。另外，如果要提高「入店率」，就必須檢討是否變更店鋪的外觀、入口附近的格局；不過，這並非行銷人員的份內工作。「訂價的平衡」也一樣，訂價是根據公司與批發商之間的協調，或是營運方針所做出的判斷，所以大多情況都不歸行銷人員管。只要像這樣把商務結構化來思考，就可以判斷出「自己能夠做什麼」。

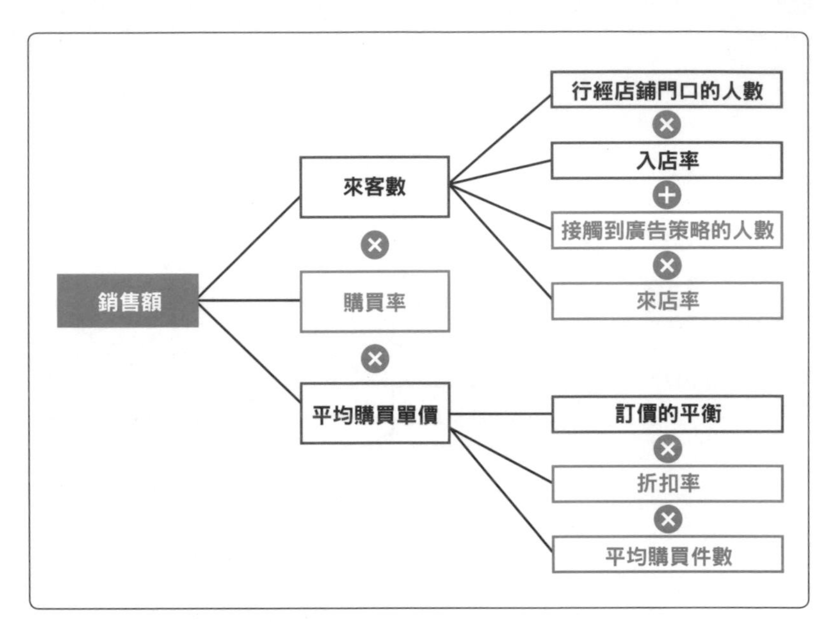

圖 2-28：行銷人員可控的項目

要素	控制方法範例
接觸到廣告策略的人數	進行推出廣告、發佈新聞稿等PR策略等
來店率	把「來店特典活動」刊載於廣告等
購買率	改善接待方式、實施「購買特典」活動等
折扣率	實施特賣活動、實施給會員的特別優惠等
平均購買件數	實施「第三件半價」活動等

圖 2-29：可思考的控制方法範例

Section 06 和數字打交道的正確方法

用四個觀點來檢視數字

一邊懷有「希望在數字上變強」的想法，一邊「卻是看到數字之後，又不知道該如何去思考才好」的行銷人員應該不少。我過去也曾經如此。

數字本身並沒有什麼意義。只有和其他數字互相比較之後，才會產生意義。然後，從那個數字去解讀意義的秘訣，就在於「比較」、「分解」、「時間序列」、「分布」之中的任一種觀點，或是這些項目的交叉組合。

例如，假設你是保養品網購公司的行銷人員，而你所負責銷售的保養品的本月銷售額是1000萬日圓。那麼，現在就試著分別用「比較」、「分解」、「時間序列」、「分布」的觀點來檢視這個數字吧！

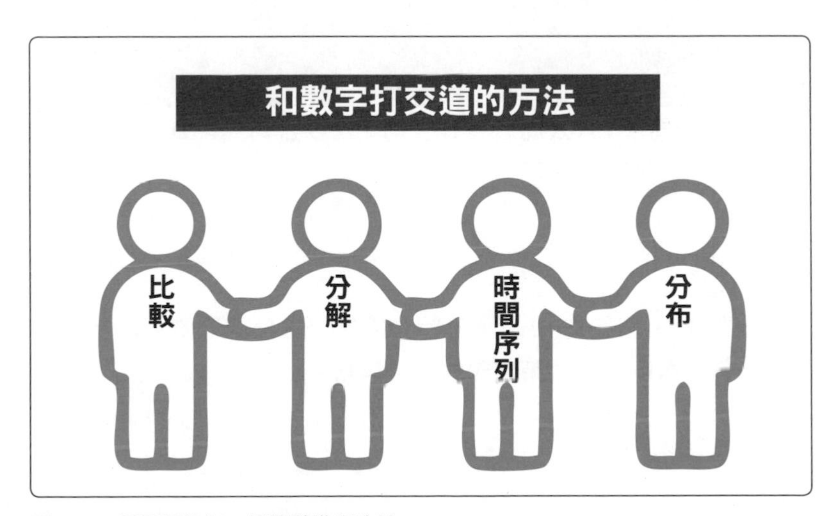

圖2-30：用四個的任一個觀點進行比較

［比較］

首先，先從「比較」的觀點開始。這個時候，例如把自家公司的銷售額1000萬日圓拿去和競爭公司比較，確認自家公司在同業之間的地位。以圖2-31的範例來說，自家公司是「1000萬日圓」、競爭A公司「460萬日圓」、競爭B公司「1320萬日圓」、競爭C公司「600萬日圓」、競爭D公司「380萬日圓」。比較之後，解讀出的結論是自家公司的銷售額位居「第2名」，而且把「第3名（C公司）」大幅地拉開距離；不過「第1名（B公司）」還是很強。

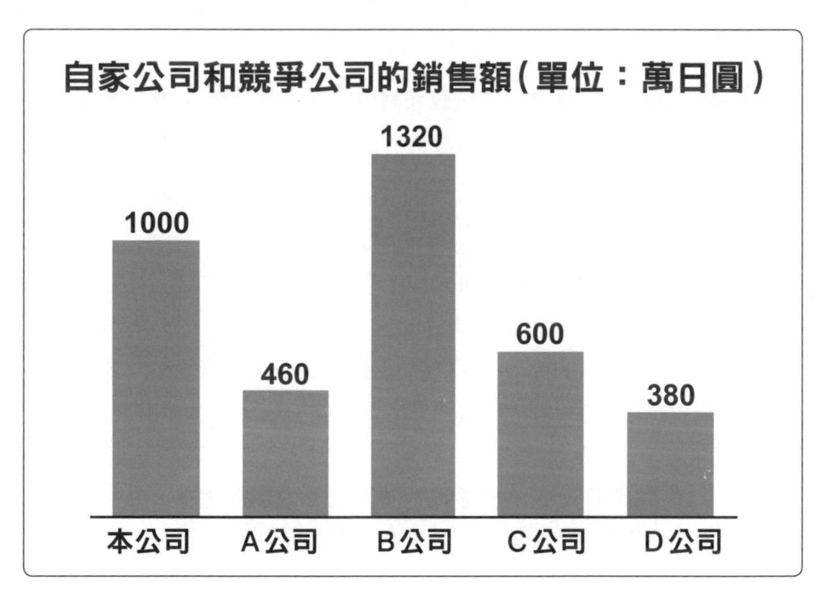

圖2-31：檢視數字的觀點①〔比較〕

［分解］

「分解」是，例如把1000萬日圓的銷售額區分成販賣中的商品類別，並確認各個商品的銷售額的這種觀點。

請看看圖2-32。從這裡可以看到化妝水、洗面乳、乳液的銷售情況都非常接近，或許很多客人都是三件一起購買。既然如此，「只要製作也把『面膜』包含在內的四件套裝組商品，或許也能增加面膜的銷售額」，應該就可以產生如此般的想像吧！

本月的商品類別銷售額構成（單位：萬日圓）

化妝水 340 | 洗面乳 300 | 乳液 280 | 面膜 80

圖2-32：檢視數字的觀點②「分解」

[時間序列]

「時間序列」如字面所寫的，就是透過時間演變的方式來檢視銷售額的變化。例如，連同上個月的1000萬日圓銷售額在內，利用折線圖來檢視過去半年以來的銷售額成長趨勢（圖2-33）。

從1月至6月的變化來看，銷售額從1月的850萬日圓開始呈現上升的趨勢。不過，2月成長至930萬日圓之後，3月減少了40萬日圓，然後5月成長至1100萬日圓之後，6月減少了100萬日圓，所以會希望確認造成這些變化的理由。同時，在預測今後的7月至12月的銷售額的時候，可以把這份成長趨勢圖作為參考進行預測。

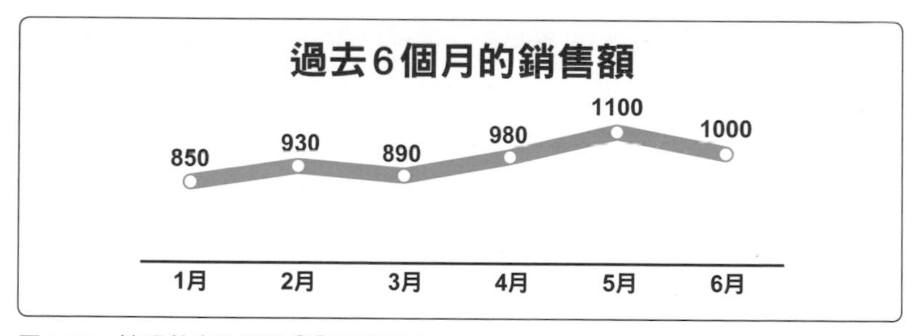

圖2-33：檢視數字的觀點③「時間序列」

[分布]

「分布」可以確認資料的不均勻。圖2-34是針對1000萬日圓的銷售額，在橫軸標示「廣告策略類別的銷售額」，在縱軸標示根據顧客回頭購買率所計算出的「顧客終身價值（1名顧客在交易期間內為企業帶來的利益）」的散布圖。

位在散布圖右上方的策略，也就是SEO和SEM兩個項目，不管是銷售額，還是顧客終身價值都相當的高，因此從這裡可以看出這兩個項目都是相當優異的策略。

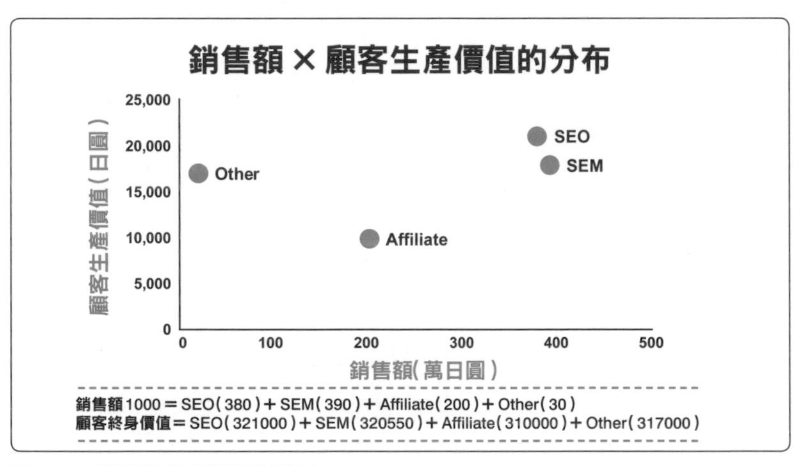

圖 2-34：檢視數字的觀點④「分布」

用符合目的的觀點來檢視數字

光是檢視「銷售額1000萬日圓」這樣的數字，根本不知道數字所代表的意思是好還是壞。但是，一旦透過比較、分解、時間序列、分布等觀點來檢視數字，就可以清楚解讀數字所代表的涵義。

至於該使用哪種觀點，完全取決於「希望檢視什麼」的目的。請用最符合目的的觀點去處理你的數字。另外，也可以透過比較、分解、時間序列、分布，去做更多種不同的嘗試。

然後，**數字不該只有檢視一次，應該每天、每周、每月的定期性檢視，才能有更好的學習。**如此一來，就可以得知哪個觀點最有助於商務的理解。

另外，只要持續檢視數字，實施行銷策略，自然就會「想檢視更細微的數字」、「想做更深入的分析」。最後，自然就能夠提高策略的精準度。

Section 07 Excel是數字思考力的強力夥伴

活用Excel的三個效果

前面針對「數字思考力」的培養方法、試著把商務結構化的重要性等部分進行了解說。在實際工作時，不僅要把這些在腦中理解消化，還必須透過某種形式把這些進行輸出。大多數的時候，單靠口頭說明往往不夠充分，所以必須把這些資料化，呈現給顧客、上司或工作夥伴。

就資料的製作來說，Word或PowerPoint都是十分有用的軟體；不過關於處理數字的部分，還是以Excel最有幫助。**優秀的行銷人員懂得把數字當成武器，並進一步有效利用Excel。**

靈活使用Excel會具有下列的三個效果。

[①提高效率]

Excel的使用與否，所帶來的工作效率截然不同。例如，複雜的計算、統計、分析，只要使用Excel的函數，就可以瞬間完成。其實我在每天的實務上都要分析大量的資料，這個時候，我最常使用的是名為「樞紐分析表（Pivot Tables）」的Excel函數（參考P.114）。只要使用這種樞紐分析表，即便是數千筆的資料，仍然可以在一瞬間統計完成。如果沒有樞紐分析表，我現在1分鐘就能完成的工作，恐怕得花上1個小時以上（除了樞紐分析表之外，Excel裡面還有許多可以提高業務效率的功能）。

[②提高分析力]

只要使用Excel，就可以用圖表把大量的資料視覺化，使複雜的資料更容易檢視，並以淺顯易懂的數值來表現。也就是說，可以做出更完美的分析（Excel也能幫助你從分析結果中輕易地找出更多訊息）。

細節部分將會在後面進一步解說。「迴歸分析」、「趨勢分析」、「矩陣分析」等，在分析上也有各種不同的手法。只要使用Excel，就可以非常簡單地執行這些分析。

[③提高說服力]

只要使用Excel，就能增加「說明力」。「數字」是商務上的共通語言之一，而Excel的資料便是使用這種容易檢視的說服材料所製成。

例如，你有一份自行企劃的廣告，「這個廣告絕對會成功，請讓我試試看」光是這麼說，恐怕上司也未必會信服。另一方面，只要計算出廣告所帶來的銷售額效果和成本效果，並且提出淺顯易懂的圖表，說服力肯定會大幅提升。銷售額效果和成本效果、計算結果的圖表化，全都可以用Excel簡單製作。

對我來說，如果沒有Excel，就沒辦法工作。因為Excel是我推動業務所不可欠缺的工具。你也一樣，只要能夠活用Excel，它就能成為你順利推動行銷業務的強大武器。

圖2-35：Excel的三個效果

Section 08 Excel的學習等級和工作的關係

自己希望達到哪種等級？

前面曾說過，Excel是推動行銷業務的強大武器；不過武器的等級也會因熟練程度而不斷地向上提升。例如，遊戲的武器也一樣，也會從單純的木棒慢慢升級成火力強大的火箭筒，就像是那樣的感覺。即使最初只有木棒等級，只要不斷精進，Excel也會變成火箭炮等級的強大武器。

在這裡，我試著把Excel的學習等級分成三個階段。請試著想像一下，您希望自己達成哪一個程度的等級呢？

[工作變快速的「初級」]

在此，我把最初的等級定義為「用來提高業務效率的Excel利用」。只要記住基本的函數和快捷鍵，業務效率就能有大幅提升。

例如，只要能夠在不使用滑鼠的情況下，一邊運用快捷鍵一邊處理Excel的話，就可以在短時間內完成計算、表格製作。或是，就連「把商品代碼輸入到Excel的儲存格時，自動地顯示商品名稱和價格」這樣的需求，也可以藉由使用名為「vlookup函數」的函數來實現。

這些都是「只要知道的話，就能夠完成的事情」。藉由本書加以練習，就一定能夠讓你的業務效率大大提升。

[可分析過去的「中級」]

我把可以使用Excel來進行分析的等級列為中級。舉一個分析的例子吧！例如，假設有數千筆過去1年份的銷售額資料。使用樞紐分析表整理這些資料，並把依照商品別、月別分類的銷售額推移彙整成表格。最後做成直條圖，就可以掌握哪一個商品的銷售額呈現上升趨勢、哪一個商品呈現下降趨勢。這種分析稱為「趨勢分析」。如果可以實現這種分析，肯定能夠在行銷上有所幫助。我認為這種程度就算是「中級」。Excel是很強大的分析工具，所以請務必達到這個等級。

[可製作未來預測的「高級」]

只要達到「可用Excel進行模擬」的等級，就算是「高級」。

一旦接觸到行銷業務，諸如「明年必須達到多少銷售額」、「需要多少行銷預算」等等，「預測是必要的模擬」應該會大量出現。

即便是目前還不需要做預測的人，未來肯定也會有需要的一天。另外，例如在檢視其他人所製作的銷售額預測時，可觀察到的深淺差異，也會因自己會不會預測而有很大不同。當然，懂預測的人肯定可以看到更深層的環節，所以請務必想辦法讓自己學會預測（模擬）。

我自己也一樣，不管是做什麼都一定會先做預測。另外，每到年度的最後一個月，我就會進行「下年度可達到多少銷售額」的模擬，並拿著那些資料和身在美國的上司們商討。因為用數字來表現具體成果，就可以更容易把自己想做、想挑戰的事物傳達給對方。

換句話說，**只要有辦法做出模擬，即便是艱難、難懂的事情，也都能夠淺顯易懂地表現出來。**

因此，請大家務必也把這項技能學起來。

另一方面，Excel還有巨集、VBA等功能，只要靈活運用，就能處理結構複雜的事物。可是，我認為行銷人員應該磨練的並不是那些能力。相較之下，可以預測未來的模擬比較重要，而且更有利於實務。

不可變成「數字遊戲」

只要能靈活運用Excel，就能讓Excel變成強有力的武器；不過，**工作上最重要的事情就是「做出結果」。**單憑Excel的分析和預測，則無法做出結果的。

根據分析預測，擬定行銷的執行計畫，並適當地執行，最終才會產生結果。請千萬不要忘記這一點。

再補充一下，模擬、預測等的數字終究「只是數字」。

常常有人會把明年的銷售額預測設定為超乎現實的數字，或是把幾乎天方夜譚的數字套用在實施廣告後的推測效果上面。Excel是試算表軟體，如果輸入超乎現實的數值，它就會計算出超乎現實的預測。藉此，一切都會變成單純的「數字遊戲」。

堅持「結果」很重要

優秀的人都具有「數字的敏銳感」。甚至，輸入的數字也是帶有「想法」來輸入。如此才能夠計算出現實的數字。

照著自己的「想法」製作數字，在來到執行階段的時候，也需要確實檢查結果是否符合自己所預測的數字。如此一來，才會有數字的產生。

換句話說，「重要的結果和數字息息相關」。如果數字和預測不符，就要分析原因所在，並且加以反省、改善。透過這些的反覆作業，才能夠提高你的成功機率。

不要只在數字思考力的思考和Excel的計算上停下腳步，請全力發揮「執行力」，並堅持「做出結果」吧！

Section
09 「想做」和「非做不可」

在前面P.19曾經提到，「如果沒有熱情，商務就不會成功」，現在請讓我老話重提一下。再重申一次，在執行工作上兼備能力（SKILL）和熱情、衝勁（WILL）兩者是相當重要的。不管欠缺哪一個都不行，如果既沒能力又沒熱情的話，那倒不如放棄比較好。

熱情、衝勁（WILL）有「想做」和「非做不可」兩種。

「想做」的心情是由「喜歡」、「快樂」這些情緒所帶動的。只要是自己喜歡的事情，就算別人不說，自己也會主動、開心地去做。我的興趣是騎腳踏車，只要有時間，我就會像個小孩那樣開開心心地騎腳踏車。

另一方面，「非做不可」則是感受到「必要性」而產生的。具體來說，「為了賺錢」、「因為來自上司的要求」等，都算是非做不可。

圖2-36：兩種「衝勁」

兩種「衝勁」的特徵

基於「想做」的心情所採取的行動是長期持續的。另外，一旦基於這種感情，就會做出完成度較高的工作，也是其特徵所在。可是，在培養這種「想做」的心情上，往往都要花費很長的時間。

另一方面，以「非做不可」的心情為基礎的工作，適合短期性的業務。這種衝勁的培養不需要太長的時間。可是，一旦僅用「非做不可」的心情來持續從事長期間的工作，就會累積壓力，有時還會對身體帶來負面影響。

那麼，請試著思考自己對工作的衝勁「種類」。在什麼時候，你會有「想做」或「非做不可」的感受呢？或是，兩種衝勁的比例各占多少呢？對於你自己的工作，你抱持著多少程度的「想做」心情？或是，你是否一直用「非做不可」的心情來面對你的工作？**如果「想做」的心情比較少，請試著尋找令自己感到「快樂」的事物。**這是相當重要的事情，就算得花費一些時間，也請務必認真尋找。

「非做不可」只有痛苦

順道一提，「提供價值，讓人開心」會讓我感到喜悅。因此，運用自己的技能，實際提供「應該能讓人感受到價值」的事物並使人開心的事情，總是讓我抱持著「想做」的情感。

「想做」的情感和我最擅長的網路行銷技能結合之後，我就可以在工作上發揮出最大的能力。

其實，我以前並不是以這樣的方式工作。那個時候，我的主要業務是疑難解答，所以整整一年的期間，我都抱著「非做不可」的態度工作。那種痛苦的狀況持續一年數個月之後，我還因為壓力過大而引起嚴重的頭痛問題。

之後，我很幸運地任命網路行銷的工作，所以之後就經常抱持著「想做」的心情工作。最後，我才清楚自覺到，原來「提供價值，讓人開心的工作，可以讓我感到喜悅」，這個時候，我的工作也就做得更好了。

最近，我的職務完全符合我自己的技能和衝勁，所以也實際感受到工作品質變好了。正所謂「適才適所」，果然在適合自己的場所工作，對於增加「想做」的衝勁來說，是非常重要的事情。

為了「想做」而做

當然，並非每個人都可以得到相同的工作環境。尤其是二十多歲的年輕人，應該有很多人都是因為「非做不可」而做。可是，隨著年齡增長，在自己的行銷技能和經驗經過反覆的磨練之後，應該就會像我一樣，可以輕易地找到「想做」的工作。

雖然有點囉嗦；不過，這裡還是有兩件事想告訴大家。

第一件是希望大家能找到自己認為「想做」的工作；第二件是「為當下的工作而努力，為自己累積實力」。

就算現在的工作幾乎都是「非做不可」的工作，我還是不建議馬上辭退現在的工作。因為只要在目前的工作崗位上努力，為自己不斷地累積實力，就可以在自己可以施展拳腳的地方找到自己「想做」的事。這個時候，只要把自己置身在可以感受到滿滿「想做」情緒的位置上，應該就能夠享受工作了吧！

第2部
行銷實務篇

Chapter 03

STEP 1 統計數字

接下來將介紹具體行銷實務中的知識。

首先，就從「數字的統計」開始。

蒐集各種數字並加以統計，乃是行銷人員的日常業務之一。

然而，數字統計還是有各種不同的注意事項和技巧。

那麼，在此就來介紹有利於統計的Excel功能和活用方法吧！

Section 01

〔基礎知識〕

統計資料時的注意事項

問卷調查的結果不正確？

所謂的「統計」是指在進行資料分析之前，蒐集作為分析對象的資料並加以彙整的作業。

在說明統計之前，先來介紹一個在我以前的職場上所發生的小插曲。擔任品牌行銷人員的A先生，向社長簡報問卷調查的結果。當時的對話大致上是這個樣子。

A先生 「問卷調查的結果顯示，有80%的顧客都很滿意我們公司的商品。也就是說，商品的顧客滿意度很高。」

社長 「問卷調查的對象都是些什麼人？」

A先生 「對象是回購公司商品超出3次以上的顧客，一共300名。」

社長 「那不就是老顧客嗎？這樣滿意度當然會很高啊！」

A先生 「……」

社長的最後一句話，徹底推翻了A先生「商品的顧客滿意度很高」的主張。

原因就在於，A先生的調查對象不僅是「老顧客」，甚至還把那些結果當成「所有顧客的意見」。

像這樣，就算是簡單一句「統計」，在實際進行作業時，仍有許多應該留意的地方。

接下來，將對統計時的注意事項、有效統計資料的Excel使用方法進行說明。

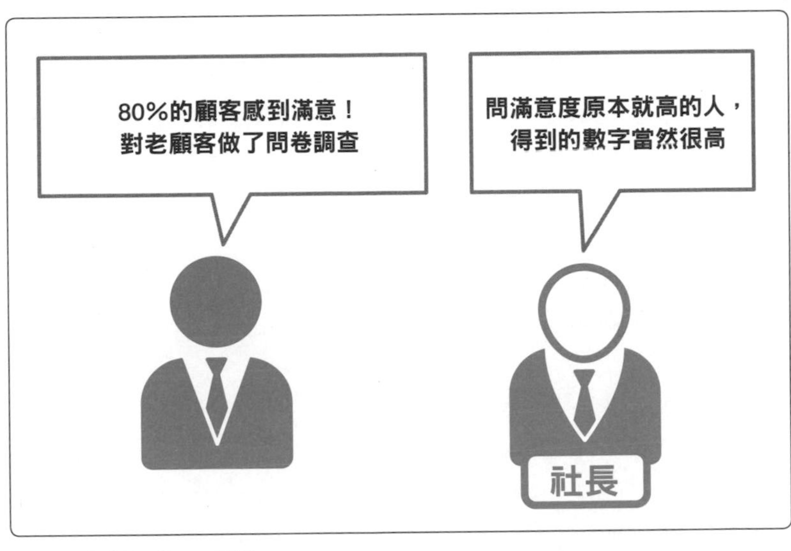

圖3-1：「統計」的NG範例

釐清蒐集數字的「目的」和「假說」

在進行蒐集之前，最重要的事情就是要先釐清「接下來進行的作業目的（＝為了什麼而蒐集數字）」，或是「希望藉由蒐集進行驗證的假說」。

換句話說，**絕對不能做的事情就是在沒有目的也沒有假說的情況下，毫無目標的蒐集資料，然後進行分析。**這樣的做法簡直就像是朝著黑暗處發射散彈似的。結果，什麼都打不到，不過是白白地浪費時間罷了。

例如，假設你在廣告代理公司任職，為了提高顧客的銷售額，你必須提出一項全新的活動企劃，於是便依照下列流程製作了企劃書。

①分析現況並找出成功的關鍵
②提出成功的解決對策
③提出解決對策的推估效果
④提出實施解決對策時所需的預算和時間

在這個情況下，需要進行統計、分析的是①的「現況分析」部分。這裡的統計、分析目的是「掌握顧客企業現有的狀況，並找出成功的關鍵」。另外，為了更客觀地掌握顧客企業，就必須透過下列三個觀點，進行調查與分析。

- **顧客企業的現況**
- **目標顧客的狀況**
- **競爭公司的動向**

順道一提，這三個觀點被稱為「3C」的架構（Framework）。

就是從「顧客（Customer）」、「競爭者（Competitor）」、「企業本身（Company）」的三個視點去進行分析的做法。

在行銷的現場中有很多需要利用3C進行調查與分析的情境。可是，用3C的視點去蒐集、分析，需要耗費許多時間。而且，在作業的過程中，逐漸失去原始「目的」的情況也不少。結果，只是白白地浪費時間而已，我過去也曾經做過這樣的事情。因為很重要，所以要再說一次，**進行蒐集、分析的時候，最重要的事情就是隨時把目的、假說謹記在心。**這樣一來，蒐集作業就能夠更有效率地朝目的邁進。

圖3-2：盲目的統計是NG的！

Section 02 〔基礎知識〕注意資料的「種類」

「資料」的定義

我們都把事實或資料稱為「資料（Data）」。此外，資料是用來蒐集、分析，並從中導出某種價值的重要素材。儘管「資料」說起來簡單，然而事實上卻有各種不同的分類方法。這裡為大家介紹幾種代表性的資料種類。

資料的種類① 定量資料和定性資料

資料分成「定量資料（Numerical Data）」和「定性資料（Qualitative Data）」。

定量資料是「數值所構成的資料」。「企業一年期間的銷售金額」等，就是所謂的定量資料。

另一方面，定性資料是「數值無法表現的資料」。問卷調查所蒐集到的商品評論等，就是定性資料。定量資料是「數字」，所以比較容易分析；定性資料不是數字，所以在蒐集、分析上會比較耗費時間。

例如，請顧客回答有關於商品使用感想的問卷調查。這個就是「定性資料」。

另一方面，假設回答問卷調查的有100人，對商品表示好感的人有「25人」，評論商品需要改善的人有「20人」，對商品有負面評價的人有「15人」，這種把定性資料的內容加以分類、蒐集後的資料，就會變成定量資料。

說個小插曲，我上班的公司都會叫午餐外送服務。和同事之間經常會有諸如「盡是些吃到膩的餐廳和菜色」之類的定性對話。

有一次，由我負責決定外送的餐廳，於是我便試著對同事們做了問卷調查。具體來說，就是針對12家餐廳的餐點滿意度進行調查，我請同事們以1（討厭）到5（喜歡）的階級幫忙列出排行。再進一步調查過去3個月的餐廳訂購次數，然後再把這些資料數值化（我是個好奇寶寶……）。結果，得到了有趣的結論，「日式便當」的「訂購次數很多，但滿意度卻偏低」，於是我便減少了日式便當的訂購次數。這個也可說是把定性的「滿意度」當成「定量資料」看待的一個範例吧！

像「滿意度」這種往往以定性收場的項目，只要用定量的方式來加以表現，就可以更容易傳達給對方。例如，「大概不會暢銷」與其採用這種定性的說法，倒不如改用「前季較前年度下降20%，所以推測產品的生命週期應該已經邁入衰退期」這樣的定量說法，說服力肯定會增加許多。**定量資料是擅長廣泛且客觀地掌握事物的資料。**

為什麼需要定性資料？

經過前面的說明之後，大家應該都認為定量資料比較好；不過實際上未必如此。**其實定性資料最擅長的是掌握定量資料難以浮現出的顧客動機、行動心理。**

例如，希望調查自家公司的網站是否獲得顧客支持。這個時候，通常都是獲取網站的存取記錄，或是實施、蒐集問卷調查。這是定量的做法。

可是，如果是採用其他調查方式，例如請顧客用相機錄下使用網站的情況呢？如果順便請顧客留言的話，就可以從那個影像或留言中得到定量資料所無法帶來的深刻感受吧！

我自己也一樣，有時會直接和使用自家公司商品的人見面，進一步和對方深談。世上再也沒有勝於Face to Face的溝通方法了。實際聆聽顧客的語氣、觀察顧客的表情，就可以感受到定量資料無法帶來的顧客內心層面（消費者採取購買行動的核心、關鍵）。最重要的事情是了解定量資料和定性資料的差異，並蒐集當時最合乎自己需求的資料。請大家不要忘記這一點！

資料的種類② 一手資料和二手資料

資料也可以分類成「一手資料（Primary Data）」和「二手資料（Secondary Data）」。

所謂的一手資料是親自調查、採集的資料。網站存取紀錄、對顧客的問卷調查、實驗資料等都是一手資料。收集一手資料的好處是可以照自己想要的形式、資料粒度（Granularity）取得資料。相對之下，缺點就是必須花費成本和時間才能取得資料。

另一方面，「二手資料」是由自己以外的某人調查，然後蒐集而來的資料。調查機關蒐集的統計資訊、公司的業績資料等，都屬於二次資料。總務省的網站、調查公司的網站等，都可以找到二手資料（參考P.81）。

蒐集二手資料的好處是可以節省成本和時間。因為不是親自調查，所以不需花費時間和勞力，進行調查的設計或實施。缺點就是自己想要的資料未必能夠蒐集齊全。

如果一手資料能夠涵蓋所有想調查的事物，自然是再好不過了；但在現實生活中，有時也會有必須利用二手資料來節省時間和成本的情況。因此，這裡要介紹使用二手資料時，應該特別注意的四個要點。

[①何時的資料？]

請務必確認「何時實施的調查」。例如，明明想了解變化快速的IT業界的趨勢，卻使用10年前的調查資料，那就毫無意義了。避免使用已經失去時效性的資料吧！

[②調查目的]

調查的實施者是基於何種目的進行調查。公家機關、研究機關大多都是以單純的調查並掌握現狀為目的；但如果是民間企業的話，或許有發表調查結果的某種意圖。有時某些調查結果只是單純為了推銷自家公司商品，所以請務必確認清楚。

[③誰做了調查？]

「誰做了調查（出處）」也務必確認。另外，使用二手資料的時候，請確實載明出處。

不可以使用來路不明的資料。行銷較多是根據資料進行判斷的工作。只使用知道出處、來源的資料吧！

[④調查的對象？]

第四個必須確認的事項是「調查對象」。還記得P.74我的前同事A先生和社長之間的對話嗎？要是對被認為「可能會對這個主題有興趣」的族群詢問「有興趣嗎？」，多數人回答「Yes」是理所當然。

我也曾經對來參加影片廣告研討會的人實施「你認為影片廣告今後會更加興盛嗎？」的問卷調查。有90%的人都回答「會」；不過我把這個結果報告給上司之後，卻被嘲笑我根本是在說「廢話」。大家也要小心，千萬不要出現這樣的失誤喔！

使用二手資料時，請特別留意上述的四點。不光是一手資料，二手資料也要有效運用，為了效率良好的資料蒐集而努力吧！

Column

二手資料的便利網站

手邊沒有想要的調查結果時，大都藉由Google等搜尋引擎來進行搜尋吧！可是，其實網路上還有很多公開調查結果的網站，這裡為大家介紹幾個不錯的網站，相信應該可以在必要的時刻派上用場。

如果需要頻繁調查、分析的話，也可以把網站加到我的最愛、訂閱RSS，就能夠隨時取得新的資訊。在下列介紹的網站中，我也有在「總務省統計局」和「MMD研究所」登錄電子郵件地址，每次只要有新的調查結果出爐，就可以收到電子郵件通知。

■政府公開的統計資訊網站		
總務省統計局	http://www.stat.go.jp	可以確認日本的人口、消費者物價指數、消費支出、企業調查等資料。我最常使用的是「IT白皮書」。
經濟產業省	http://www.merti.go.jp/statistics/index.html	可確認與經濟活動相關的統計資料。
■大學管理的統計資料		
SSJDA	http://csrda.iss.u-tokyo.ac.jp	為了在學術目的上的二次利用，把資料進行歸類。
■公開統計資料的調查&研究公司		
MACROMILL	http://www.macromill.com/r_data/index.html	以網路調查先驅而存在的MACROMILL，擁有各式各樣的調查。可以找到政府調查中所沒有的消費者趨勢調查內容。可以從網路蒐集資訊，因此能夠有效得到調查結果。
MMD研究所	http://mmdiabo.jp	需要手機相關調查結果時，就要找MMD研究所。有很多與智慧型手機、平板電腦等可攜裝置相關的使用者現況調查。
調查力量	http://chosa.itmedia.co.jp	有很多與IT市場相關的調查結果。營運IT新聞網站「ITmedia」。
REPOSEN	http://reposen.jp	和「調查力量」同樣都是蒐集調查結果的網站。各種類別的調查結果都匯集在此，相當方便。
Recruit Lifestyle	http://www.recruit-lifestyle.co.jp/company/rd	公開外食市場、旅行、美容、餐飲等，Recruit服務相關的調查結果。
生活總研ONLINE	http://seikatsusokon.jp/teiten2014/	大型廣告代理商「博報堂」公開的一般生活相關資料。可確認衣食住、學習、戀愛、金錢等21種類別的調查結果。1992年開始進行定點觀測，所以也可查閱各個時代的變化。
電通日本的廣告費	http://www.dentsu.co.jp/knowledge/ad-cost/	大型廣告代理商「電通」，每年公開日本的廣告費。可了解電視、廣播、報紙、網路和各媒體的廣告費趨勢。

Section 03

〔基礎知識〕

蒐集資料前該做的事

P.75也曾解說過，蒐集資料的時候，最重要的事情就是事先設定蒐集數字的「目的」或「假說」。

另外，還必須事先決定好「什麼樣的資料需要到什麼程度」。一旦資料不足夠，就沒辦法充分驗證假說，另外一旦資料量過於龐大，不僅資料的蒐集辛苦，之後的統計也會耗費相當龐大的時間。

因此，在蒐集資料之前，請先思考要蒐集何種視點的資料才好，然後再蒐集資料。思考蒐集何種資料的方法有兩個。「①分解目的變數，調查分解要素的方法」和「②使用架構來思考的方法」。

①分解目的變數，調查分解的要素

只要使用第2章所介紹的「數字思考力」，就可以決定要蒐集何種資料才好。例如，假設為了提高網路商城的銷售額，而想要統計資料。銷售額可以分解如下。

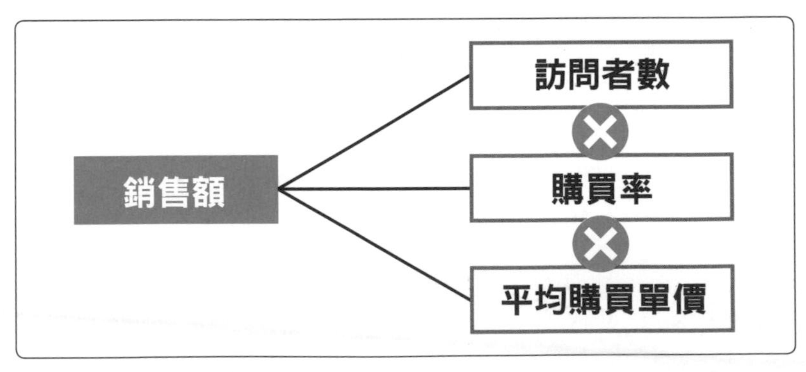

圖3-3：「銷售額」的要素分解

這個分解完成之後，便可了解應該統計的資料有目的的「銷售額」，以及構成銷售額的「訪問者」、「購買率」和「平均購買單價」等四個。正因為使用數字思考力來分解銷售額，才能確實掌握到需要這四種資料。

再來介紹一個，從其他視點進行分解的方法。這個方法也曾在P.54介紹過，那就是利用「流程」持續分解到目的的方法。例如，試著分解從拜訪網站開始直到完成購物的步驟吧！存取網路商城網站的首頁，透過流程分解直到實際購物，並試著分解前往各個頁面的訪問者數，以及前往下個步驟的訪問率，其結果就如下列所示。

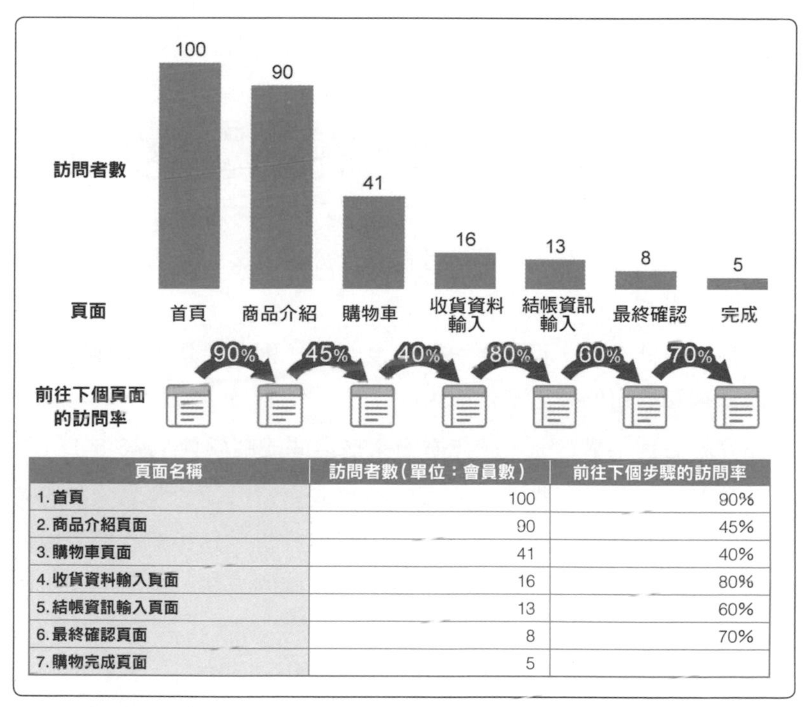

頁面名稱	訪問者數(單位：會員數)	前往下個步驟的訪問率
1.首頁	100	90%
2.商品介紹頁面	90	45%
3.購物車頁面	41	40%
4.收貨資料輸入頁面	16	80%
5.結帳資訊輸入頁面	13	60%
6.最終確認頁面	8	70%
7.購物完成頁面	5	

圖3-4：購買流程的分解

從這份資料可看出，在存取首頁的「100名」訪問者中，完成購買的顧客有5人（5%）。其結論顯示，只要改善這個5%的購買率，就可以改善銷售額。

再進一步觀察各步驟可發現，在前往下個步驟的訪問率中，有兩處明顯比較低。從「2.商品介紹頁面」到「3.購物車頁面」的訪問率是45%，還有從「3.購物車頁面」到「4.收貨資料輸入頁面」的訪問率則是40%。只要改善這兩處，將會對整體帶來較大的影響。

另外，從流程整體來看，改善左側（流程的前半部）的話，對最終購買率的影響應該也會相當大。與其改善「4.收貨資料輸入頁面」→「5.結帳資訊輸入頁面」的訪問率80%，倒不如改善「3.購物車頁面」→「4.收貨資料輸入頁面」的訪問率40%，反而會有較大的成效，而且在實際改善上也比較容易。搞不好這就是整個流程中的「Low Hanging Fruit」（參考P.27）。像這樣依照每個流程分解並蒐集資料，也是非常有效的方法。

②使用架構來思考

只要使用符合欲分析對象的「架構」，就能夠用更全面性的視點去觀察分析對象。這個時候，選擇符合分析對象的架構，就會變成其後的重點。

架構有各式各樣，但並不需要完全記住。因此，這裡僅針對代表性的架構和各自的意思進行解說。

在介紹各種架構之前，請先看看架構之間的關聯性（圖3-5）。

伴隨著由左往右，從寬廣的視點轉變成自家公司的視點。在思考全新的行銷策略時，要先進行左邊的環境分析，然後漸漸地使用位在右側的架構去思考行銷策略，這才是正確的方法。那麼，就從使用在左邊環境分析的架構開始進行介紹。

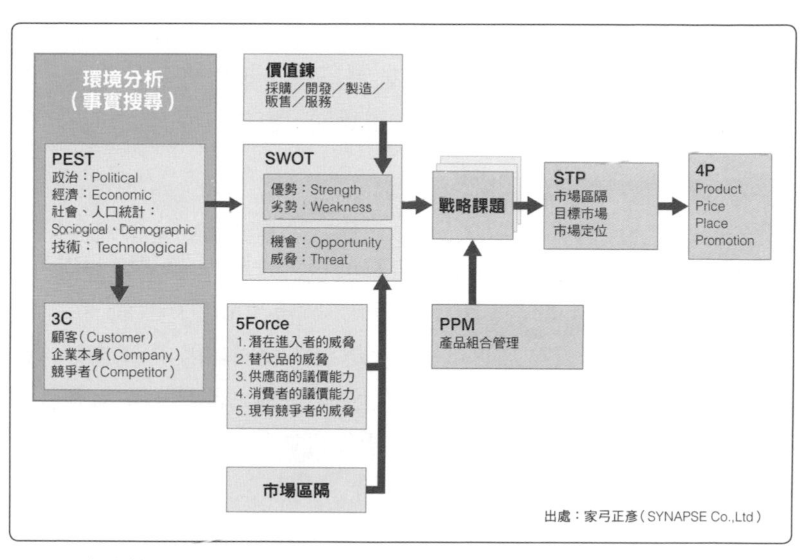

圖3-5：代表性的架構和各自的關係

環境分析用的架構

[①PEST分析]

「PEST分析」是用來分析企業所處的巨大環境的架構。以「Political（政治）」、「Economic（經濟）」、「Social（社會）」、「Technological（技術）」的視點，全面性地檢視企業的周遭環境，掌握、評估正向主因和負向主因。

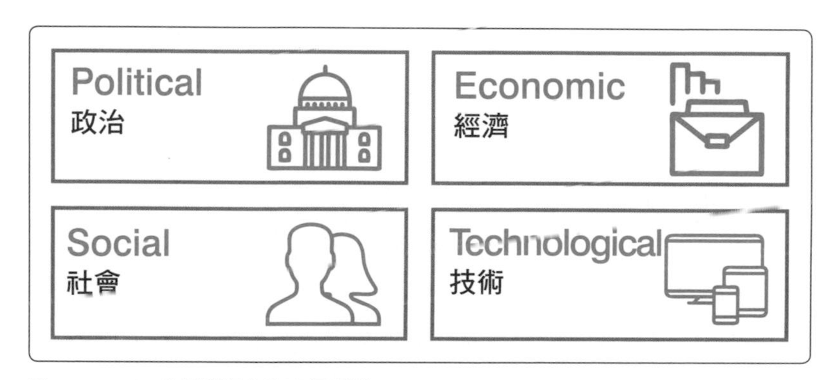

圖3-6：PEST分析所觀察的四個視點

用PEST分析觀察到的事物，全都是企業本身所無法掌控的。可是，只要了解企業的外部環境，就可以進一步思考如何掌握大環境，創造機會，同時對外在威脅有所認知，擬定應變對策。

[②3C分析]

「3C分析」是使用在進行企業所處的市場分析時的架構。以「市場、顧客（Customer）」、「競爭者（Competitor）」、「企業本身（Company）」三個視點去進行分析，導出關鍵成功因素（KSF：Key Success Factor）。3C分析因為會像公司整體、部門、產品那樣有各種不同的等級，所以事先決定等級後再進行分析。這是非常實用的架構，我個人也經常使用。

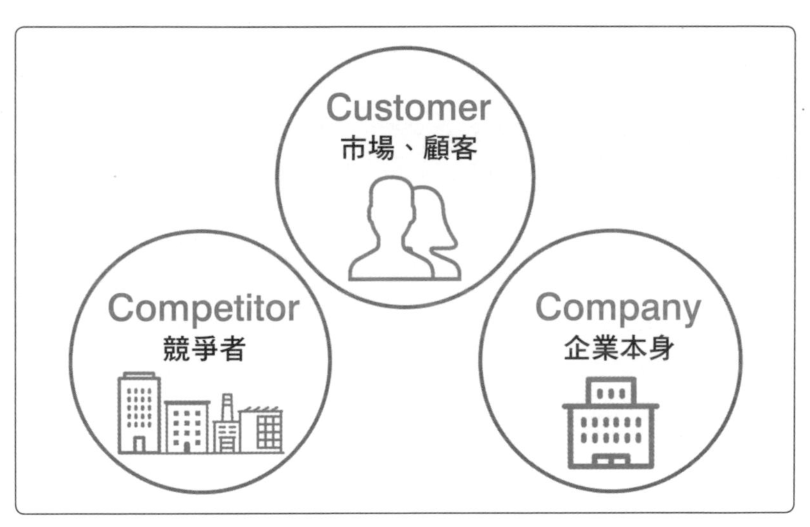

圖3-7：用3C分析檢視的三個視點

[③5Force分析]

「5Force（五力分析）」是為了瞭解特定業界而使用的架構。從「消費者的議價能力」、「供應商的議價能力」、「潛在進入者」、「替代品」、「現有競爭者」的五個視點去分析業界，就會更容易掌握業界構造。

由於各個業界都有不同的構造，因此對於掌握業界內的勢力關係、構造來說，這個分析相當有用。例如，以網站製作業這種不需要龐大資金的業界來說，因為比較容易投入市場，所以就可以從中推測出，在「潛在進入者」增加之後，可能會形成銷售金額下降的價格競爭問題。

或者是，如果以智慧型手機業界來說，顧客總是很輕易地更換智慧型手機。這是因為「轉移成本較低」，從這裡便可了解「消費者的議價能力較高（消費者較佔優勢）」。因為是以不同於3C的視點來分析業界，所以有時也會和3C一起搭配使用。

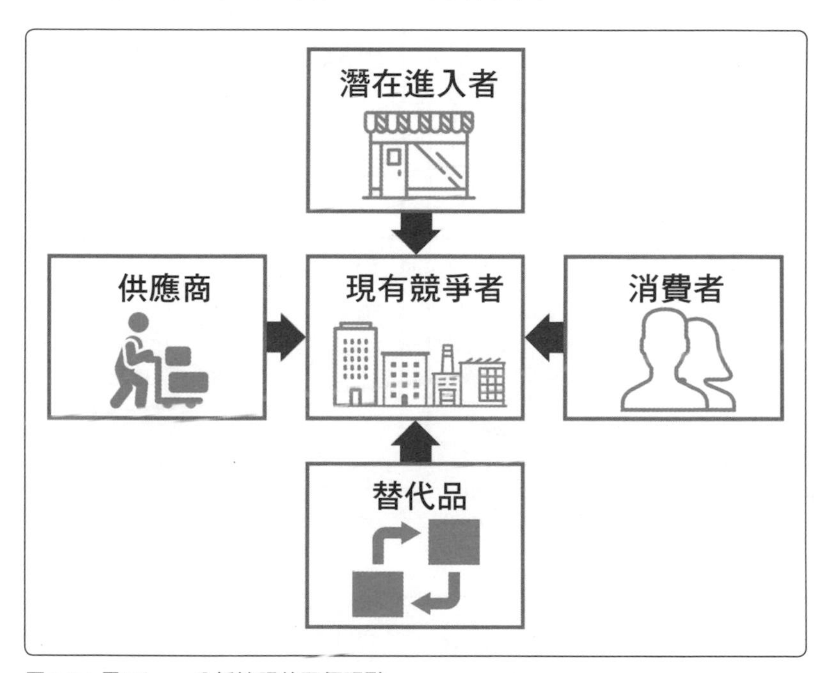

圖3-8：用5Force分析檢視的五個視點

企業分析用的架構

[SWOT分析]

「SWOT分析」是希望分析企業本身時所使用的架構。掌握企業本身的「優勢（Strength）」、「劣勢（Weakness）」、「機會（Opportunity）」、

「威脅（Threat）」，找出該如何在市場上作戰的方法。

SWOT分析可分成「外部環境分析」和「內部環境」兩種。「機會（Opportunity）」和「威脅（Threat）」由企業本身無法控制的外部環境所構成。另一方面，「優勢（Strength）」和「劣勢（Weakness）」則是企業本身可控制的內部環境。

在外部環境的洪流當中，是否能夠讓企業本身的優勢更加強大，或是彌補劣勢，抓緊各種機會等，就是SWOT分析的關鍵所在。

圖3-9：用SWOT分析檢視的四個視點

企業行銷分析用的架構

[STP]

思考企業的市場定位用的架構就是「STP」。透過「市場區隔（Segmentation）」、「目標市場（Targeting）」、「市場定位（Positioning）」的視點進行分析。

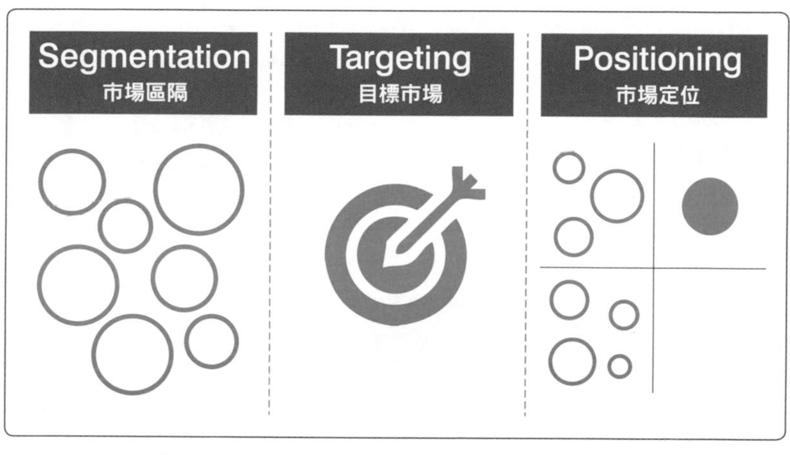

圖3-10：用STP檢視的三個視點

所謂的「市場區隔」，就是「區分」的意思。市場上的商品眾多，消費者也形形色色。因此，要製作出「所有人都能接受」的商品，肯定是相當困難的事情。於是，就要以「年齡」、「居住地區」、「興趣嗜好」這樣的軸向來區隔消費者，以便更容易掌握企業本身應該專注的消費者需求。

另一方面，「目標市場」就是決定要以市場區隔出的消費者的哪個部分為目標。例如，用年齡、居住地區、興趣嗜好的三個軸向來區分消費者。並且，把企業商品或服務可能滿足需求的顧客設定為「30歲」、「東京都」、「對自行車有興趣」，然後以這個市場區隔為目標，那就是目標市場。

最後的「市場定位」是針對目標市場的顧客，藉由明確地定義企業產品(服務)的定位在哪裡，以營造優勢狀態為目的。

例如，連鎖美髮專賣店「QB House」推出「10分鐘，1000日圓理髮」。這間QB House的市場定位就如圖3-11所示。只要像這樣針對目標市場的顧客明確地定義「該把公司產品定位在哪個位置」，就比較容易維持相對於競爭產品的優勢。

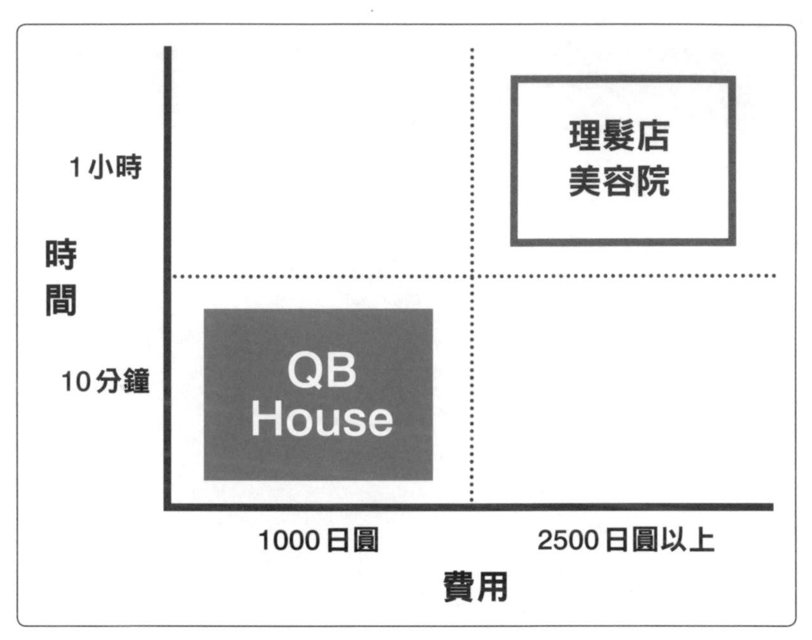

圖3-11：QB House的市場定位

[4P(行銷組合)]

「4P」被稱為行銷組合，乃是思考行銷時希望網羅的四個視點。具體來說，4P是由「產品（Product）」、「價格（Price）」、「通路（Place）」、「促銷（Promotion）」所構成。

透過前述的STP決定好定位之後，就必須思考該對目標顧客採取什麼樣的產品、價格、通路和溝通。甚至，這四個項目必須具備整合性。前面用「QB House」的範例來介紹市場定位；那麼，接下來就試著整理QB House的行銷組合吧！

> 產品(Product)：10分鐘，1000日圓的理髮服務
> 價格(Price)：1000日圓
> 通路(Place)：位於車站附近或車站裡面的店鋪
> 促銷(Promotion)：店鋪設計、店鋪的招牌或旗幟

從這裡可看出，QB House透過店鋪同時實施「通路」和「促銷」兩個項目。店鋪在車站附近，有很多人駐足，所以店鋪設計、招牌等都是促銷的要件。一旦像這樣試著用4P分解其他公司來思考看看，我想會是個不錯的練習。

圖3-12：用4P檢視的四個視點

[行銷漏斗]

「Funnel」就是漏斗的意思。所謂的行銷漏斗（Marketing Funnel）是指把從「集客」開始，經過檢討、商談、購買的流程加以篩選的思考方法。

行銷漏斗又稱為「銷售漏斗（Sales Funnel）」、「購買漏斗「（Purchase Funnel）」。

例如，商品販售網站的銷售漏斗通常是「各策略的集客」、「存取購買頁面」、「表單的輸入」、「最終確認」、「購買」。在「集客」乃至「購買」的期間會出現很多脫離者。如何減少脫離者，正是行銷人員施展才華的所在。

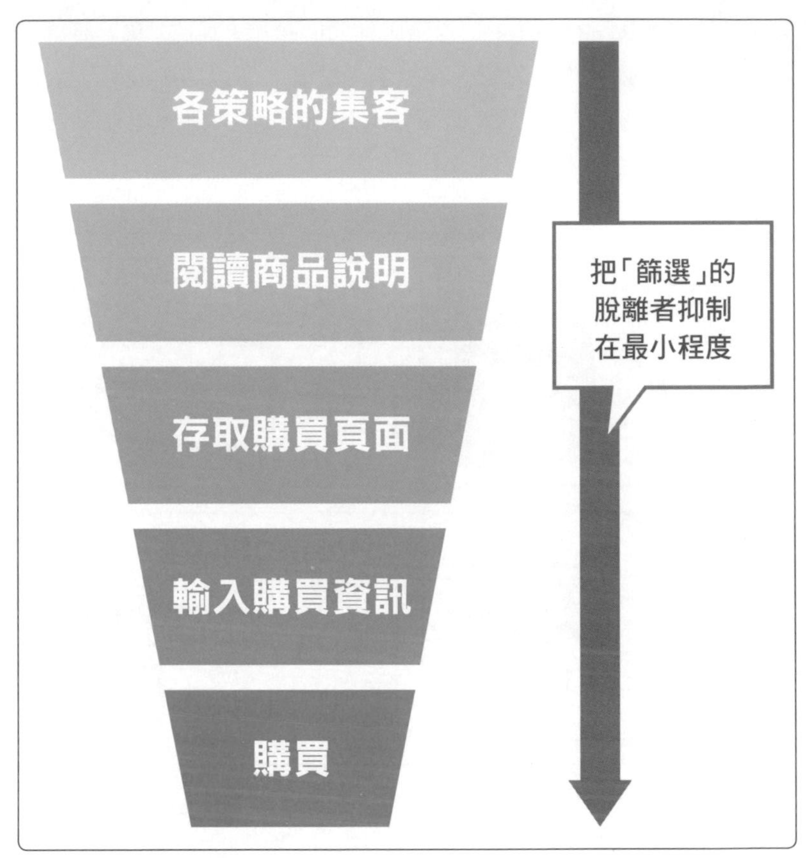

圖3-13：漏斗的思考方式

前面介紹了各種不同的架構，不知道大家覺得如何？單憑文字來解說，感覺起來似乎有點困難；不過事實上並沒有那麼困難。首先，請使用這裡介紹過的架構，試著分析自己的業界、自家公司的產品和服務。大家常說：「熟能生巧！」不過最重要的還是實際操作看看。

另外，有時所找到的架構未必能夠完全符合自己希望統計、分析的項目。可是，只要訓練數字思考力，並培養分解事物的能力，應該就能夠創作出獨自的架構。歷經過中長期的思考力鍛鍊，就能看見更有趣的世界。大家也請試著使用架構進行分析吧！

Section 04〔匯入資料〕把原始資料匯入Excel

CSV檔案的實態

前面介紹了蒐集資料時的注意事項。接下來，將介紹以注意事項為基礎，用Excel實際統計資料時的技巧。首先是把「原始資料」匯入Excel的方法。

從網站存取記錄、公司內部資料庫等處，把資料下載到電腦裡面，用Excel開啟，準備進行分析的時候，下載檔案的格式通常都不是Excel格式，而是CSV格式。

CSV格式的實態其實就是用「,」(逗點)區隔的文字檔。因此，CSV檔可以用「記事本」等文字編輯器開啟。一旦實際用文字編輯器開啟，就可以清楚看到，資料和資料之間會以「,」加以區隔，另外，行則會以「換行」方式區別。

```
業務員ID,顧客,商談次數,成交數,繼續中
10002961,31,7,1,0
10002961,47,16,1,0
10002961,32,6,0,0
10002961,27,7,3,0
10002961,29,10,0
10002961,4,1,1,0
10002961,48,18,3,0
10002961,3,1,0,0
10002961,1,1,0,0
10002963,38,17,1,0
10002963,52,15,1,0
10002963,34,13,2,0
```

圖3-14：CSV檔案的實態

無法把原始的CSV檔案順利匯入Excel時，只要暫時把檔案轉換成文字檔，並用Excel的「匯入字串精靈」開啟，就沒有問題了。在Excel選單選擇「檔案」→「開啟舊檔」，把對話框右下的下拉選單變更成「所有檔案」，就可以指定Excel檔案以外的檔案。選擇欲開啟的文字檔（CSV檔）後，就會開啟「匯入字串精靈」，接下來就把資料匯入Excel吧！（圖3-15）

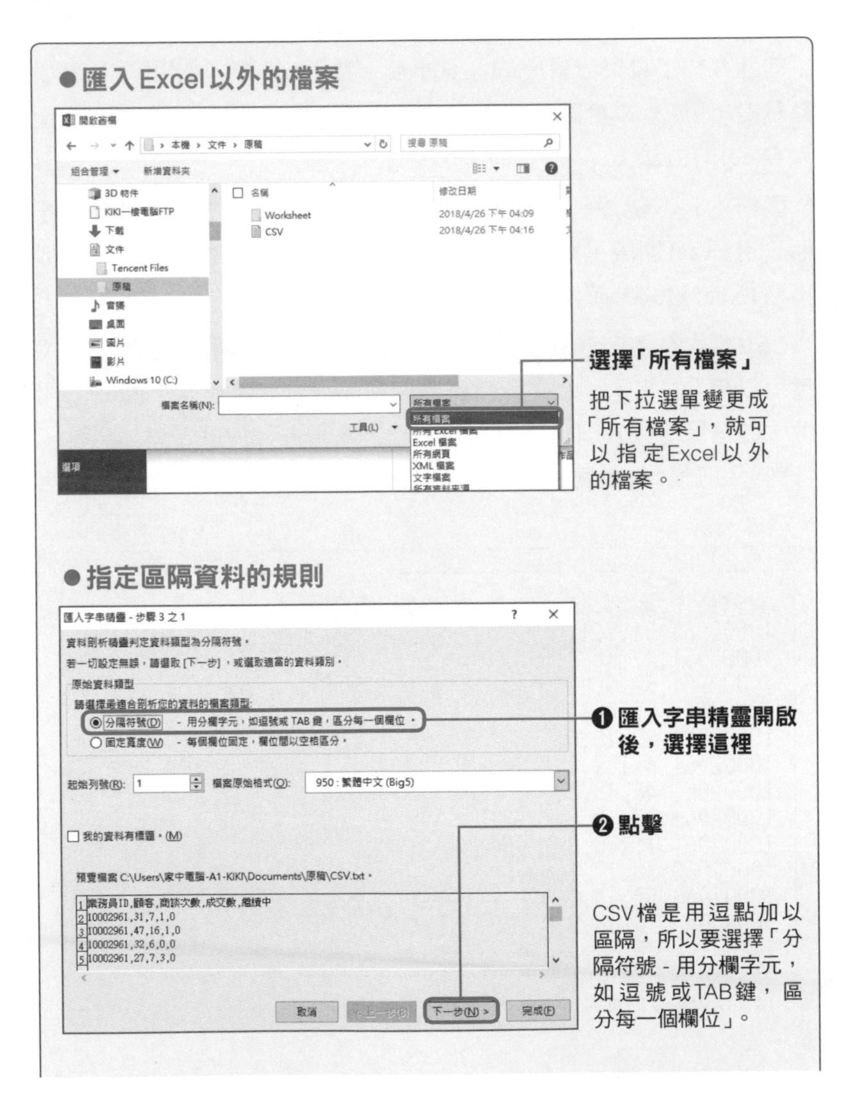

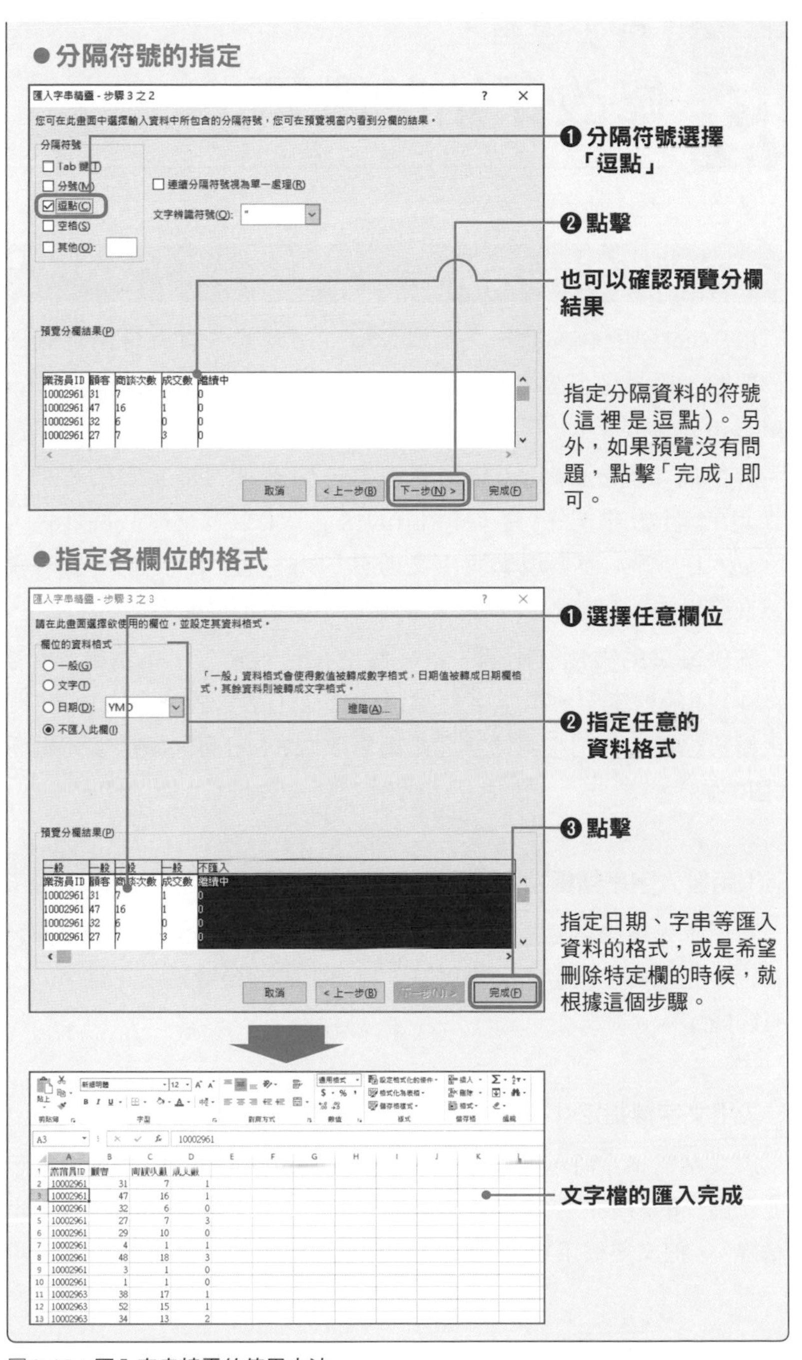

圖3-15：匯入字串精靈的使用方法

Section 05

〔匯入資料〕

修改原始的亂碼

修改亂碼的兩個方法

用Excel開啟CSV檔、文字檔等檔案的時候，有時會出現亂碼的問題。原因是那些檔案是用Excel不支援的字元編碼(Character Encoding)所寫。

所謂的「字元編碼」，請把它視為電腦用來表現文字的規則。表現日語的字元編碼有「Shift-JIS」、「UTF-8」、「UTF-16」、「EUC-JP」等；而表現繁體中文則有「Big5」、「UTF-8」。有時貿然直接用Excel開啟從網站下載的檔案，就會出現亂碼。

解決亂碼的方法有兩個。第一個是在利用匯入字串精靈(參考P.94)開啟檔案時，指定字元編碼的方法。第二個是在用Excel開啟檔案之前，先把檔案的字元編碼修改成Excel可閱讀的字元編碼(圖3-16)。

[①用匯入字串精靈指定]

利用匯入字串精靈指定時，可以在匯入字串精靈的第一個畫面，指定字元編碼。指定字元編碼時，只要下方的預覽顯示正常，就沒有問題了。

[②用文字檔指定]

用文字檔指定時，先用「記事本」等文字編輯器開啟CSV檔案，並在儲存的時候，指定任意的「字元編碼」。之後，使用「匯入字串精靈」，把文字檔用Excel匯入即可。

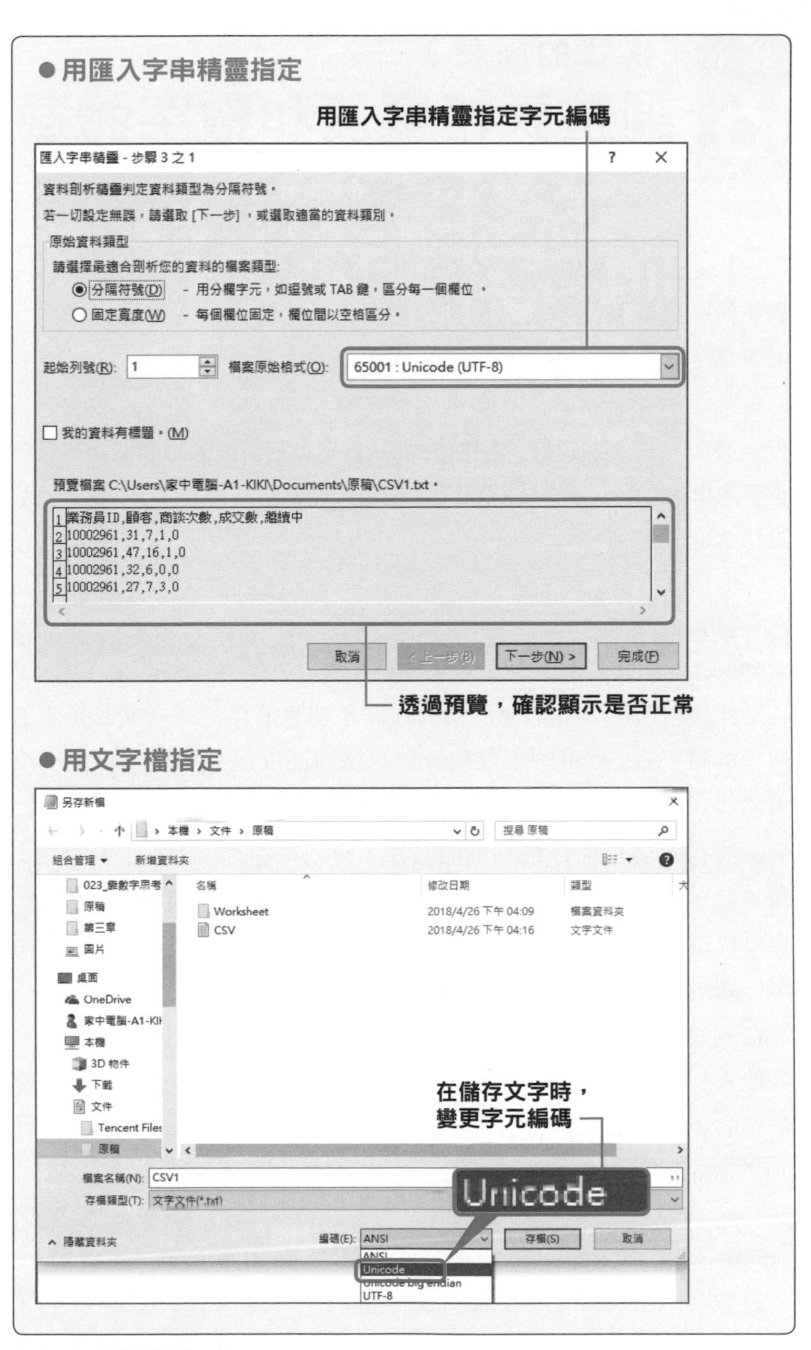
●用匯入字串精靈指定
用匯入字串精靈指定字元編碼
匯入字串精靈 - 步驟 3 之 1
資料剖析精靈判定資料類型為分隔符號。
若一切設定無誤，請選取 [下一步]，或選取適當的資料類別。
原始資料類型
請選擇最適合剖析您的資料的檔案類型:
分隔符號(D) - 用分欄字元，如逗號或 TAB 鍵，區分每一個欄位。
固定寬度(W) - 每個欄位固定，欄位間以空格區分。
起始列號(R): 1 檔案原始格式(O): 65001 : Unicode (UTF-8)
我的資料有標題。(M)
預覽檔案 C:\Users\家中電腦-A1-KIKI\Documents\原稿\CSV1.txt。
1 業務員ID,顧客,商談次數,成交數,繼續中
2 10002961,31,7,1,0
3 10002961,47,16,1,0
4 10002961,32,6,0,0
5 10002961,27,7,3,0
取消 < 上一步(B) 下一步(N) > 完成(F)
透過預覽，確認顯示是否正常
●用文字檔指定
另存新檔
本機 › 文件 › 原稿
搜尋 原稿
組合管理 新增資料夾
名稱 修改日期 類型
Worksheet 2018/4/26 下午 04:09 檔案資料夾
CSV 2018/4/26 下午 04:16 文字文件
原稿
第三章
圖片
桌面
OneDrive
本機
3D 物件
下載
文件
Tencent Files
在儲存文字時，
變更字元編碼
檔案名稱(N): CSV1
存檔類型(T): 文字文件(*.txt)
Unicode
隱藏資料夾
編碼(E): ANSI
存檔(S) 取消
ANSI
Unicode
Unicode big endian
UTF-8

圖 3-16：修正亂碼

Section 06 〔格式的調整〕

調整表格寬度和數字體裁

在Excel的作業中，製作表格的機會也相當多吧！藉由把統計的數字彙整到容易閱讀的表格裡，想要傳達給他人的內容會變得更容易傳達。

可是，製作表格時，總是會在選擇格式的時候，浪費許多時間。反過來說，**只要決定好「表格格式」，就可以把貴重的時間留給其他更重要的事情。**在這裡對照製作容易閱讀的表格時應注意的事項，解說格式的設定方法。

改變表格的欄寬與列高

製作表格時，首先最應該做的作業是調整儲存格的高度和垂直方向的配置。在Excel的預設中，儲存格的高度很狹窄，所以把列高稍微加大，藉此就可以提高表格的閱讀性。

關於有效變更儲存格列高的方法，只要點擊Excel工作表的左上角，就可以選擇所有的儲存格。或是，利用快捷鍵「Ctrl」+「A」，也可以選擇全部的儲存格（只要記住「A」就代表「All」的第一個字母，就可以輕鬆記住）。

在選取所有儲存格的狀態下，點擊右鍵，選擇「列高」。請在列高輸入「18pt」，點擊「確定」。這樣一來，Excel工作表整體的儲存格列高，就會變成18pt（圖3-17）。

數字使用千分位樣式

對數字賦予每隔三位數就加上一個逗點的習慣（千分位樣式）。藉由千分位樣式的使用，可以讓數字變得更容易閱讀。為了熟悉數字，只要預先記住「1,000」是「千」、「1,000,000」是「百萬」，就可以馬上看出數字的位數。

幫數字加上千分位樣式的方法很簡單。只要選擇希望加上千分位樣式的欄（或儲存格），再點擊功能區的「,」（千分位樣式）即可（圖3-18）。

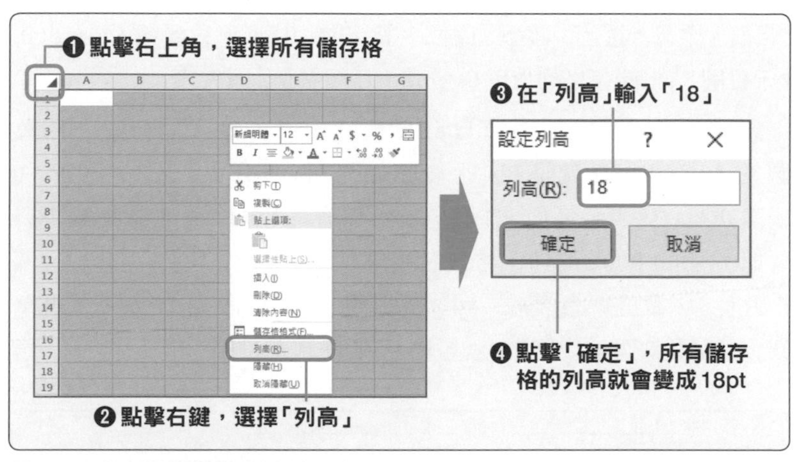

圖3-17：更有效率的變更儲存格列高

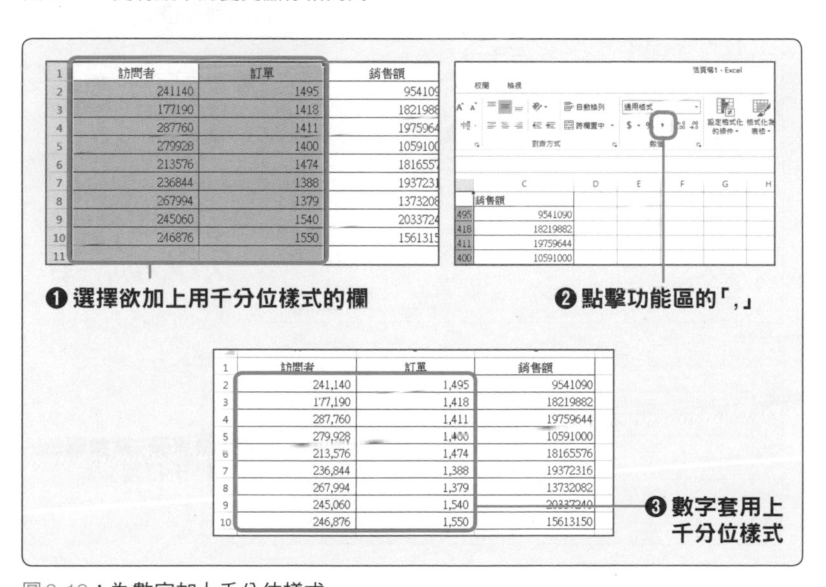

圖3-18：為數字加上千分位樣式

變更數字的顯示單位

在Excel當中，也可以用千日圓單位，或是百萬日圓單位來顯示數字。例如，把「1,000,000」這樣的數字表示成「1,000千日圓」，或是「1百萬日圓」這樣的情況。這個部分的作法也相當簡單，只要選擇欲改變顯示格式的欄（或儲存格），就可以在「儲存格格式」的「自訂」標籤，透過「類型」欄位，設定顯示格式。只要輸入「#,##0,"千日圓"」，儲存格的值就會變成千日圓單位(圖3-19)。

另外，希望設定成百萬日圓單位時，只要輸入「#,##0,,"百萬圓"」，就OK了(就是在0的後面加上1個千分位「,」)。另外，0後面的「,」代表，每加上1個，就可以省略「000」。也就是說，只要把「1,000,000」的顯示格式設定成「#,##0,"千日圓"」(就是1個千分位)，數值就會變成「1000千日圓」；若是設成「#,##0,,"百萬圓"」(就是2個千分位)，就會顯示成「1百萬日圓」。

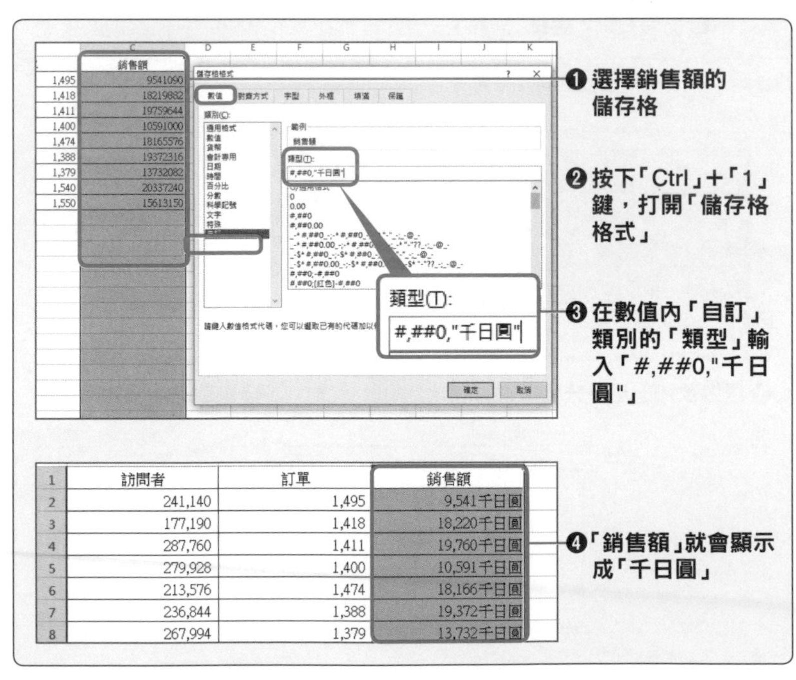

	訪問者	訂單	銷售額
2	241,140	1,495	9,541千日圓
3	177,190	1,418	18,220千日圓
4	287,760	1,411	19,760千日圓
5	279,928	1,400	10,591千日圓
6	213,576	1,474	18,166千日圓
7	236,844	1,388	19,372千日圓
8	267,994	1,379	13,732千日圓

圖3-19：變更數字的顯示單位

Section 07

〔格式的調整〕

調整文字配置和儲存格寬度

統一文字的配置

在Excel預設的水平方向中，文字是「靠左對齊」，數字則是「靠右對齊」。另外，垂直方向則是呈現「靠下」。水平方向的部分並不需要特別做變更；不過垂直方向則要採用置中對齊，才會比較容易閱讀。**「基本上是文字靠左對齊、數字靠右對齊、垂直方向置中對齊」把這個設定記起來吧！**

要讓儲存格的垂直方向置中對齊，就要在選取所有儲存格的狀態下，在儲存格上面點擊右鍵，選擇「儲存格格式」，或是利用「Ctrl」+「1」鍵，開啟「儲存格格式」。請點擊「對齊方式」標籤，在「垂直」部分選擇「置中對齊」。另外，點擊功能區的「置中對齊」按鈕，也可以執行相同的操作（圖3-20）。

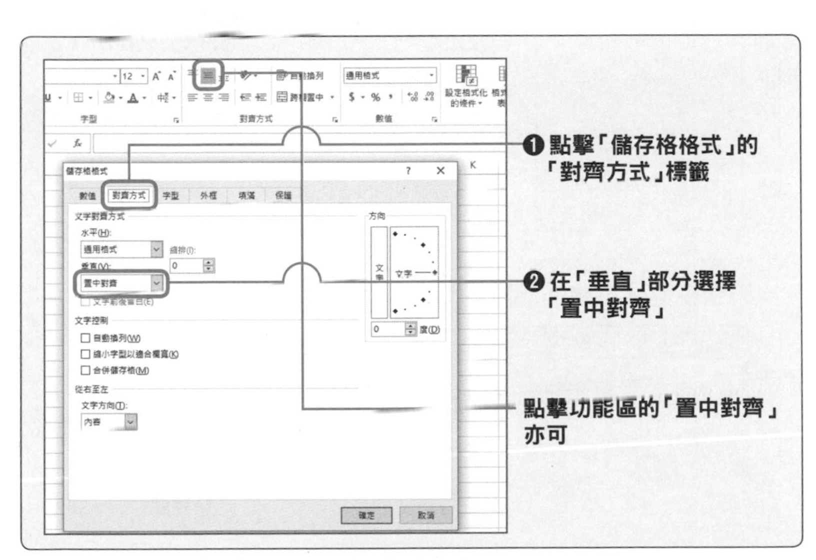

圖3-20：把儲存格垂直方向的配置設為置中對齊

調整表格的寬度

儲存格內的文字出現無法完全顯示的時候，就必須調整儲存格的寬度。只要雙擊寫有欄位名稱的儲存格交界處，就可以自動把欄寬調整成文字可收納的寬度。

希望一次變更多個儲存格的欄寬時，只要全選欲改變儲存格欄寬之寫有欄位名稱的部分並雙擊任意交界處，就可以自動把欄寬調整成文字可收納的寬度（圖3-21）。當然，滑鼠操作同樣也可以調整欄寬。

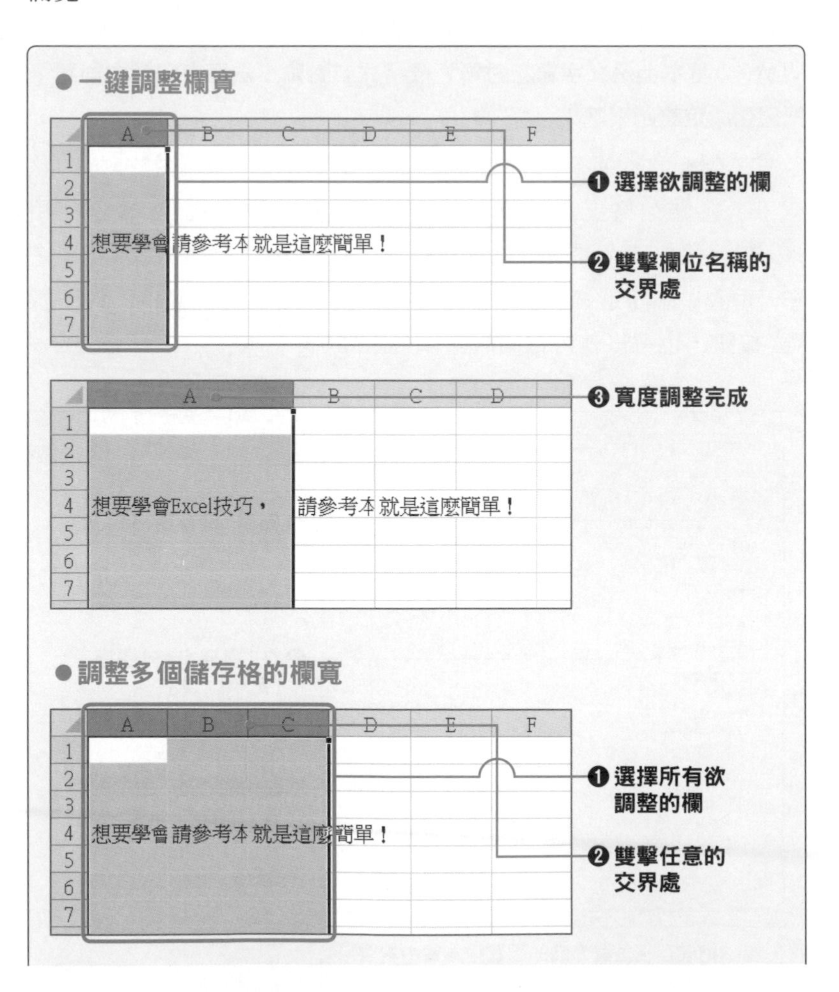

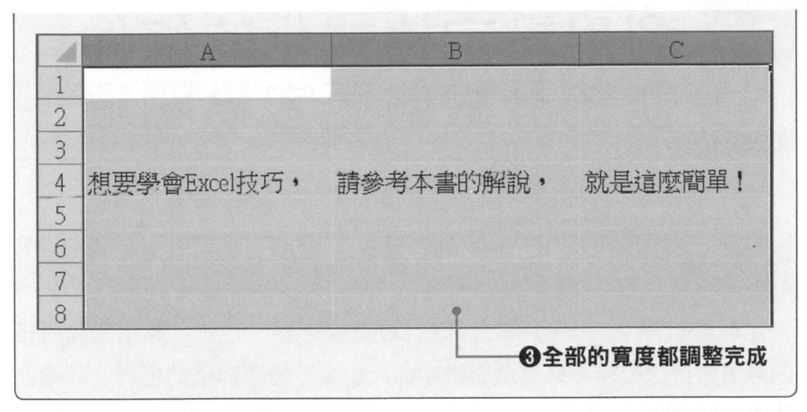

圖3-21：調整儲存格的欄寬

儲存格內的文字換行

希望在儲存格內進行換行時，就在想要換行的位置按下「Alt」＋「Enter」鍵。於是，就可以在儲存格內換行（圖3-22）。

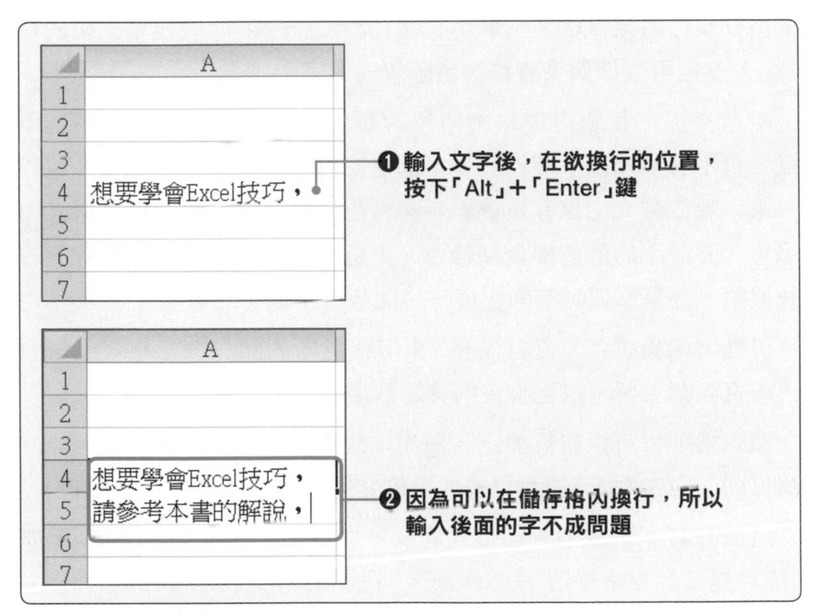

圖3-22：在儲存格內換行

〔統計實務〕

Section 08 利用設定格式化的條件使統計數值更容易閱讀

套用「設定格式化的條件」

比較統計的數字時，通常都會採取圖表化。可是，**希望利用表格的數值進行比較時，只要依照數字的大小來改變儲存格的色彩，就會變得更容易閱讀。**

我在日常業務中經常接觸各種不同的數字，把資料提供給其他人檢視的時候，我會採用圖表化的方式；然而只是給自己看，並且想要迅速地確認數值的概要時，我多半都會使用格式化的條件。

格式化的條件有各種不同的設定，這裡先來介紹兩種。

首先，希望快速區分顏色的時候，「色階」就相當好用。選擇希望區分顏色的儲存格，點擊功能區「常用」標籤的「設定格式化的條件」，然後再選擇個人喜歡的色階規則即可。

順道一提，我覺得資料中使用的顏色如果太多，反而會眼花撩亂，更不容易閱讀，所以我多半都是使用白色和綠色的色階。這樣一來，數值較大的儲存格會顯示深綠色，中間程度的數值是略淡的綠色，而最小的數值則是淺綠色。光是這樣，就可以從一堆羅列的數值中，輕易掌握到較大數值、中間數值和較小的數值。

另外，如果選擇「資料橫條」來取代色階的話，儲存格裡面則會出現直條圖，便可以更直接的確認數字的大小（圖3-23）。

顯示規則也可以自行設定。例如，假設專案的銷售目標是「1200萬日圓」，如果只讓達到目標的數值套用顏色，那就會相當便利。

這個時候，選擇銷售額排列的欄，從「設定格式化的條件」點擊「醒目提示儲存格規則」→「大於」。在「格式化大於下列的儲存格」欄位輸入「12000000」，並設定任意的格式，再點擊「確定」，就可以讓數值「大於12000萬日圓」的儲存格標色顯示（圖3-24）。

另外，只要在設定格式化的條件點擊「管理規則」，就可以自行設定各種規則，使顯示變得更加清楚明瞭（圖3-25）。「格式化的條件」對於從大量數字直觀地掌握概略情況來說，可說是相當有用的方法。只要自己多方嘗試練習即可。

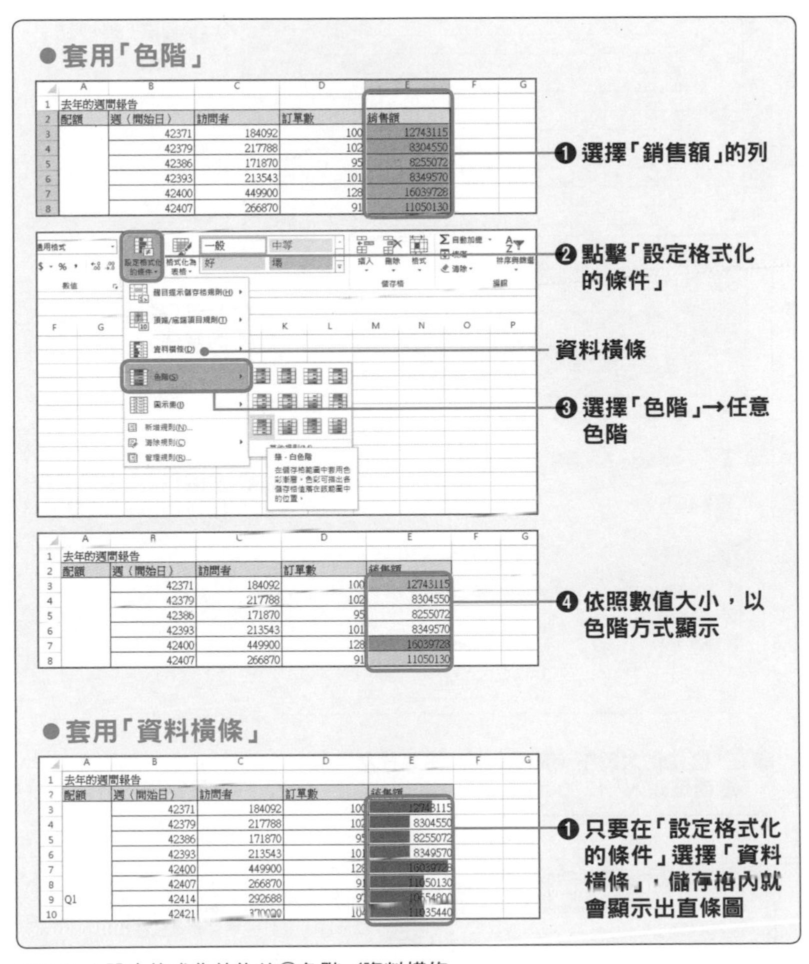

圖3-23：設定格式化的條件①色階／資料橫條

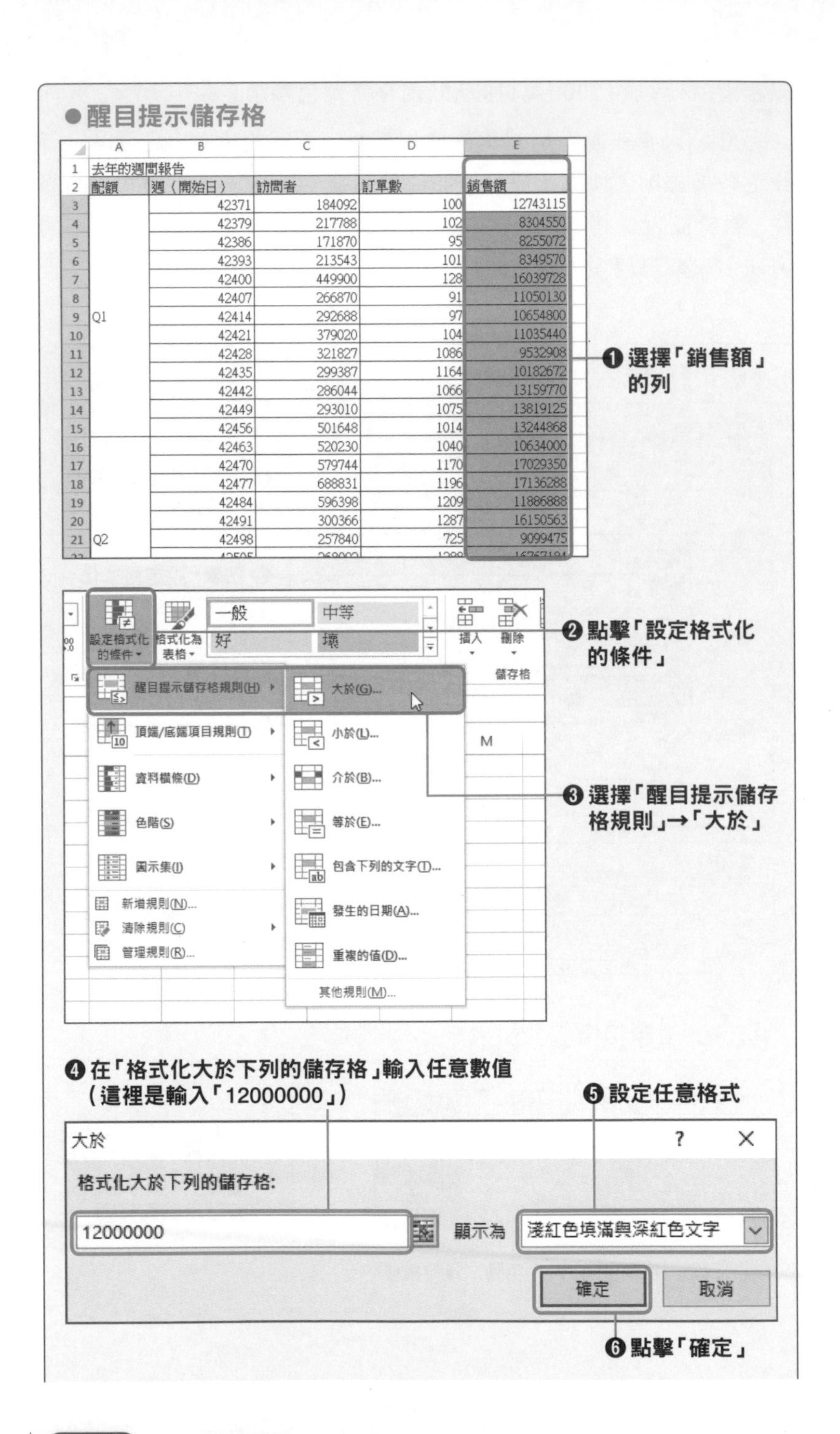

	A	B	C	D	E
1	去年的週間報告				
2	配額	週（開始日）	訪問者	訂單數	銷售額
3		42371	184092	100	12743115
4		42379	217788	102	8304550
5		42386	171870	95	8255072
6		42393	213543	101	8349570
7		42400	449900	128	16039728
8		42407	266870	91	11050130
9	Q1	42414	292688	97	10654800
10		42421	379020	104	11035440
11		42428	321827	1086	9532908
12		42435	299387	1164	10182672
13		42442	286044	1066	13159770
14		42449	293010	1075	13819125
15		42456	501648	1014	13244868
16		42463	520230	1040	10634000
17		42470	579744	1170	17029350
18		42477	688831	1196	17136288
19		42484	596398	1209	11886888
20		42491	300366	1287	16150563
21	Q2	42498	257840	725	9099475

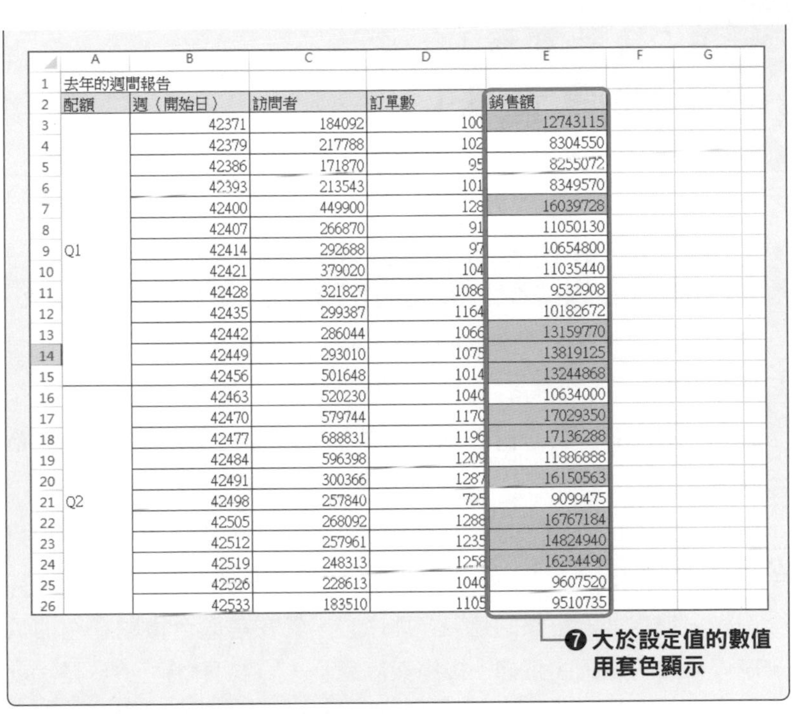

	A	B	C	D	E	F	G
1	去年的週間報告						
2	配額	週（開始日）	訪問者	訂單數	銷售額		
3	Q1	42371	184092	100	12743115		
4		42379	217788	102	8304550		
5		42386	171870	95	8255072		
6		42393	213543	101	8349570		
7		42400	449900	128	16039728		
8		42407	266870	91	11050130		
9		42414	292688	97	10654800		
10		42421	379020	104	11035440		
11		42428	321827	1086	9532908		
12		42435	299387	1164	10182672		
13		42442	286044	1066	13159770		
14		42449	293010	1075	13819125		
15		42456	501648	1014	13244868		
16	Q2	42463	520230	1040	10634000		
17		42470	579744	1170	17029350		
18		42477	688831	1196	17136288		
19		42484	596398	1209	11886888		
20		42491	300366	1287	16150563		
21		42498	257840	725	9099475		
22		42505	268092	1288	16767184		
23		42512	257961	1235	14824940		
24		42519	248313	1258	16234490		
25		42526	228613	1040	9607520		
26		42533	183510	1105	9510735		

圖 3-24：設定格式化的條件②醒目提示儲存格

● 管理規則

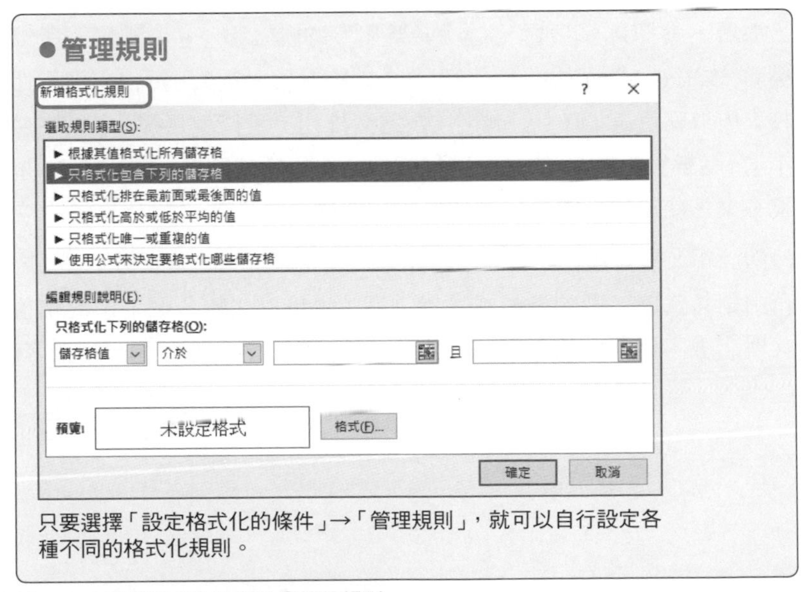

只要選擇「設定格式化的條件」→「管理規則」，就可以自行設定各種不同的格式化規則。

圖 3-25：設定格式化的條件③管理規則

Section
09 〔統計實務〕排序資料

用任意項目排序資料

蒐集到資料之後，先進行排序的情況應該很多。而「排序」也是Excel非常擅長的作業之一。

例如，假設有一份統計各地區的銷售代理店數、訂單數、銷售額的資料。

這份工作表可以透過銷售代理店數、訂單數、銷售額等各個項目的大小進行排序。

例如，欲依「銷售額的遞減」排序時，就在選取含標題在內的欲排序資料的狀態下，選擇「排序與篩選」→「自訂排序」。於是，就會顯示出「排序」對話框。因為選取資料時一併選取了標題，所以要確認是否有勾選「我的資料有標題」。

接著，選擇排序項目。這次希望用「銷售額順序」來排序，所以欄的「排序方式」選擇「銷售額」。「排序對象」希望用數值來進行比較，所以就選擇「值」。「順序」為遞減排列，所以就選擇「最大到最小」，點擊「確定」。於是，可以依銷售額的遞減排序（圖3-26）。這樣一來，就可以一眼看出銷售額大的地區。

前面用「銷售額」做了排序，如果目標是增加「銷售代理店數」，藉由銷售代理店數的遞減或遞增排序，也可以比較各個地區的銷售代理店數。這個時候，「排序方式」只要選擇「銷售代理店數」，就OK了。

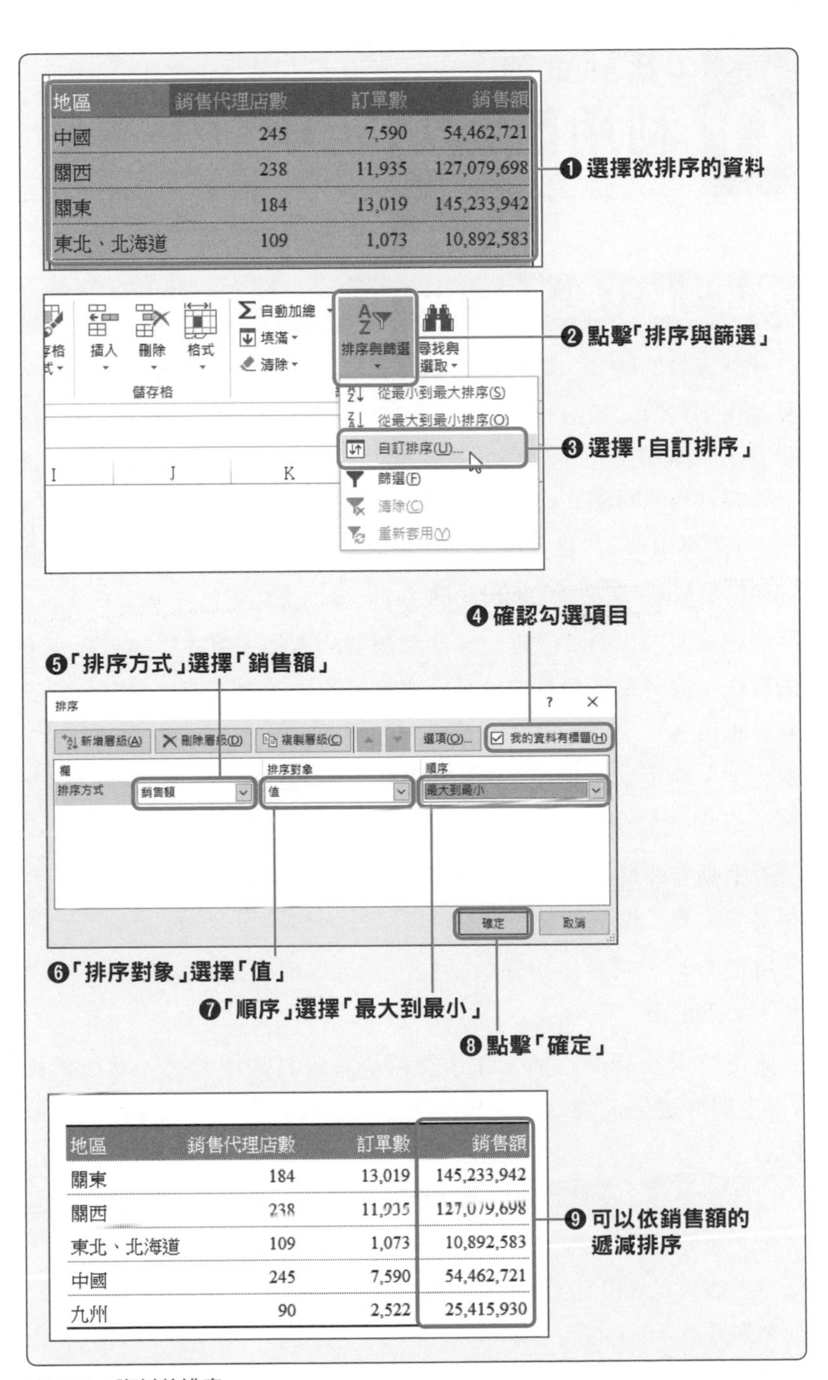
地區
銷售代理店數
訂單數
銷售額
中國
245
7,590
54,462,721
關西
238
11,935
127,079,698
關東
184
13,019
145,233,942
東北、北海道
109
1,073
10,892,583
❶選擇欲排序的資料
自動加總
填滿
清除
插入
刪除
格式
儲存格
排序與篩選
尋找與選取
❷點擊「排序與篩選」
從最小到最大排序(S)
從最大到最小排序(O)
自訂排序(U)...
篩選(F)
清除(C)
重新套用(Y)
❸選擇「自訂排序」
❹確認勾選項目
❺「排序方式」選擇「銷售額」
排序
新增層級(A)
刪除層級(D)
複製層級(C)
選項(O)...
我的資料有標題(H)
欄
排序對象
順序
排序方式
銷售額
值
最大到最小
確定
取消
❻「排序對象」選擇「值」
❼「順序」選擇「最大到最小」
❽點擊「確定」
地區
銷售代理店數
訂單數
銷售額
關東
184
13,019
145,233,942
關西
238
11,935
127,079,698
東北、北海道
109
1,073
10,892,583
中國
245
7,590
54,462,721
九州
90
2,522
25,415,930
❾可以依銷售額的遞減排序

圖 3-26：資料的排序

Section 10

〔統計實務〕

利用篩選功能統計

簡單的統計用篩選功能最方便

統計資料的時候，有時必須處理大量的資料。資料數如果不多，就算用手動方式統計也無妨；但如果是多達數百行、數千行的資料數量，就沒辦法用手動方式進行統計。可是，只要使用Excel，統計作業就可以瞬間完成。

在P.109出現的「排序與篩選」選單中，有個「篩選」的項目。**這個「篩選」是Excel最簡單的統計功能。**

例如，假設你負責管理一家販售服飾的店鋪。這間店鋪有會員卡的製作，同時還把會員的地址、姓名、來店次數、總計購買金額等資料庫化。

那麼，當上司跟你說：「我想調查銷售額的趨勢，幫我把來店次數6～10次的會員篩選出來。」這個時候你該怎麼做？

用手動方式從龐大的資料庫裡面找出符合來店次數的人，這是件相當浩大的工程。

這種時候，只要使用篩選功能，就可以瞬間把來店數6～10次的人篩選出來。

使用篩選功能的時候，先選擇欲統計資料的標題列，然後選擇「排序與篩選」→「篩選」。於是，在各標題的右下方就會出現箭頭圖示。

這次希望用「來店次數」進行篩選，所以就點擊來店次數的箭頭圖示，從選單中選擇「數字篩選」→「介於」。分別輸入指定範圍的數字（這次是6和10），點擊「確定」。如此一來，就只會顯示出來店次數6～10次的人（圖3-27）。

也可以利用相同的操作，簡單篩選出「來店次數10次以上」或「來店次數5次以下」的人，同時也可以把性別設定為「只有女性」、地址設定為「只有東京」。

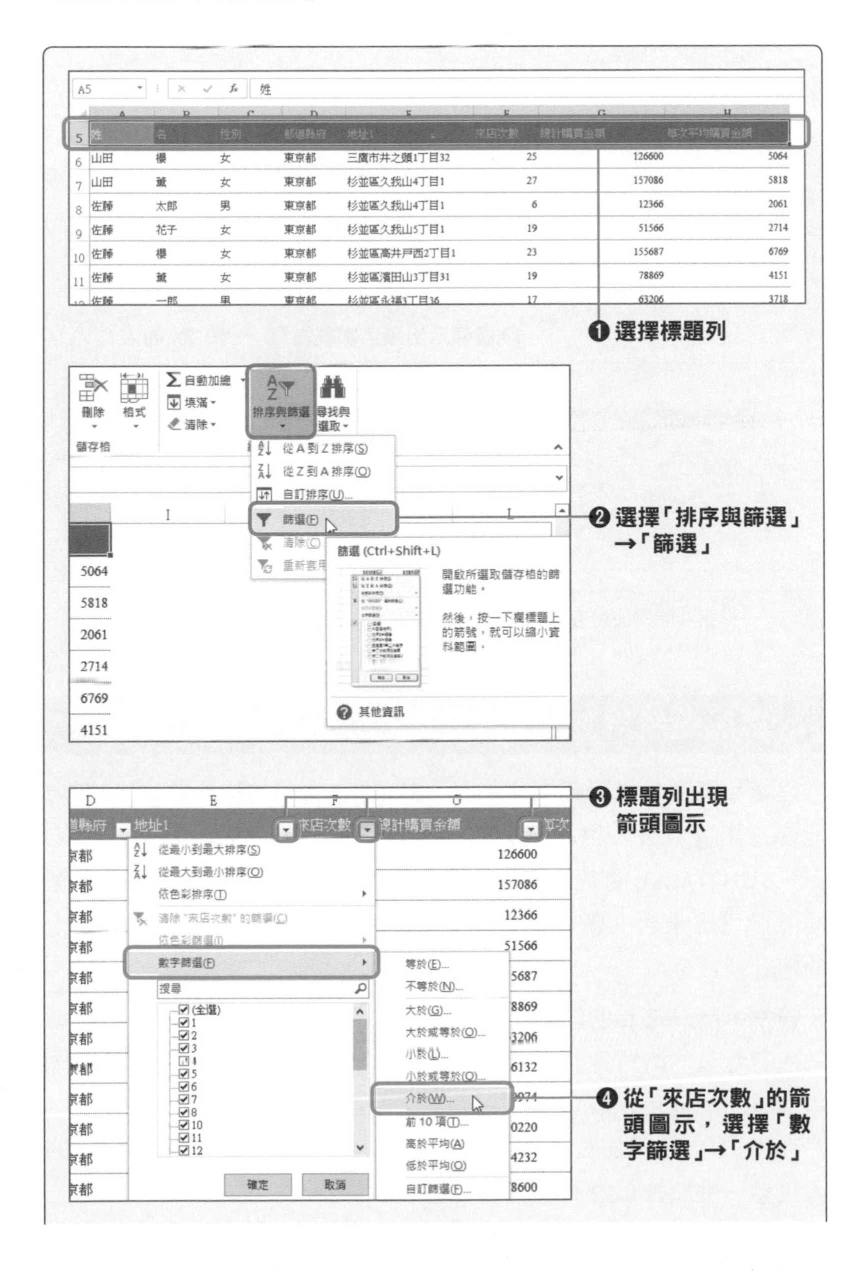

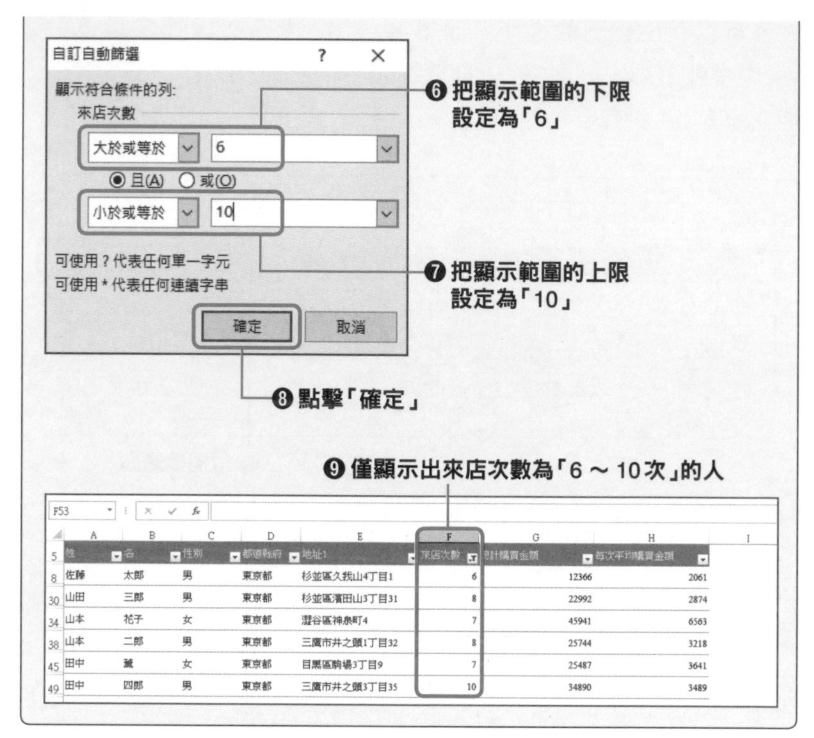

圖3-27：篩選功能的使用方法

計算篩選統計的資料

建議和篩選功能一起記住的是「SUBTOTAL函數」。利用篩選功能篩選出資料後，也應該會有想要計算篩選後的數值總和或平均等。SUBTOTAL函數在那種時候特別好用。例如，假設利用篩選功能篩選出來店次數6～10次的人之後，希望進一步算出這些人的總計購買金額。

通常，計算總和的時候，都是使用SUM函數；不過SUM函數會把所有會員的購買總計金額加總起來，並不會有來店次數的區分。以圖3-28的範例來說，原本只希望加總篩選資料的總計購買金額；然而用SUM函數加總後（「=SUB(G7:G48)」），連沒有顯示出來的人也會一併加總在內。

但是，只要使用SUBTOTAL函數的話，就算指定的計算範圍和SUN函數相同，還是只會加總篩選之後的資料（圖3-29）。

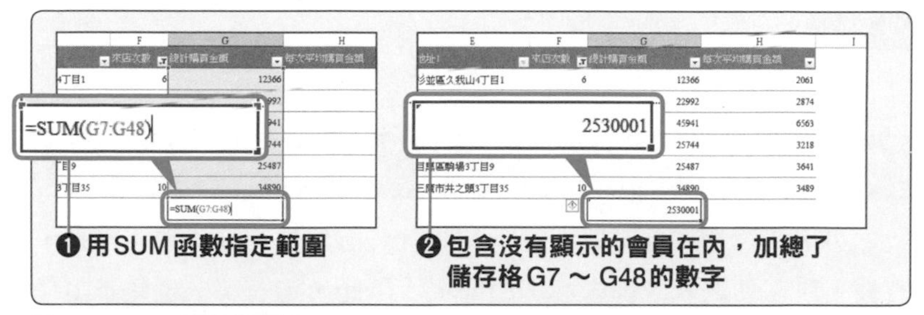

圖3-28：SUM函數的缺點

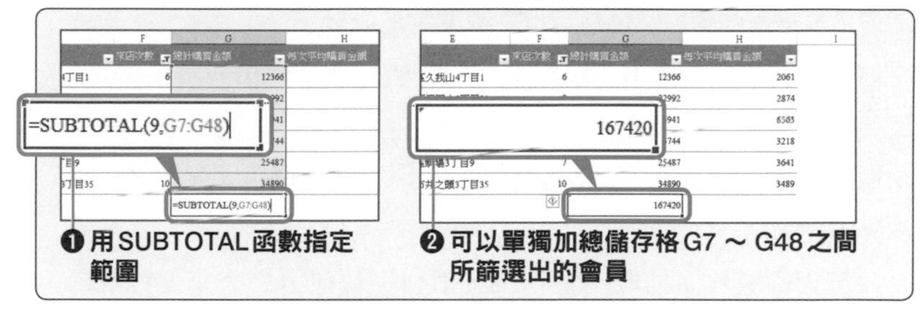

圖3-28：SUBTOTAL函數的優點

順道一提，SUBTOTAL函數的語法如下所示。

SUBTOTAL(統計方法, 範圍1, 範圍2,...)

可以輸入1 ～ 11 之間的數字至上述語法中的「統計方法」部分。Excel會依照輸入的數值，進行對應右表格的計算。

在圖3-29的範例中，輸入了「=SUBTOTAL(9,G7:G48)」，因為這裡的數字是「9」，所以就會採用「加總」的計算方式。當然，不光是加總，甚至連平均、最小值或最大值都有辦法計算出來。

輸入值	計算
1	平均
2	數值的筆數
3	字串、數值資料等的筆數
4	最大值
5	最小值
6	乘積
7	樣本標準偏差
8	標準偏差
9	加總
10	樣本變異數
11	變異數

圖3-30：SUBTOTAL函數的統計方法

Section 11

〔統計實務〕

用樞紐分析表統計

快速統計數千筆的資料

如果用篩選功能就可以完成所有統計，自然是再好不過；可是，實務上所需要的統計卻未必那麼簡單。因此，還有另一個建議記住的功能，那就是名為「樞紐分析表」的功能。**只要使用樞紐分析表，即便是數千筆的資料，仍然可以在瞬間完成統計。**

樞紐分析表被稱之為「執行交叉統計的功能」；即可藉由任意更改原始資料的列、欄來執行統計，並從各種不同的角度來進行分析的功能。例如，可以從「日期」、「訪客」、「購買商品」等希望分析的觀點來統計大量的資料。

我每天從資料庫抽取出資料後，都會用樞紐分析表來進行統計、分析。從資料庫抽取出的資料幾乎都是多達1000筆以上；但多虧有樞紐分析表，我才能在完全不用在乎資料量下進行統計。如果沒有樞紐分析表，我想我的工作效率應該會大幅下降吧！樞紐分析表就是這麼強有力且便利的功能。

那麼，馬上來解說樞紐分析表的使用方法吧！假設你手邊有像圖3-31那樣的原始資料。這份資料彙整了前往公司產品網頁的訪客數、訂單數、購買率以及銷售額等內容。

接著，使用樞紐分析表把原始資料彙整成像圖3-32那樣的格式。

首先，選擇欲統計的原始資料，並從功能區的「插入」選擇「樞紐分析表」。「建立樞紐分析表」對話框出現之後，只要確認表格／資料範圍，點擊「確定」，就會出現空白的樞紐分析表（圖3-33）。

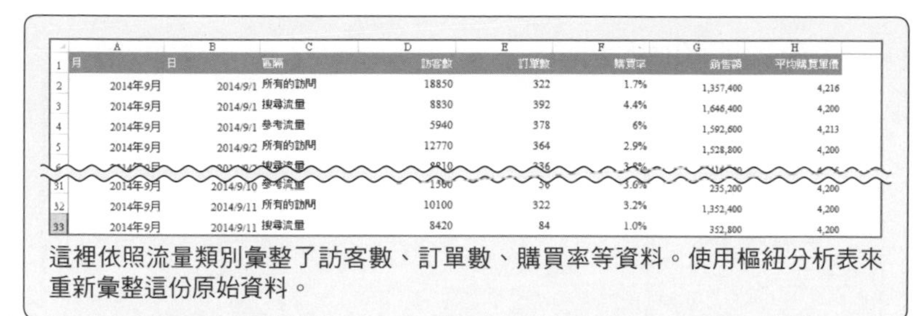

	A	B	C	D	E	F	G	H
1	月	日	區隔	訪客數	訂單數	購買率	銷售額	平均購買單價
2	2014年9月	2014/9/1	所有的訪問	18850	322	1.7%	1,357,400	4,216
3	2014年9月	2014/9/1	搜尋流量	8830	392	4.4%	1,646,400	4,200
4	2014年9月	2014/9/1	參考流量	5940	378	6%	1,592,600	4,213
5	2014年9月	2014/9/2	所有的訪問	12770	364	2.9%	1,528,800	4,200
31	2014年9月	2014/9/10	參考流量	1360	56	3.6%	235,200	4,200
32	2014年9月	2014/9/11	所有的訪問	10100	322	3.2%	1,352,400	4,200
33	2014年9月	2014/9/11	搜尋流量	8420	84	1.0%	352,800	4,200

這裡依照流量類別彙整了訪客數、訂單數、購買率等資料。使用樞紐分析表來重新彙整這份原始資料。

圖3-31：原始資料

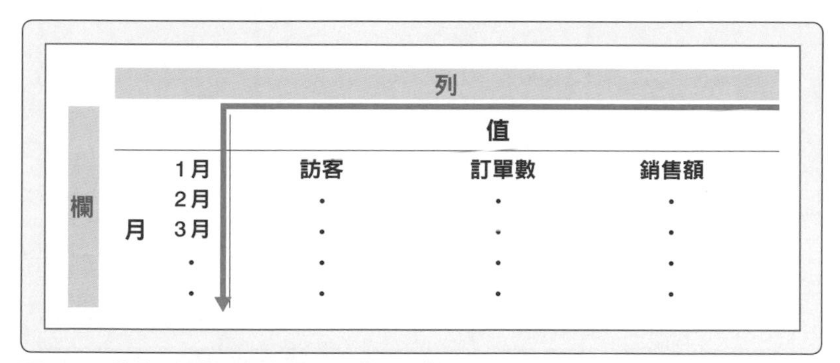

圖3-32：欲使用樞紐分析表製作的表格形象

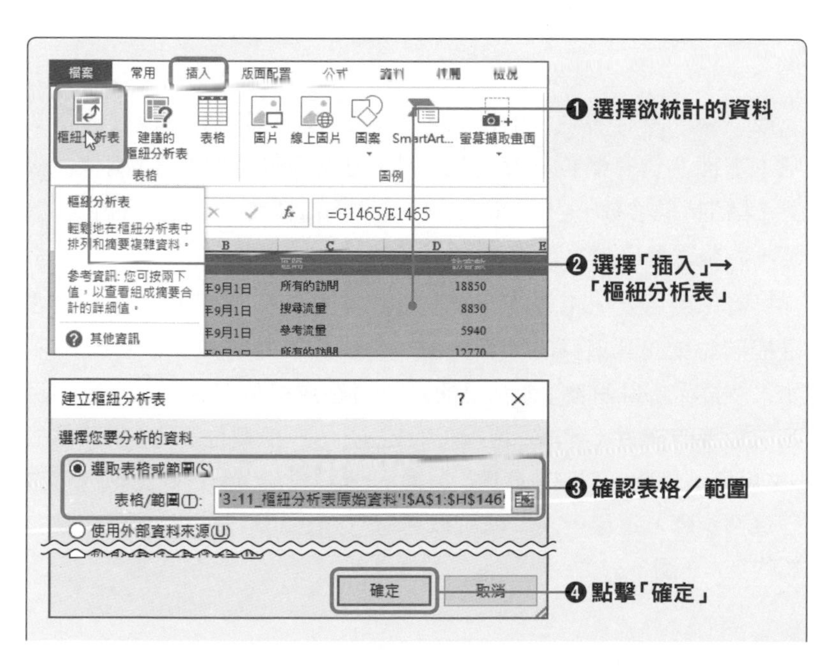

圖3-33：樞紐分析表的製作①

接下來，進行各項目的配置，製作出像前面圖3-32那樣的格式吧！畫面右側有欄位一覽，把「月」拖曳到縱軸的「列」欄位。接著，請把「訪客數」、「訂單數」、「銷售額」拖曳到「值」的欄位。於是，表格就會自動生成。

再者，因為要把希望統計的項目彙整到「值」的欄位，所以請在這裡確認欲統計項目的計算方法。這裡想求的是「資料的總計」，如果變成「項目個數」等結果的話，請在這裡重新修正。點擊項目名稱旁邊的箭頭，選擇「值欄位設定」，在「值欄位設定」對話框的「來自所選欄位的資料」選擇「加總」，點擊「確定」。針對所有值進行這個步驟。這樣一來，就可以進行月類別訪客數、訂單數和銷售額的統計（圖3-34）。

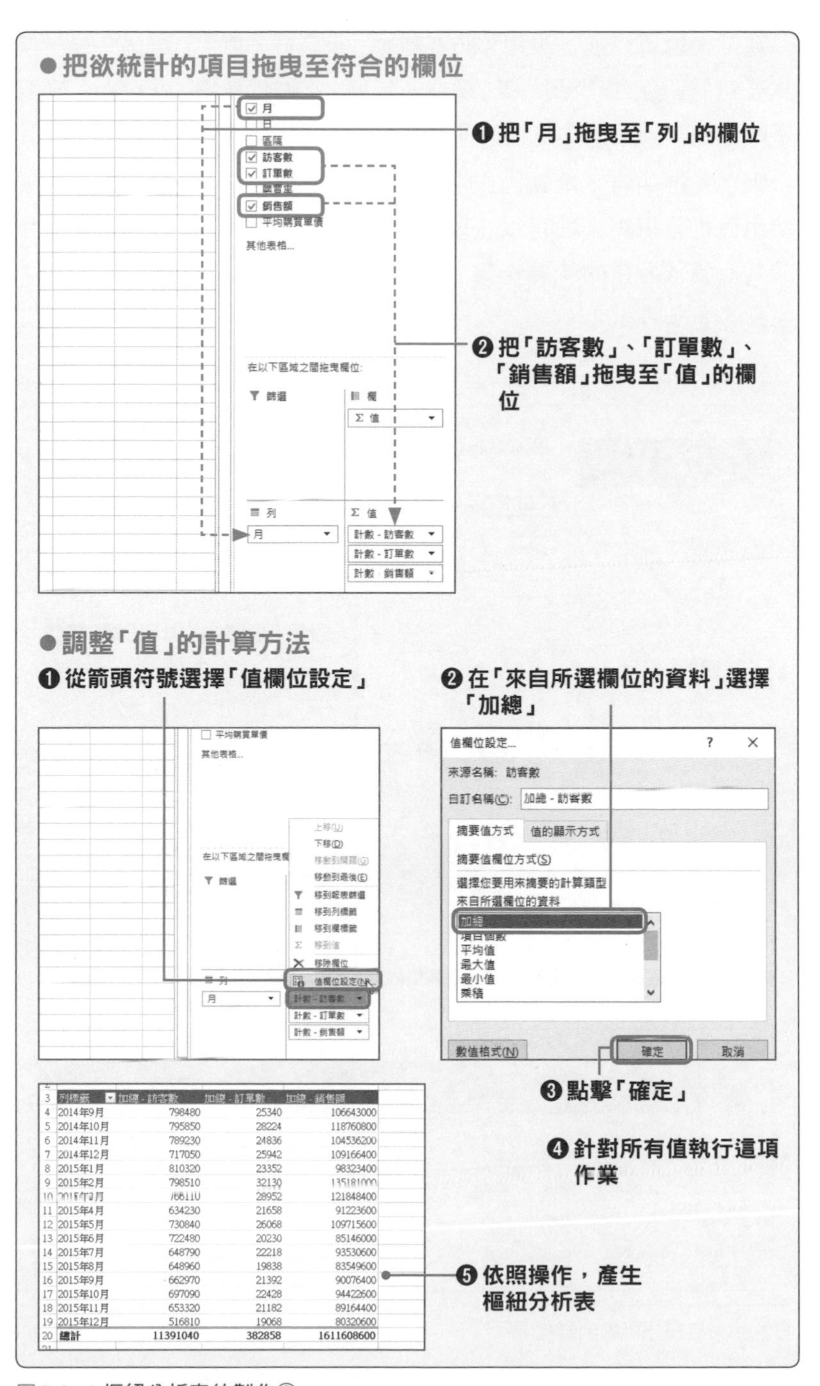

	列標籤	加總 - 訪客數	加總 - 訂單數	加總 - 銷售額
4	2014年9月	798480	25340	106643000
5	2014年10月	795850	28224	118760800
6	2014年11月	789230	24836	104536200
7	2014年12月	717050	25942	109166400
8	2015年1月	810320	23352	98323400
9	2015年2月	798510	32130	135181000
10	2015年3月	766110	28952	121848400
11	2015年4月	634230	21658	91223600
12	2015年5月	730840	26068	109715600
13	2015年6月	722480	20230	85146000
14	2015年7月	648790	22218	93530600
15	2015年8月	648960	19838	83549600
16	2015年9月	662970	21392	90076400
17	2015年10月	697090	22428	94422600
18	2015年11月	653320	21182	89164400
19	2015年12月	516810	19068	80320600
20	總計	11391040	382858	1611608600

圖 3-34：樞紐分析表的製作②

甚至，也可以進一步用「訪客種類」來區分「值」。這個時候，請試著把「區隔」拖曳到「欄」欄位。於是，「流量種類」就會顯示在表格的橫軸，同時值會依照流量類別進行分類（圖3-35）。

大家覺得如何？手動操作可能會耗費龐大時間的統計作業，只要使用樞紐分析表，就可以在短時間內完成。樞紐分析表也可以應用於其他各式各樣的統計作業。因為可以憑直覺進行作業，所以請大家務必多多嘗試！

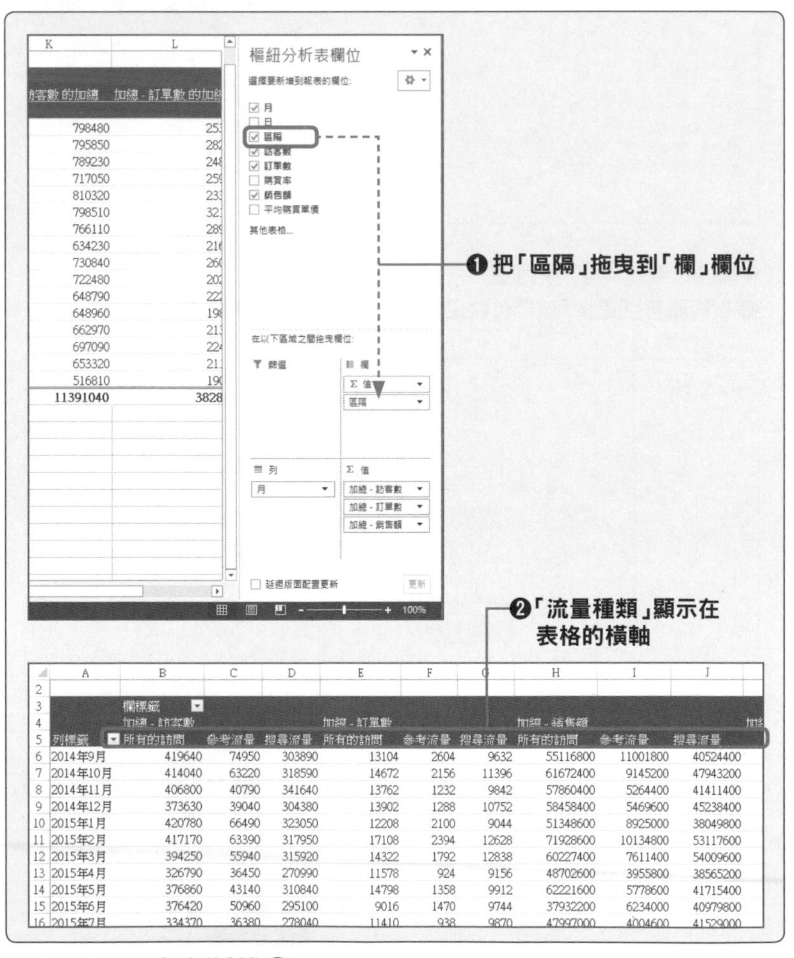

列標籤	加總 - 訪客數 所有的訪問	參考流量	搜尋流量	加總 - 訂單數 所有的訪問	參考流量	搜尋流量	加總 - 銷售額 所有的訪問	參考流量	搜尋流量
2014年9月	419640	74950	303890	13104	2604	9632	55116800	11001800	40524400
2014年10月	414040	63220	318590	14672	2156	11396	61672400	9145200	47943200
2014年11月	406800	40790	341640	13762	1232	9842	57860400	5264400	41411400
2014年12月	373630	39040	304380	13902	1288	10752	58458400	5469600	45238400
2015年1月	420780	66490	323050	12208	2100	9044	51348600	8925000	38049800
2015年2月	417170	63390	317950	17108	2394	12628	71928600	10134800	53117600
2015年3月	394250	55940	315920	14322	1792	12838	60227400	7611400	54009600
2015年4月	326790	36450	270990	11578	924	9156	48702600	3955800	38565200
2015年5月	376860	43140	310840	14798	1358	9912	62221600	5778600	41715400
2015年6月	376420	50960	295100	9016	1470	9744	37932200	6234000	40979800
2015年7月	334370	36380	278040	11410	938	9870	47997000	4004600	41529000

圖3-35：樞紐分析表的製作③

Chapter 04

STEP 2 分析統計數字

數字的「分析」也是行銷人員所不可欠缺的技能。
聽到「分析」二字，似乎感覺相當困難；
其實就只是把事物「分開來」「檢視」罷了，
絕對沒有想像中的困難。
現在就結合圖表製作等有利於分析的Excel活用來學習吧！

Section 01
〔基礎知識〕
何謂「分析」？

聽到「分析」二字，或許有人會覺得相當困難。其實「分析」一點都不難，甚至相當簡單。「分析」的目的就是讓自己看見過去未曾看到的部分。看到這裡，不覺得分析是件很棒的事情嗎？接下來，就讓我針對「分析」來做進一步的解說。

首先，先從分析這個名詞來檢視看看吧！分析由「分」和「析」兩個漢字所組成。「分」就代表「分解」的意思。另外，「析」則是「細微的分割，拆解內部」的意思。也就是說，分析從字面上來看，就是「分解事物，進一步拆解內部」的意思。**只要把欲分析的事物拆開來看，那就是「分析」。**經過這樣的說明後，是不是感覺比較貼近一些了？

例如，希望增加服飾店的銷售額，所以「想要分析銷售額」，這個時候，只要試著分解銷售額即可。關於要素的分解已經在第2章解說過了，分解可以從各種不同的觀點下手。

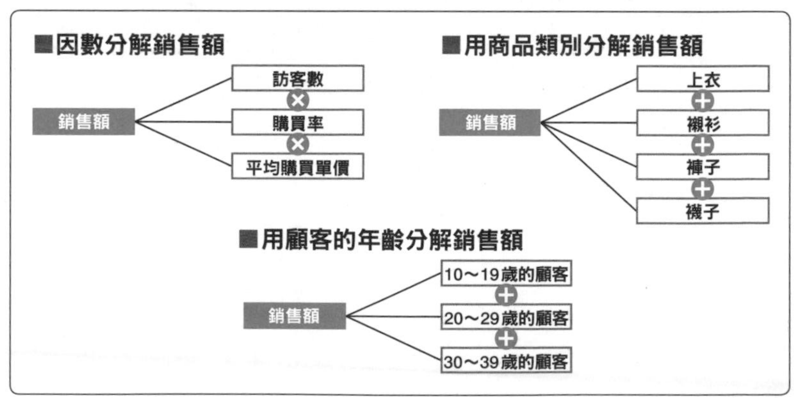

圖4-1：分解「銷售額」

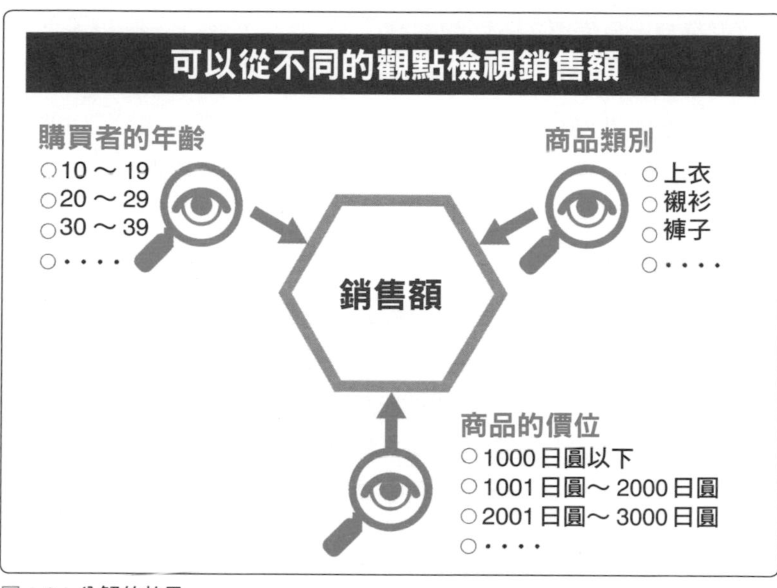

圖4-2：分解的效果

藉由這樣的分解，就可以從各種不同的觀點去檢視「銷售額」。關於分析時「應該選哪個觀點才好」，並沒有正確解答。

不過，這正是有趣的地方。搞不好你的獨特見解，能夠做出更完美的分析也說不定。

選擇適當的觀點

我覺得為了能夠選出適當的觀點得要有三個重點。

[①確實注意分析的「目的」]

P.75也曾提過，確實掌握好分析的「目的」是非常重要的事情。一旦不去留意目的，往往會演變成「為了分析而分析」。這樣一來，就只是浪費時間，無法導出良好的分析結果。

[②訓練自己具備更多不同的觀點]

觀點有各式各樣。只要多加練習，就能培養出更多不同的觀點。即便在日常的生活中，也請試著透過各種不同的觀點去分解事物，讓自己多加練習。這樣一來，就能培養出發掘獨特觀點的能力。

[③反覆練習]

沒有人一開始就能找出完美的觀點，做出精彩的分析。能夠做出良好分析的人，應該都是拜過去的大量練習所賜。不要一開始就想著要如何做出高品質的分析，建議先從分析的量開始做起。只要達到一定的分析量，自然能夠找到更好的觀點，做出良好的分析。穩定練習的累積最為重要，所以請務必勤勞練習。

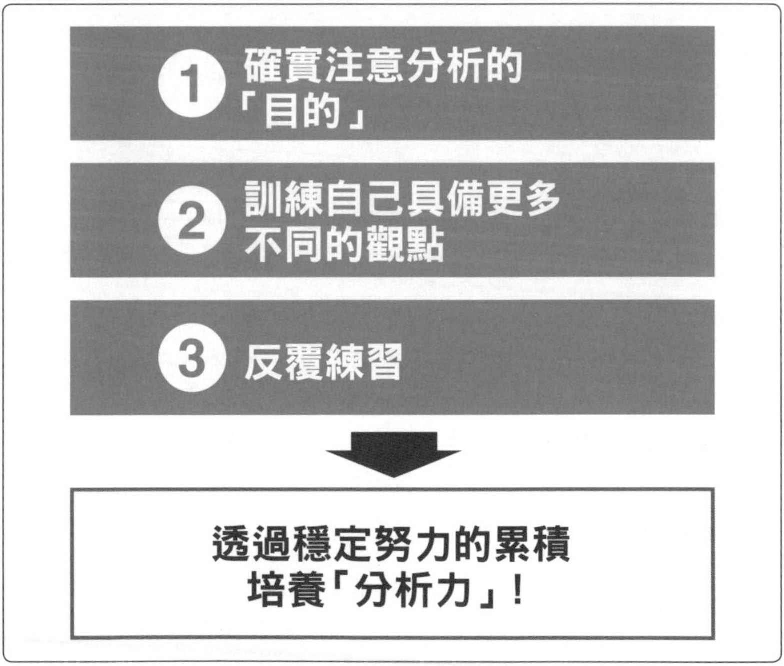

1 確實注意分析的「目的」

2 訓練自己具備更多不同的觀點

3 反覆練習

透過穩定努力的累積
培養「分析力」！

圖 4-3：培養分析力的重點

Section 02 〔基礎知識〕什麼時候需要「分析」？

應該分析的時機

前面一直提到分析、分析，那麼，「什麼時候需要分析呢？」抱持這種疑問的人或許不少。「上司或前輩要求的時候」可能多數人都這麼認為；不過可以的話，最好進行自發性的分析，並把來自該處的發現活用在行銷上。

我自己本身也很喜歡自發性的分析。那麼，**我會在什麼時候分析呢？「有某些疑問的時候」。**有疑問的時候，正是分析的好時機、好機會。

疑問是分析的好機會！

?

圖 4-4：值得分析的時機

我的分析業務

我在檢視自己所負責的產品銷售額時，總是會反覆的分析。

就我個人的情況來說，我所做的分析可大略分成「日常分析」和「季度一次的大規模分析」兩種。

日常分析就是短期間內的分析，例如，檢視上週一整個星期、最近一個月的銷售額時，這些都算是日常分析。當銷售額有所上升時，我會分析「為什麼銷售額會上升？」反之，當銷售額下降時，我就會分析「何處下降了？」、「為什麼銷售額會下降？」在做這類分析的時候，我就會使用第3章所介紹的樞紐分析表（參考P.114）。

另一方面，季度一次的大規模分析就像字面所寫的，就是以季度為單位的分析。因為平時都是以短期間進行分析，所以這個時候便是用更寬廣的視點檢視的絕佳機會。首先，我會從過去資料檢視銷售額的推移是如何地變化，有時也會具體思考一年後、兩年後的成長預估。相較於日常分析，我會在這類分析上花費更多時間，更加仔細。

「分析」身邊的好奇事物

時時抱持疑問的職業病，讓我養成了動不動就分析的習慣。「分析」作業雖然辛苦；然而即便是私生活，也能夠享受分析的樂趣。

例如，去飲料店的時候，觀察店裡的消費情況或菜單的平均單價，試著推估那家店一整天的銷售額，感覺也挺有趣的。

只要使用數字思考力，應該就可以推估出概略的銷售額。試著去做之後，就會發現其實也挺有趣的，所以也請大家務必嘗試看看。如果能夠從私生活中享受各種推估的樂趣，你的數字思考力應該會不斷地提升。

Section 03 〔基礎知識〕

擺脫「半調子」

在失敗中「學習」更多

P.17也曾經提過，很多人都會在策略或專案沒有得到良好成效時選擇放棄。可是，失敗當中卻隱藏著許多值得「學習」的經驗與知識。**策略失敗時，只要調查「為什麼失敗」，並且在下次的策略中有效利用，就肯定能夠提高成功機率。**

在第1章中曾經提過「為了成為優秀的行銷人員，PDCA 相當重要」的這句話；工作的「半調子」就是怠忽了PDCA流程中的Check（結果的反省與確認）和Action（改善）。策略的Plan（計畫）和Do（執行）本身並不輕鬆，要是不去執行Check和Action的話，肯定就會捨棄掉難得的學習機會。這是相當可惜的事情。

藉由Check和Action的執行，可以提升我們的經驗與能力。請大家不要忘記這一點。

承認自己的「責任」並改善

我所從事的是在網頁上販售服務的工作，而我本身也曾有過痛苦的經驗。

如何提高網頁使用者購買服務的購買率是很重要的事情，因此網頁本身的品質也相當重要。

某次，合作企業幫我製作了新的網頁。那個時候所實施的辦法是「AB測試」。所謂的「AB測試」是把存取分配給兩個網頁，進一步比較各自效能的測試。具體來說，就是把前往網頁的訪客分成一半，一半存取舊有網頁，另一半則存取新的網頁，用這種方式來驗證諸如購買率的效能。

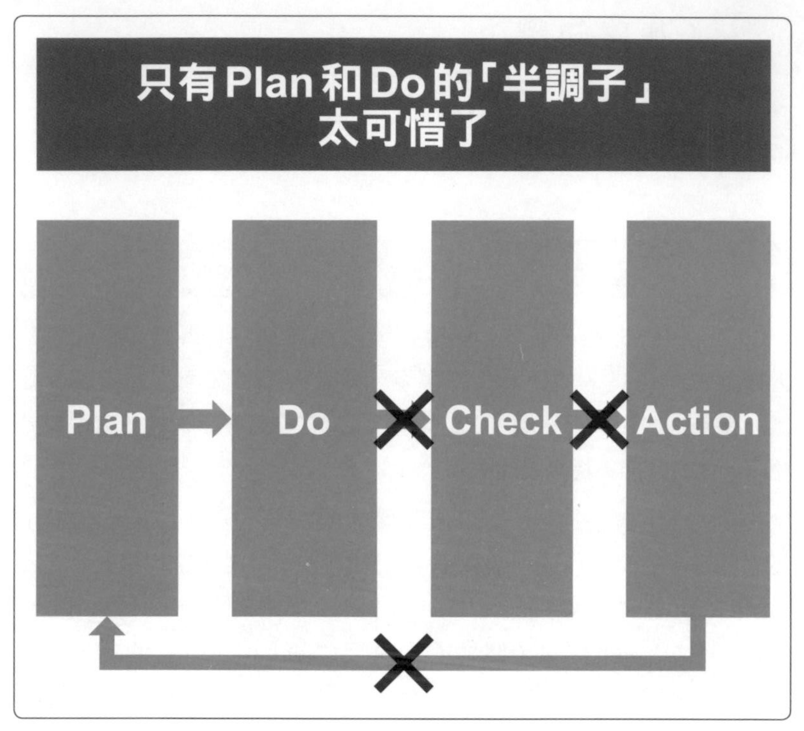

圖4-5：不要忘記PDCA的「C」和「A」

AB測試後的結果，舊網頁和新網頁並沒有太大的差異；不過因為難得的機會，決定採用新的頁面。這個時候，我並沒有對AB測試的結果做任何的反省、檢討。

可是，數個月之後，上司說：「『你做的』網頁效能不好，去把原因給我分析出來。」儘管覺得丟臉，當下我滿腦子只想著「新網頁又不是我做的」，並不認為那是「我的事情」。然而，也因為上司的這一句話，才讓我重新認識到「啊！原來這是我的責任範圍。我必須做些什麼才行」。

之後，我從各種角度去分析新網頁失敗的原因，並全部改寫了文章，製作了新的網頁內容，然後反覆做了AB測試。結果，網頁的購買率終於有所提升。這時我才強烈感受到，原來一切都是我的責任，而主要的原因就是我當初沒有深入探究原因。

最重要的事情就是凡事都不能只有半調子，如果自己有責任或瑕疵，就應該勇於承認，不可以怠忽Check和Action。**若想成為一名成功的行銷人員、擁有更多實力，就應該讓自己習慣PDCA的流程。**這樣的說法或許有點奇怪；不過只要勤奮的運用PDCA，總有一天一定會成功。

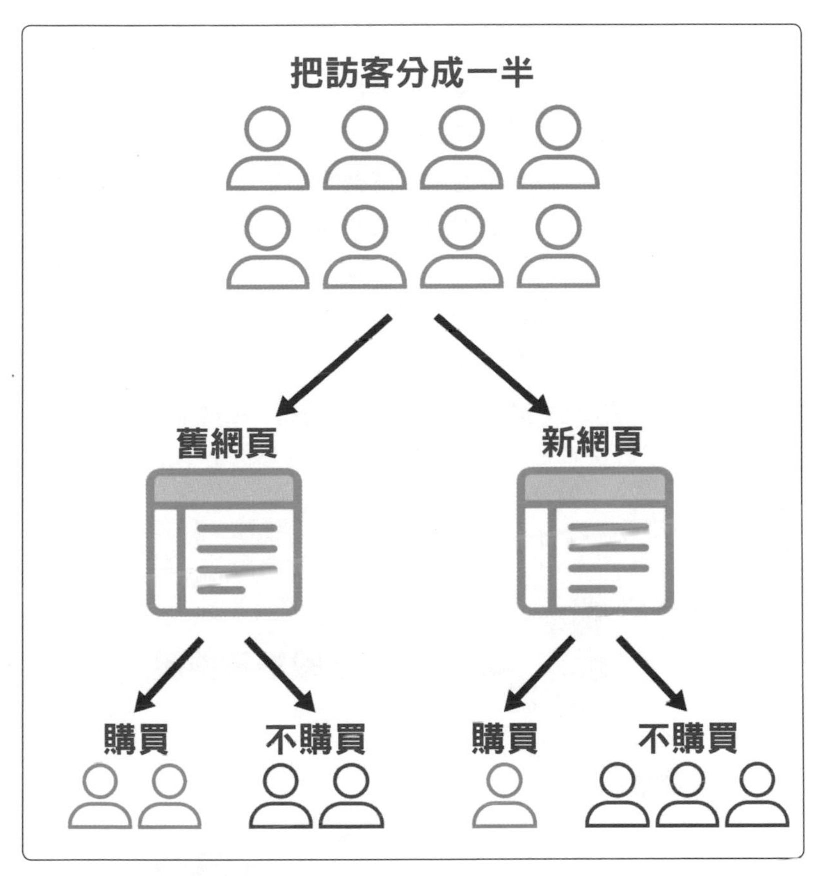

圖4-6：AB測試的示意圖

Section 〔基礎知識〕

04 先用「鳥眼」再用「蟲眼」

開始分析時，「從哪裡開始分析」也相當重要。首先，請先以「廣闊視野」，從檢視整體的分析開始進行。就像是在天空翱翔的鳥環視地面的森林，找尋哪裡有想吃的果實的感覺。用宛如鳥眼般的廣闊視野檢視整體是相當重要的事情。

用鳥眼掌握整體，找到希望深入挖掘的部分之後，接著進行更仔細更深入的檢視，就像是蟲看著水果的局部、深入果實的內部那種深刻且狹隘的視野。

像這樣靈活運用「鳥眼」和「蟲眼」兩種視野，就可以一邊掌握整體感，一邊更深刻地分析關鍵之處。

一開始就用「蟲眼」，從細微的部分開始分析，往往都會陷入失敗。因為沒辦法掌握整體，所以就不會明白那個分析是不是「真正的關鍵之處」。

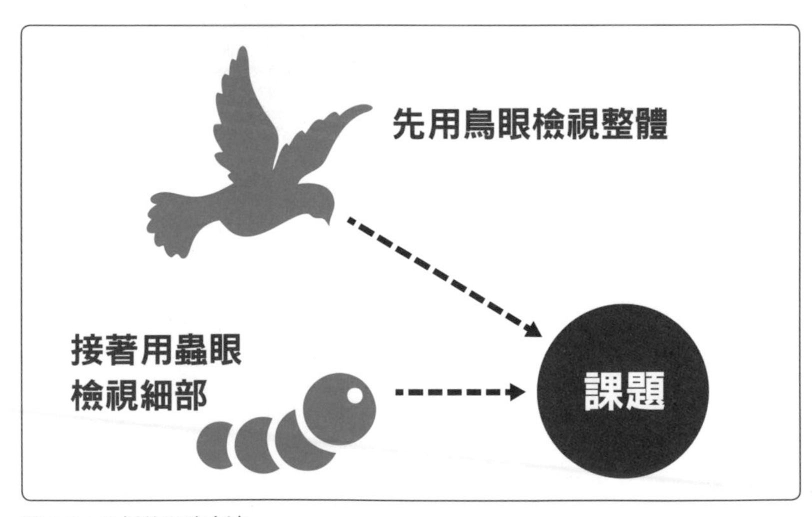

圖 4-7：分析的正確方法

搞不好的話，好不容易花費時間進行分析，實行改善策略之後，卻只能產生出較小的影響。費時費力所做出的分析，如果無法帶來較大的影響，豈不是太可惜了。

注意「看樹，不看森林」的情況

前面講得好像很厲害似的；不過我自己也常常會突然用蟲眼從細部進行分析。

在那種時候，我經常會在中途驚覺到：「啊！我看的是樹，不是森林。要先看整體才行！」重新提醒自己用更遼闊的視野去進行分析。請大家也要經常捫心自問，看看自己是不是也陷入「只看樹而不看森林」的狀態。

對了！大家是否還記得P.85所介紹的架構流程。一開始進行的是PEST、3C、5Force 等架構，乃是採用分析「環境」的寬廣視點。之後，分析「企業本身」的SWOT、思考「企業行銷策略」的STP、4P這樣的架構，便是逐漸縮小的視點。就算檢視這個也可以看出，從「鳥眼」慢慢地移轉至「蟲眼」才是分析的正確流程。

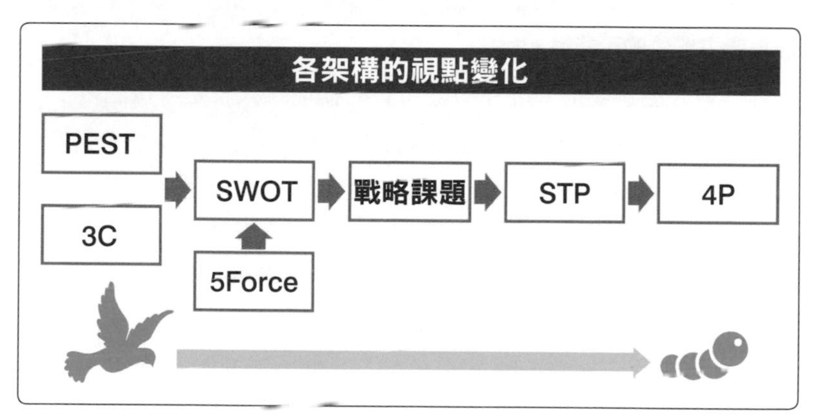

圖4-8：架構也是「鳥眼」→「蟲眼」

Section 05

〔基礎知識〕

決定「集中點」很重要

應該在哪裡致力分析？

在行銷的工作上，經常都會制定某種數字性的目標。為了達成這個數字目標，最重要的事情就是擬定戰略，「集中於應該集中的事物上」。

例如，假設把網路上的銷售進行最大化的是業務，就可以想出SEO／ESM對策、加盟和橫幅廣告之類的廣告策略等各種不同的戰略。

如果把這些戰略一視同仁，採取相同的做法，基本上就很難收到成效。倒不如依照某些指標，賦予優先順序，明確釐清應該更致力於哪個策略（不用致力於哪個策略）。

我想大家都聽過「選擇和集中」的字眼，就是這麼回事。應該選哪個，不要選哪個。**找出認為重要的事情，集中於那件事，藉此就會提高產生成效的可能性。**

P.27曾介紹過我進入現在的公司時的插曲，大家是否還記得？

再次重申一次，當時的行銷人員只有我一個人，所以病急亂投醫的我，「這個也做那個也試」，結果完全沒有半點成效。之後，我聽從上司的建議，找出「應該做的事」，並且積極推動，結果終於有了成效。如果付出心血努力，卻收不到半點成果，熱情也就會跟著下滑。

正因為如此，注意「選擇和集中」，集中於該做的事並努力從事，才是最重要的事情。

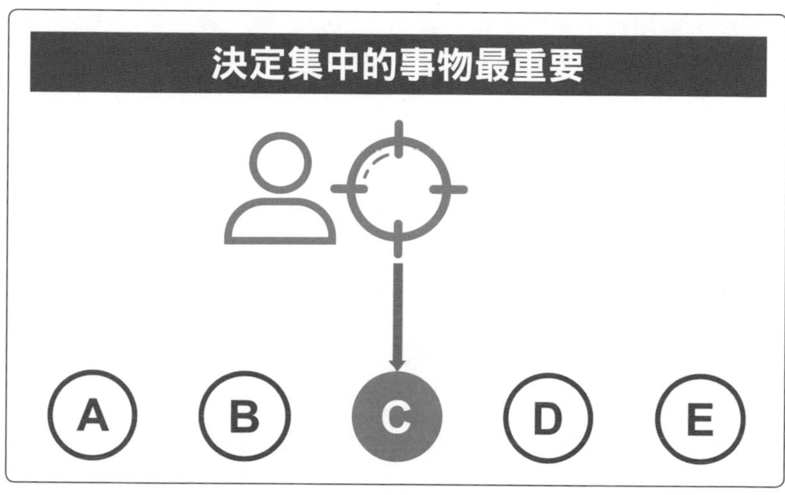

圖4-9：為了更容易達到成果…

決定集中點的流程

那麼，該怎麼決定「集中點」才好呢？下面是我決定集中點的流程，敬請參考。

以我的情況來說，首先會決定「最終的目標」。**「新銷售額的獲得」、「利益的增加」、「既有顧客銷售額的持續」、「顧客滿意度的提升」等目標，都會依照任務或專案而改變。**那個時候，請設定數值性的目標。例如，「讓一個月的銷售額提升3％」，而不是「希望增加銷售額」這麼籠統、曖昧。

接著，使用數字思考力把設定的目標因數分解。以我的情況來說，我的最終目的數值大都是「網站上所發生的銷售額」，所以我會把銷售額分解成「訪客數×購買率×平均購買單價」。

分解完成後，我會從「訪客數」、「購買率」、「平均購買單價」三個變數中，選擇要改善何處。那個時候，請參考第1章介紹的「Low Hanging Fruit」（參考P.27）的思考方法。具體來說，最重要的就是根據「改善的難易度（實現可能性）」和「影響的大小（效率）」這兩點去做判斷。

那麼，繼續往下看吧！在上述的三個變數中，我決定改善「訪客數」和「購買率」兩個（也就是說，「平均購買單價」比其他兩個更不容易改善）。

然後，請決定改善這兩個變數時的「投入比重」。例如，在增加訪客數上投入70%的心力，在購買率的改善上投入30%的心力。

決定這個比重時的標準要視案件而定。「為了馬上達到成果而傾注全力」、「一邊已經有某程度的改善，所以就專注於另一邊」、「針對目標，致力於更不足變數的改善」等，決定心力投入程度的要素，每次都會有不同，所以請視情況來決定。

最後，用Excel計算，具體採取哪種程度的改善，可以讓改善的變數變成何種數值（如何改變選擇的變數，才能夠達到終點）。

以上就是我執行的「決定集中點的流程」。

決定集中點之後，其後就是徹底分析變數，檢討改善對策，並導入實際執行。

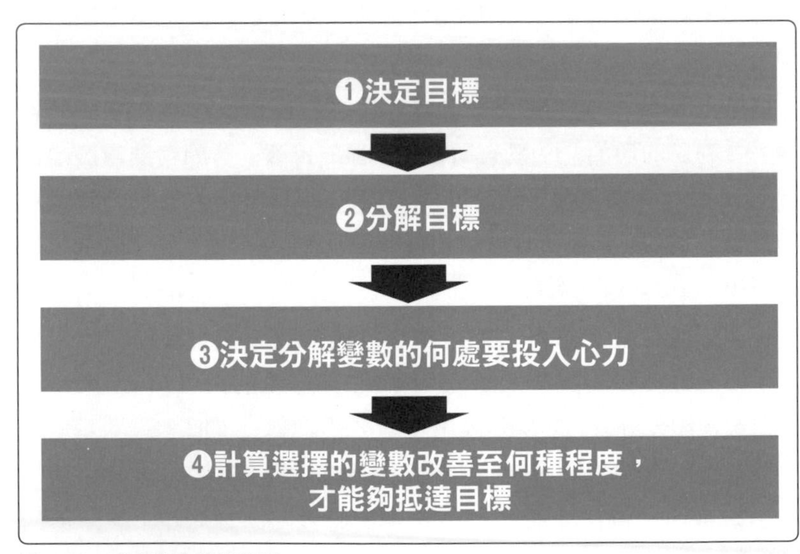

圖4-10：決定集中點的流程

Section 06

〔各種分析和圖表製作〕

絕對必學的三種分析

學會這三種，就能無往不利

分析其實並沒有那麼困難，前面曾介紹過，分析就是「分解事物」。可是，即便是簡單的「分解」二字，事實上仍有各種不同的做法（＝分析手法）。在這裡為大家介紹三種「行銷人員必學」的分析方法。

[①趨勢分析]

第一種是「趨勢分析」（圖4-11）。趨勢分析是用時間序列檢視分析對象，確認期間有什麼樣的變化（參考P.135）。在「過去的銷售額」、「會員登錄數」等變數有上升或下降時，趨勢分析是用來探求其背後原因的至寶。

另外，趨勢分析如果再搭配上數字思考力，就可以做出更加有趣的分析，詳細將在之後詳加說明。

[②相關分析]

第二種是「相關分析」（圖4-12）。相關分析可以用來確認兩個要素之間是否有關係性，或是有多少程度的關係性（參考P.148）。例如，常聽人說：「氣溫上升，啤酒就會暢銷。」可是，「氣溫」和「啤酒的銷售額」真的有關係性嗎？用數字來驗證的分析方法就是相關分析。只要有資料，Excel就可以輕易做出相關分析。

[③矩陣分析]

第三種是「矩陣分析」（圖4-13）。矩陣分析是分別把觀點各不相同的座標設定在X軸和Y軸，然後進行彙整的分析手法。希望導

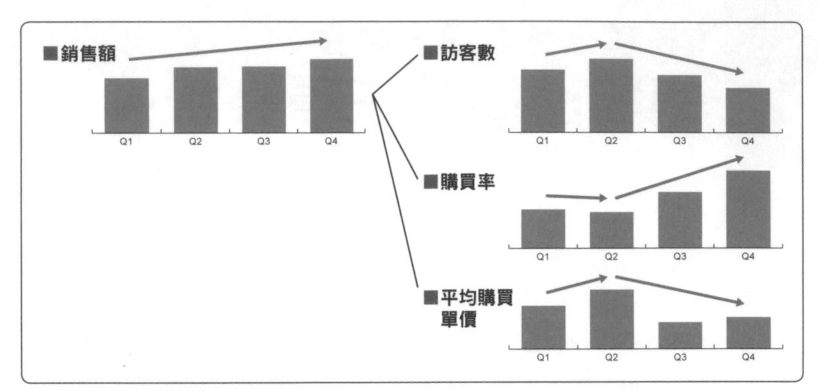

圖 4-11：趨勢分析的示意圖

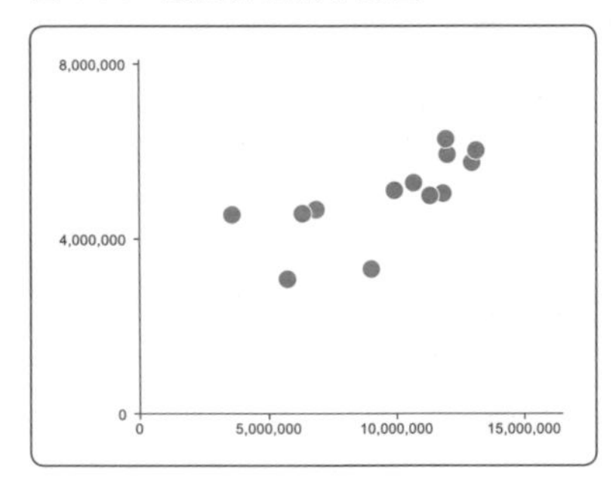

圖 4-12：相關分析的示意圖

圖 4-13：矩陣分析的示意圖

出新的線索時、希望為事物排出優先順序時，經常會採用矩陣分析（參考P.160）。我在評估多個廣告策略時，大多都會使用矩陣分析。那個時候，我會把訂單數等「成果量」設定在X軸，「成本效率」設定在Y軸，並配置上各種廣告策略。

這樣一來，就能夠以視覺方式清楚看出，成果較大、效率較好的廣告策略是哪個，而成果較少、效率差強人意的是哪個。

首先活用三種分析

我平常都會搭配使用這三種分析。當然，除了這三種之外，還有很多不同的分析手法，所以有興趣的人也可以自行調查。不管怎麼說，只要先學會靈活運用這三種分析，應該就能讓工作的等級有明顯的提升。

〔各種分析和圖表製作〕

Section 07 數字思考力和趨勢分析的活用範例

檢視時間序列的推移

前面提到「絕對必學的三種分析」，接下來將針對第一種「趨勢分析」的使用方法進行更詳細的解說。

所謂的「趨勢」是指「傾向、動向、流行」的意思。我們把時間軸上的變動稱為「趨勢」，趨勢分析也可以看出用日、週、月、季、年期間區隔的事物傾向，並從中找到某些線索。

可是，單是漫不經心地檢視數值的變化，未必能夠有好的發現。

假設你是網路商城的行銷人員，而去年一年期間的各季銷售額變化，就如圖4-14的圖表。這種用時間序列來表現銷售額變化的圖表，也是一種趨勢分析；不過你可以從這份圖表中解讀到什麼嗎？

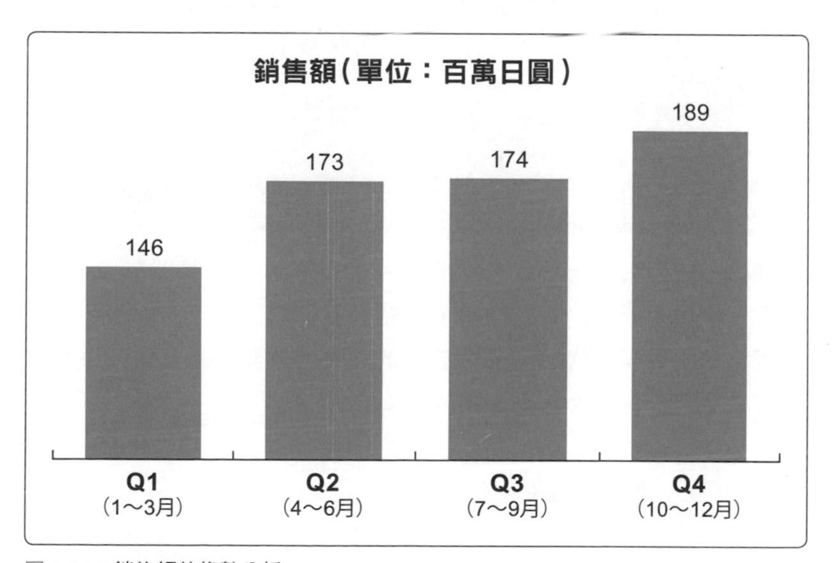

圖4-14：銷售額的趨勢分析

首先，Q1至Q2的銷售額成長比較大。Q2至Q3的成長較少；不過Q4則有較大的成長，而且是該年最高的銷售額。

檢視這份趨勢的銷售額之後，主管應該會提出下面三個疑問吧！

> ①Q2銷售額成長的原因
> ②Q3成長不大的原因
> ③Q4銷售額成長的原因

那麼，當主管提出這三個問題時，你會如何回答呢？「Q2的成長是4月的新年度，所以購買新衣服的人會增加」；「Q3的成長之所以較遲緩，乃是因為7～9月正好碰到盂蘭盆節和白銀週」；「Q4的成長全是因為年末需求」……就像這樣，也有可能全部都用季節主因來說明；不過如果這麼回答的話，上司應該會認為「那你到底做了些什麼」，**因為這些答案裡面完全沒有「我們採取了什麼樣的策略，策略和銷售額之間有何種關係」這樣的觀點。**當然，身為一個行銷人員，絕對不能把銷售額的變化原因全部歸咎在「季節」上頭。

因此，這裡希望使用的就是書裡面已經出現過好幾次的「數字思考力」。只要使用數字思考力分析銷售額趨勢，就可以看到更多不同的地方。

分析「整體」和「構成要素的變化」

例如，把銷售額分解成「訪客數×購買率×平均購買單價」，然後進一步檢視分解要素的趨勢，其結果就如同圖4-15的圖表。只要像這樣檢視構成銷售額的三個要素的趨勢，應該就會有更加不同的見解。

首先，先來找一下對銷售額有大幅影響的變數吧！「平均購買單價」在全年之間並沒有太大的變化。

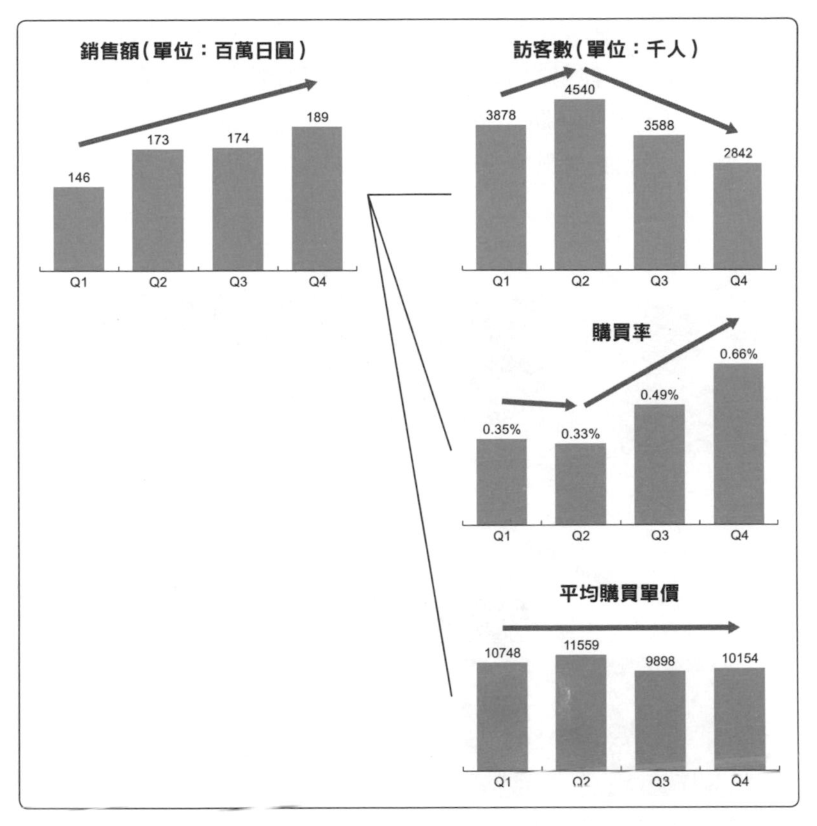

圖4-15：「銷售額」的各要素趨勢

「訪客數」在Q2時增加，Q3、Q4時呈現下降。

同樣地，Q1、Q2的「購買率」幾乎沒有什麼變化；不過在Q3、Q4期間則有大幅上升。一旦檢視這個，就可以發現「訪客數」和「購買率」對銷售額的增減給予極大的影響。

那麼，根據這些圖表，試著思考剛才三個問題「①Q2銷售額成長的原因」、「②Q3成長不大的原因」、「③Q4銷售額成長的原因」的答案吧！

[①Q2銷售額成長的原因]

銷售額增加的最大主要原因，乃是Q2的「訪客數」比Q1大幅增加（17％）了許多。關於「訪客數增加的理由」，身為行銷人員的你，應該能夠輕易說明這段期間實施了什麼策略、做了些什麼事情。例如，這個時期「積極推行廣告」或是「重新檢視了SEO／SEM對策」之類的情況。

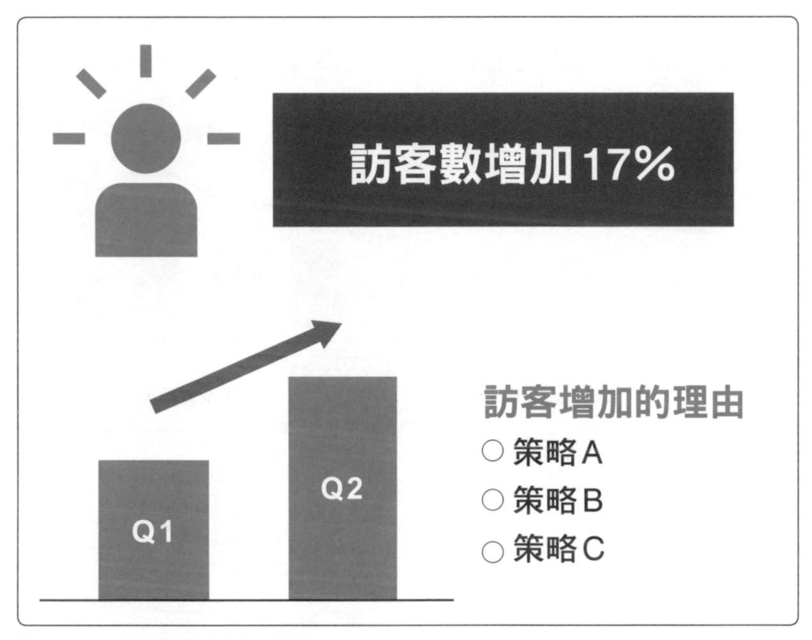

圖4-16：Q2銷售額成長的原因

[②Q3成長不大的原因]

Q3的成長偏低的主要原因，乃是「訪客數」比Q2減少了21％。可是，「購買率」卻增加了48％，所以整體的銷售額並沒有太大的變動，僅增加了0.1％。

訪客數減少的理由也可能是諸如「停掉了成本效果較少的廣告策略所致」，身為行銷人員應該可以做各種不同的思考。

相反地，購買率上升的理由，應該可以類推出「廣告策略的最佳化，促使購買可能性較高的顧客增加」、「網頁最佳化順利進行」等。在盂蘭盆節和白銀週期間沒有導致銷售額負成長，反而是可以向上司邀功的好時機。

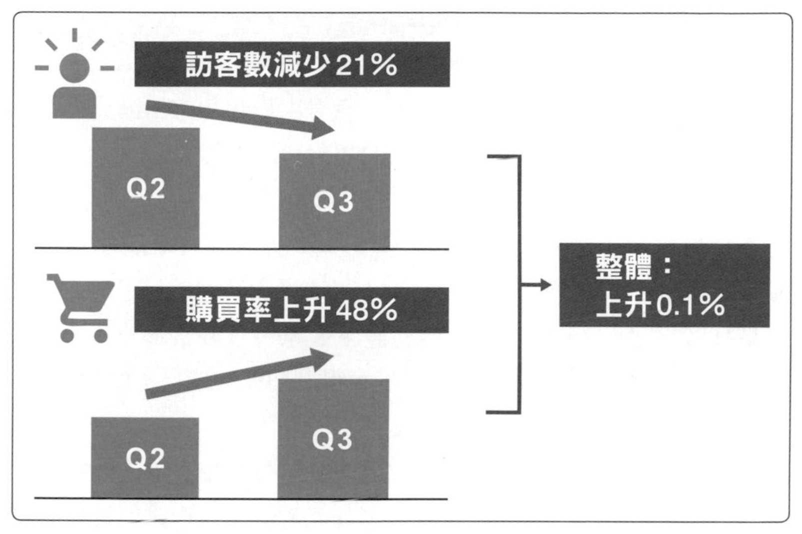

圖4-17：Q3的成長不大的原因

[③Q4銷售額成長的原因]

Q4銷售額成長的主要原因，乃是「購買率」比Q3進一步成長了34%。因此，應該可以向上司提出「因為Q3所延續的廣告策略的效率化，雖然訪客數有所減少，但購買率卻更加提升」、「Q3開始實施的網頁最佳化，持續帶動了購買率的提升」、「為了增加購買率較高的訪客，而開始了全新的策略」、「因此，下期的購買率可望提升更多」等各種報告。

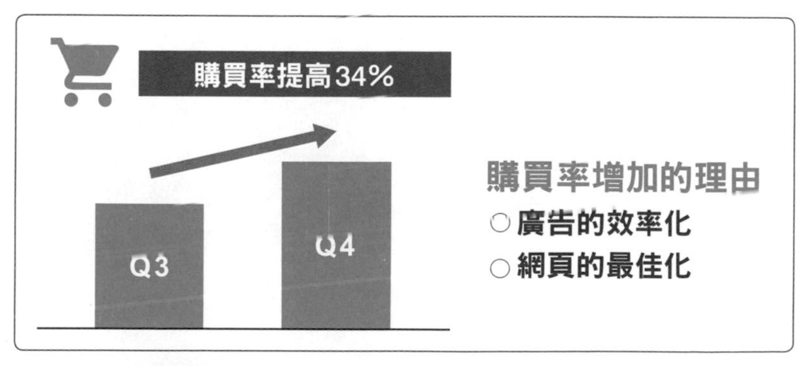

圖4-18：Q4銷售額成長的原因

趨勢分析也要靠「數字思考」

覺得如何？單看銷售額的趨勢，只能看出銷售額的增減變化；不過藉由分解銷售額，檢視各種要素的趨勢後，就可以有更深入的分析，對此，大家是否已經有比較深入的理解了？

要是只有檢視銷售額的趨勢，當形成「該怎麼做才能增加銷售額」的議論時，若有說話大聲者說：「只要增加訪客就行了吧！那就盡量打廣告吧！」最後，往往容易發生大家被該發言牽著鼻子走。結果，「打了好幾個月的廣告，卻沒有得到想要的成果」，這就是沒有深入分析的後果。

要是試著使用數字思考力去分解，因為可以做出更深入的趨勢分析，所以真正的主因變得容易看出，就能夠減少採取錯誤策略的可能性。

只要像這樣，試著思考趨勢分析，就可以讓「數字思考力」和「Excel」成為你最強而有力的武器。

〔各種分析和圖表製作〕

Section 08 用Excel製作趨勢分析的圖表

介紹實際用Excel製作趨勢分析圖表的方法。趨勢分析的製作流程如下。

①因數分解目的變數
②準備分解要素的資料
③整理資料
④製作圖表
⑤用線連接圖表，並用箭頭展現趨勢

那麼，就來檢視各個的流程吧！

①因數分解目的變數

所謂的「①因數分解目的變數」已經在本書出現過好幾次了。使用數字思考力，把「銷售額」、「會員數」等目的變數加以「分解」的作業，乃是趨勢分析的第一個步驟。

其實，「分解變數」正是趨勢分析中最關鍵的部分。**只要有辦法做出這個分解，之後的流程就會變得更加容易。**請務必磨練自己的數字思考力，進行適當的要素分解。

②準備分解要素的資料

接下來應該做的事情是準備分析的原始數字。透過步驟①分解的要素資料，如果是從存取記錄或公司內部的資料庫等地方收集來的，自然是再好不過。如果沒有的話，就要自行進行調查和測量，或者是蒐集身邊可以取得的資料，再從那些地方類推出結果，這樣的方法也是可以的。

③整理資料

從這個流程開始，終於輪到Excel上場了。資料準備齊全之後，先決定好「想觀察的期間」。如果希望分析全年的趨勢，只要按照「季度」或是「月」加以區隔即可。如果希望分析「1季」的話，則以1週作為分析單位會比較適當。請依照分析的目的來決定欲分析的期間。

本書提供有Excel工作表的範例檔（參考P.08）。工作表以「網路商城的數字」作為假想，分別彙整了「訪客數」、「訂單數」、「銷售額」、「購買率」、「平均購買單價」各個項目的「10週間平均」。另外，資料期間採用「1年期間」，並且以「週單位」的數字排列（圖4-19）。

請試著使用這些資料，進行實際的資料整理。

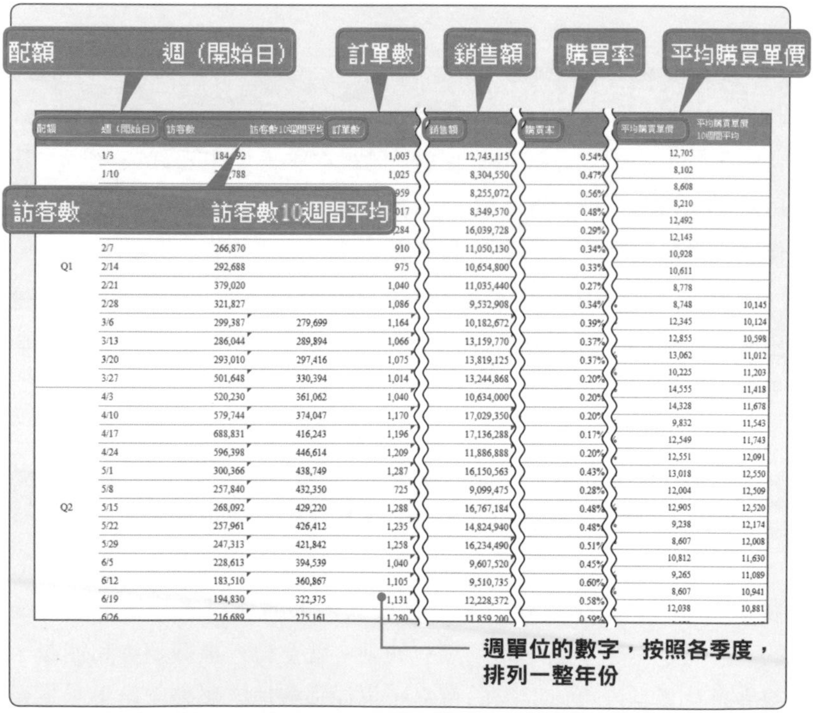

配額	週（開始日）	訪客數	訪客數10週間平均	訂單數	銷售額	購買率	平均購買單價	平均購買單價10週間平均
	1/3	184,[illegible]92		1,003	12,743,115	0.54%	12,705	
	1/10	[illegible],788		1,025	8,304,550	0.47%	8,102	
	[illegible]	[illegible]		[illegible]959	8,255,072	0.56%	8,608	
	[illegible]	[illegible]		[illegible]017	8,349,570	0.48%	8,210	
	[illegible]	[illegible]		[illegible]284	16,039,728	0.29%	12,492	
	2/7	266,870		910	11,050,130	0.34%	12,143	
Q1	2/14	292,688		975	10,654,800	0.33%	10,928	
	2/21	379,020		1,040	11,035,440	0.27%	10,611	
	2/28	321,827		1,086	9,532,908	0.34%	8,778	
	3/6	299,387	279,699	1,164	10,182,672	0.39%	8,748	10,145
	3/13	286,044	289,894	1,066	13,159,770	0.37%	12,345	10,124
	3/20	293,010	297,416	1,075	13,819,125	0.37%	12,855	10,598
	3/27	501,648	330,394	1,014	13,244,868	0.20%	13,062	11,012
	4/3	520,230	361,062	1,040	10,634,000	0.20%	10,225	11,203
	4/10	579,744	374,047	1,170	17,029,350	0.20%	14,555	11,418
	4/17	688,831	416,243	1,196	17,136,288	0.17%	14,328	11,678
	4/24	596,398	446,614	1,209	11,886,888	0.20%	9,832	11,543
	5/1	300,366	438,749	1,287	16,150,563	0.43%	12,549	11,743
	5/8	257,840	432,350	725	9,099,475	0.28%	12,551	12,091
Q2	5/15	268,092	429,220	1,288	16,767,184	0.48%	13,018	12,550
	5/22	257,961	426,412	1,235	14,824,940	0.48%	12,004	12,509
	5/29	247,313	421,842	1,258	16,234,490	0.51%	12,905	12,520
	6/5	228,613	394,539	1,040	9,607,520	0.45%	9,238	12,174
	6/12	183,510	360,867	1,105	9,510,735	0.60%	8,607	12,008
	6/19	194,830	322,375	1,131	12,228,372	0.58%	10,812	11,630
	6/26	216,689	275,161	1,280	11,859,200	0.59%	9,265	11,089
							8,607	10,941
							12,038	10,881

週單位的數字，按照各季度，排列一整年份

圖4-19：範例工作表（趨勢分析）

那麼，就以這份工作表為準，介紹資料的整理步驟範例。這裡將以這份範例工作表為基礎，介紹在P.137出現的圖4-15的趨勢分析圖表之製作步驟。

首先，把用週單位排列的工作表用季度單位進行統計。方法一點都不困難，首先，利用SUM函數，分別按照各季度，把「訪客數」、「訂單數」、「銷售額」三個項目的數字加總起來，然後再利用下列公式，計算出「購買率」和「平均購買單價」。

> **購買率＝總計訂單數 ÷ 總計訪客數**
> **平均購買單價＝總計銷售額 ÷ 總計訂單數**

進行上述處理後的結果，就如下表。

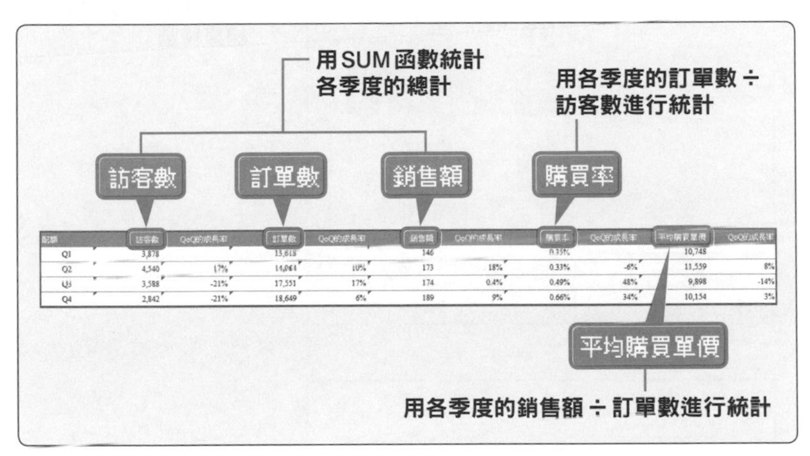

[illegible]	訪客數	QoQ的成長率	訂單數	QoQ的成長率	銷售額	QoQ的成長率	購買率	QoQ的成長率	平均購買單價	QoQ的成長率
Q1	3,878		13,618		146		0.35%		10,748	
Q2	4,540	17%	14,061	10%	173	18%	0.33%	-6%	11,559	8%
Q3	3,588	-21%	17,551	17%	174	0.4%	0.49%	48%	9,898	-14%
Q4	2,842	-21%	18,649	6%	189	9%	0.66%	34%	10,154	3%

圖4-20：各季度單位的統計

④製作圖表

資料整理完成後，進行圖表的製作。圖表用一般的2D直條圖也沒關係。例如，如果要把「銷售額」圖表化的時候，就選擇Q1～Q4的資料，在功能表「插入」標籤的「圖表」內，選擇「插入直條圖」→平面直條圖的「群組直條圖」。於是，就可以製作出表示各季度銷售額推移的直條圖（圖4-21）。

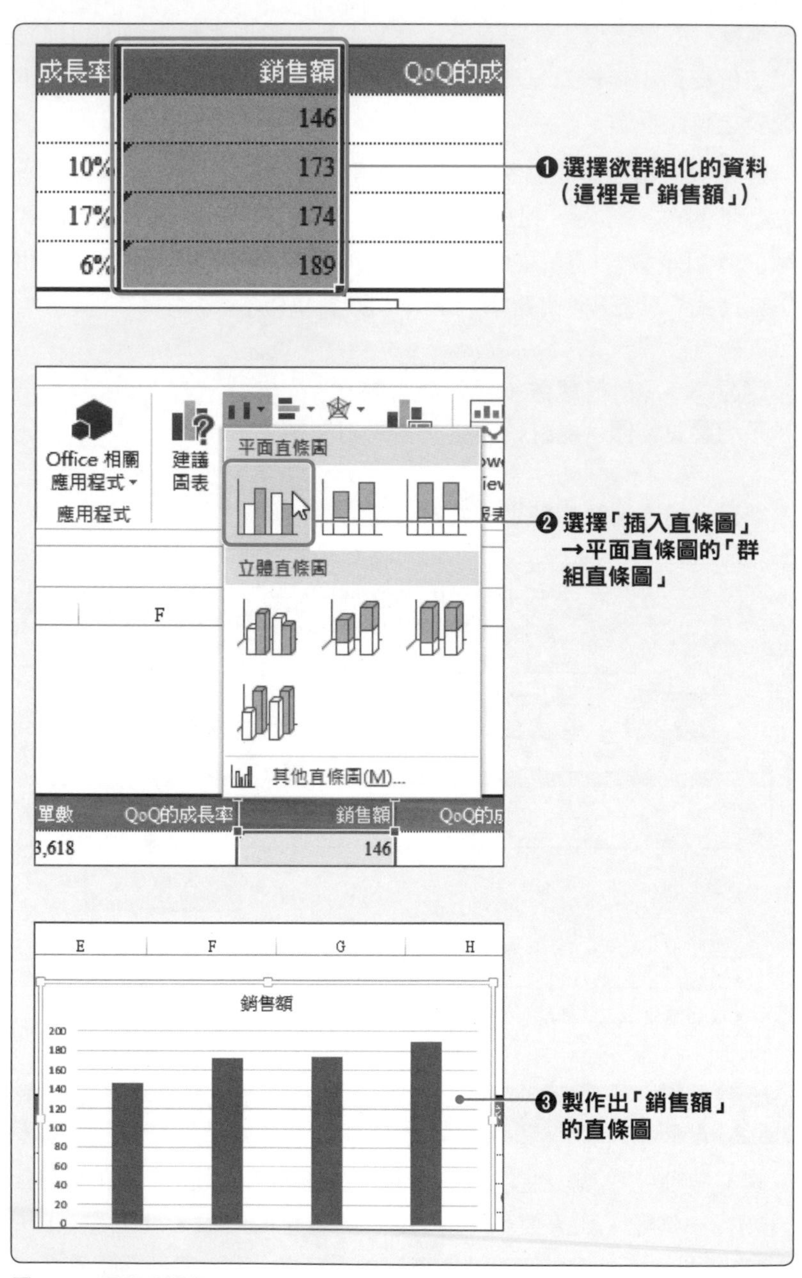
成長率
銷售額
QoQ的成
146
10%
173
17%
174
6%
189
❶選擇欲群組化的資料（這裡是「銷售額」）
Office 相關
應用程式
應用程式
建議
圖表
平面直條圖
立體直條圖
其他直條圖(M)...
F
單數
QoQ的成長率
銷售額
QoQ的成
3,618
146
❷選擇「插入直條圖」→平面直條圖的「群組直條圖」
E
F
G
H
銷售額
200
180
160
140
120
100
80
60
40
20
0
❸製作出「銷售額」的直條圖

圖 4-21：圖表的製作

接著，也調整一下X軸和Y軸吧！在圖表上點擊滑鼠右鍵，開啟「選取資料」。出現「選取資料來源」對話框，可以透過這個畫面，指定構成圖表的資料。

在左側視窗「圖例項目（數列）」，用欲製成圖表的資料名稱來指定Y軸的值。這次只有「銷售額」的資料，所以不需要特別指定。

右側視窗的「水平（類別）座標軸標籤」，指定希望顯示在X軸的項目。如果沒有任何指定，就會顯示成「1～4」，希望變更的時候，就點擊「水平（類別）」座標軸標籤」下方的「編輯」按鈕，選擇希望顯示在X軸項目的資料。如果選擇Q1～Q4，就會顯示成「Q1～Q4」（圖4-22）。最後，只要把圖表的格式調整成自己容易閱讀的狀態，就完成了（消除格線等的做法，參考P.233）。

「訪客數」、「購買率」、「平均購買單價」也是用相同的步驟來製作圖表。

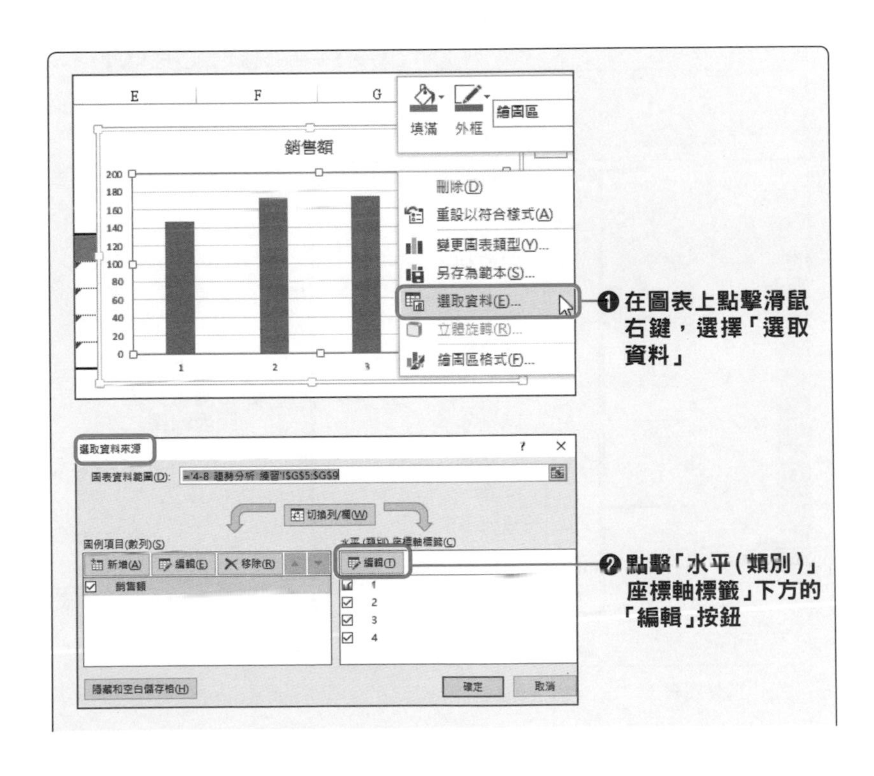

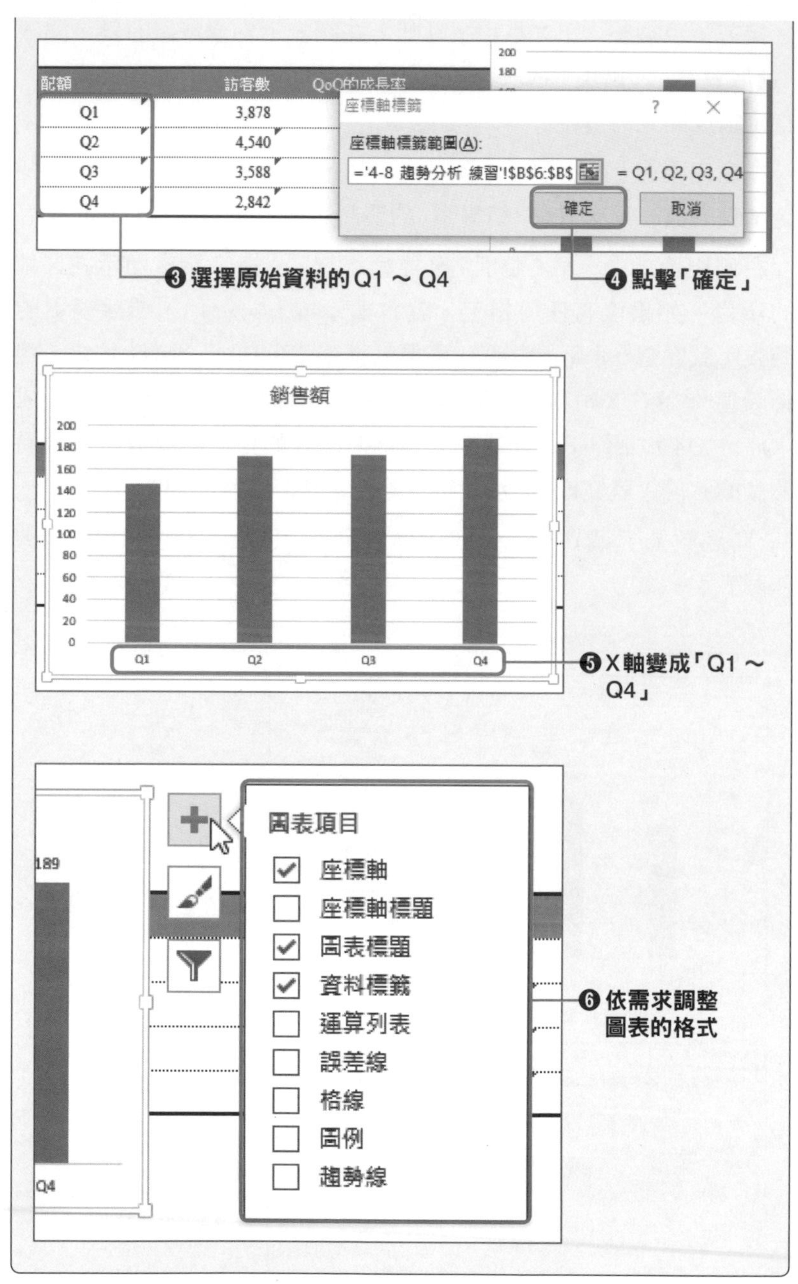

配額
訪客數
QoQ的成長率
Q1
3,878
Q2
4,540
Q3
3,588
Q4
2,842
座標軸標籤
座標軸標籤範圍(A):
='4-8 趨勢分析 練習'!$B$6:B
= Q1, Q2, Q3, Q4
確定
取消
❸選擇原始資料的Q1～Q4
❹點擊「確定」
銷售額
200
180
160
140
120
100
80
60
40
20
0
Q1
Q2
Q3
Q4
❺X軸變成「Q1～Q4」
189
Q4
圖表項目
座標軸
座標軸標題
圖表標題
資料標籤
運算列表
誤差線
格線
圖例
趨勢線
❻依需求調整圖表的格式

圖 4-22：調整圖表

⑤用線連接圖表，並用箭頭展現趨勢

各分解要素的圖表製作完成後，為了讓圖表之間的關係性更簡單明瞭，如果進一步排列圖表，並用線來加以連接，就會變得容易閱讀。

甚至，一旦用箭頭來標示各圖表的趨勢（數字的起伏），就會變得更加簡單明瞭（圖4-23）。

雖然有點廢話，不過還是要提醒一下，**趨勢分析的圖表製作完成之後，並不代表分析就「到此結束」。**觀察圖表，思考如何改善哪個變數才能提高銷售額，然後再進一步思考策略，才是最重要的。

這個時候，請隨時探尋「Low Hanging Fruit」，善用PDCA循環。這樣一來，應該就能找出比「若要提高銷售額，就要先集客！」這種毫無根據的方法更加有效的方法。

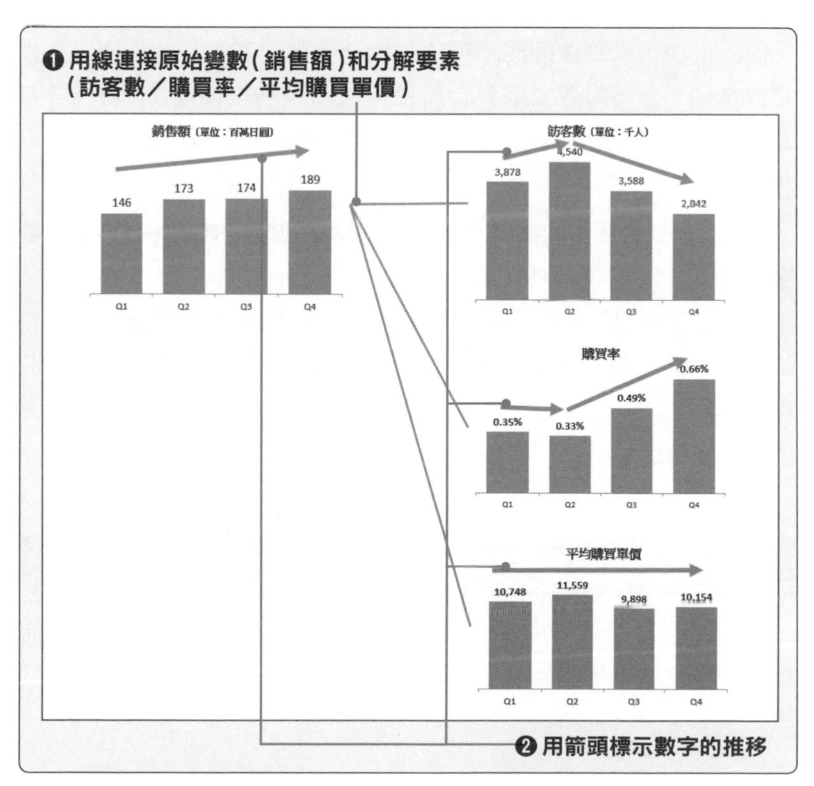

圖4-23：簡單明瞭地顯示趨勢

〔各種分析和圖表製作〕

Section 09 調查關係性的相關分析和相關係數

調查兩個現象的關係性

接下來，針對P.133解說的「絕對必學的三種分析」的第二種「相關分析」進行解說。

調查兩個現象之間是否有某種關係時，就會使用到相關分析。例如，我以前曾在販售保養品的公司從事網路行銷工作。那間公司會透過電視廣告向顧客宣傳商品，誘導顧客透過網站或電話來進行商品的購買。

由於是採用像那樣的商業模式，因此在該公司工作的期間，我經常會準備「公司對各家電視台所投入的電視廣告額度」資料，分析其廣告額度和網站訪客數、購買率之間的關係性，這就是「相關分析」。

相關分析的好處是能夠用「數值」來證明電視廣告和網站訪客之間的關係性。可以更具體地掌握到之間的關係性程度，而不再只是憑感覺的「有關係」而已。另外，因為有統計性的數值根據，所以也能夠更容易地向對方說明，同時也更具說服力。光是聽到「相關分析」，感覺似乎相當難懂；不過事實上一點都不複雜，請務必藉此機會好好學習。

表示相關強度的「相關係數」

進行相關分析時，首先一定要了解的是名為「相關係數」的值。相關係數是進行相關分析後會產生的值，是介於「－1」到「1」之間的數字。

假設，這裡針對過去1年期間的「每日氣溫」和「運動飲料出貨數」進行了相關分析。結果，當相關係數為「0」，就代表「氣溫」和「運動飲料出貨數」完全沒有相關關係。另一方面，如果相關係數為「1」，就代表「氣溫」和「運動飲料出貨數」有絕對的關係。也就是說，一旦氣溫上升，運動飲料的出貨數也會增加。

相反地，要是相關係數為「－1」，就意味著具有運動飲料的出貨數會隨著氣溫上升而下降的這種負相關。

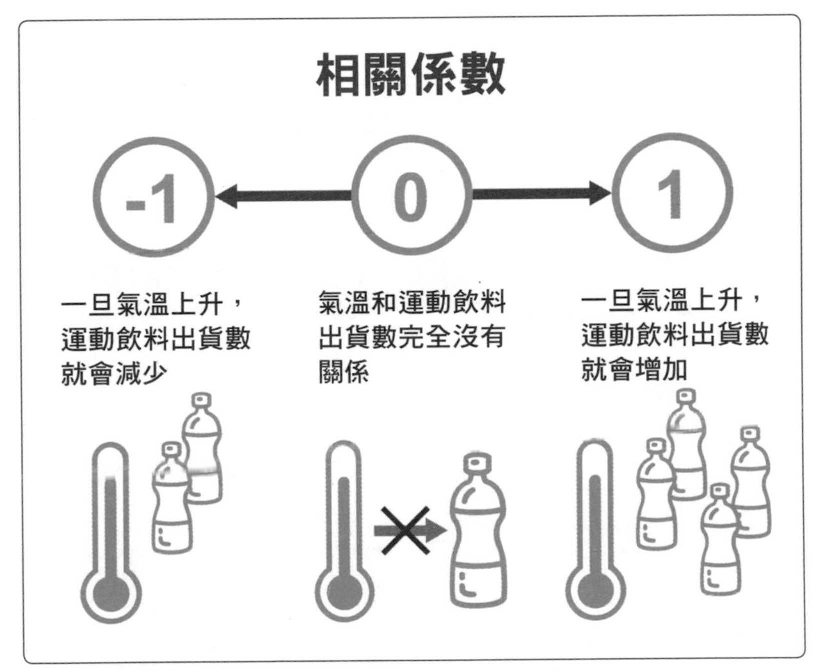

圖 4-24：相關關係的思考方法

相關係數（絕對值）	相關強度的標準
～未滿0.3	幾乎無關
0.3～未滿0.5	有些微相關
0.5～未滿0.7	有相關
0.7～未滿0.9	有較大相關
0.9以上	有強烈的相關

圖 4-25：相關係數和相關強度

〔各種分析和圖表製作〕

Section 10 用Excel製作相關分析的圖表

介紹實際用Excel製作相關分析圖表的方法。相關分析的製作流程如下。

①準備資料
②製作散佈圖
③導出相關係數

那麼，就來檢視各個的流程吧！

①準備資料

準備欲調查相關關係的兩種資料。資料只要至少有兩欄，就可以了。這裡同樣也是以本書範例的Excel工作表（參考P.08）為基礎來進行解說。

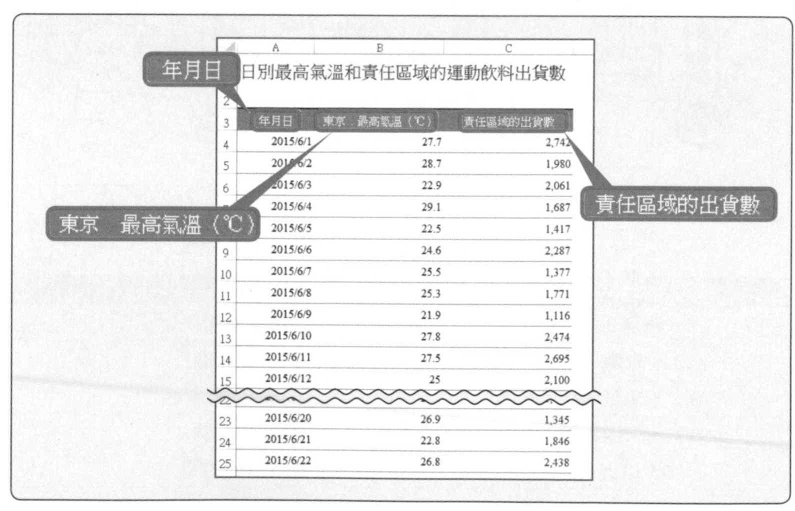

日別最高氣溫和責任區域的運動飲料出貨數

年月日	東京　最高氣溫（℃）	責任區域的出貨數
2015/6/1	27.7	2,742
2015/6/2	28.7	1,980
2015/6/3	22.9	2,061
2015/6/4	29.1	1,687
2015/6/5	22.5	1,417
2015/6/6	24.6	2,287
2015/6/7	25.5	1,377
2015/6/8	25.3	1,771
2015/6/9	21.9	1,116
2015/6/10	27.8	2,474
2015/6/11	27.5	2,695
2015/6/12	25	2,100
2015/6/20	26.9	1,345
2015/6/21	22.8	1,846
2015/6/22	26.8	2,438

圖4-26：範例工作表（相關分析）

工作表的A欄是「日期」，B欄是「當日的最高氣溫」，C欄則是「責任區域的運動飲料出貨數」。

②製作散佈圖

這裡使用B欄和C欄的資料來製作散佈圖。首先，選擇B欄和C欄，在功能表「插入」標籤的「圖表」內，選擇「插入XY散佈圖或泡泡圖」→「散佈圖」。這樣一來，便可製作出「最高氣溫」和「運動飲料出貨數」的散佈圖（圖4-27）。

散佈圖一旦盡可能趨近於正方形，就會更容易閱讀。製作完成後，加上圖表標題、縱橫軸的標籤，把圖表調整得更容易閱讀吧！

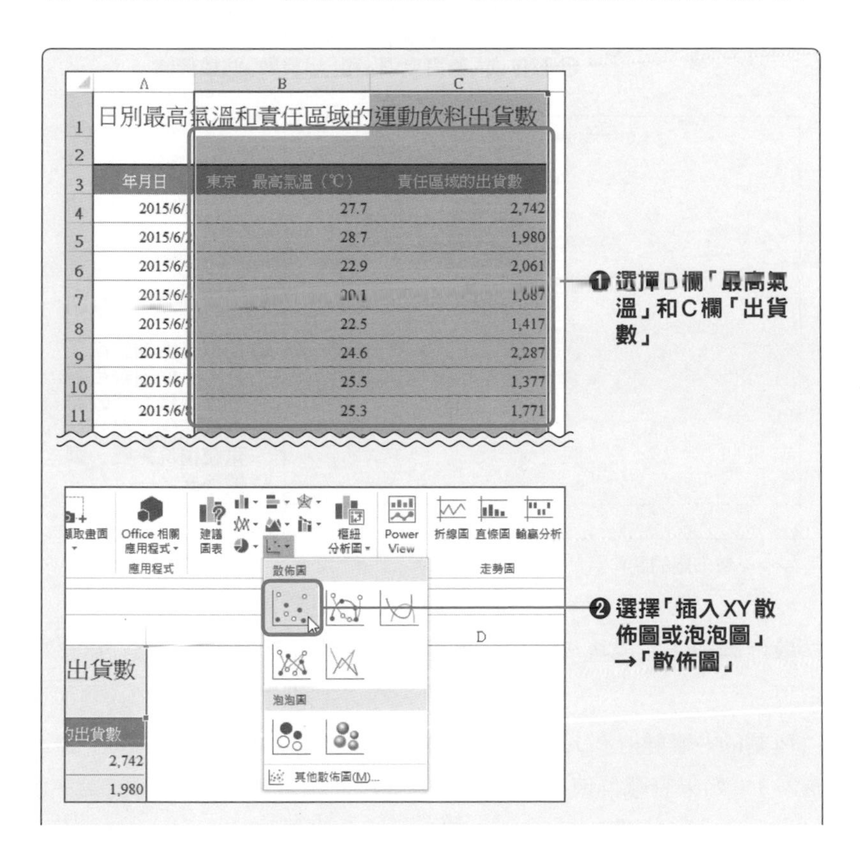

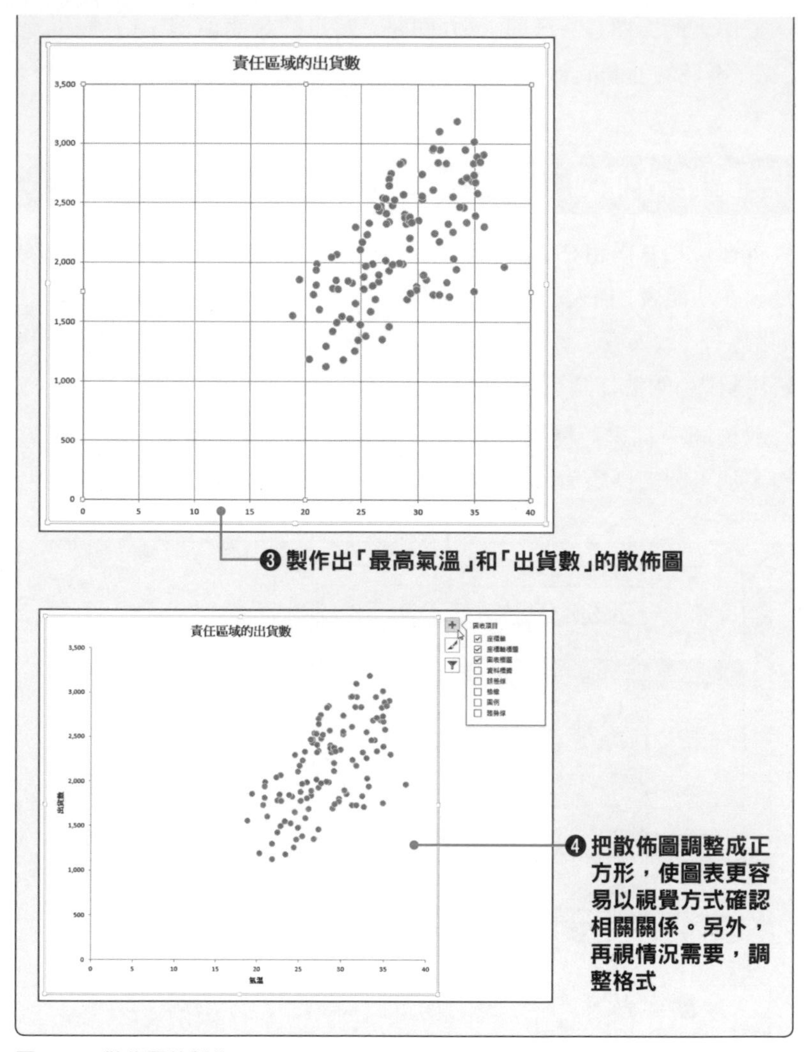

圖 4-27：散佈圖的製作

散佈圖製作完成後，先確認「兩種資料是否有相關」、「是否有離群值」。

所謂的「離群值（Outliers）」是指比其他數值差異更大的數值（圖 4-28）。如果有離群值，就先調查為什麼有離群值吧！

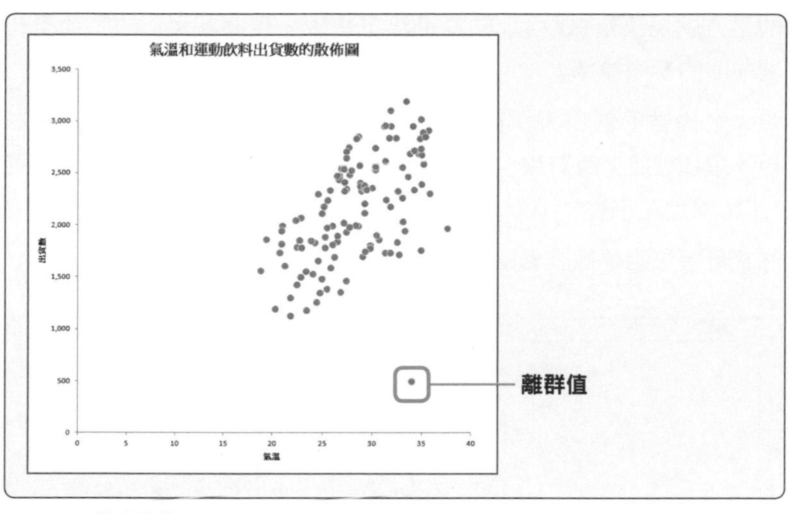

圖 4-28：離群值的範例

對於離群值的推測理由和處置方法有下列三個。

> ・如果是資料輸入錯誤，就修正資料
> ・如果是幾乎沒有重現性的特殊案例，就加以刪除
> ・如果是其他，就試著找出原因

如果沒有離群值，或是離群值順利處理完成的話，就接著計算「相關係數」。

③導出相關係數

導出相關係數的方法有三個。介紹可輕鬆求出的方法。

[從散佈圖求出]

散佈圖可以顯示出相關係數平方後所算出的「決定係數」。不管是相關係數，還是決定係數，都是表示兩個變數之關係性的數值。**這裡之所以不介紹「相關係數」，而介紹「決定係數」是因為只要製作出散佈圖，就可以簡單在圖表中標示出決定係數。**只要記住「相關係數

的平方就是決定係數」，就算是決定係數，也應該可以成為測量相關強度的參考標準。

決定係數的導出方法很簡單。在散佈圖的資料上面點擊滑鼠右鍵，選擇「加上趨勢線」。出現「趨勢線格式」對話框後，只要勾選「趨勢線選項」裡的「圖表上顯示R平方值」就可以了。

於是，決定係數就會顯示在圖表上面（圖4-29）。

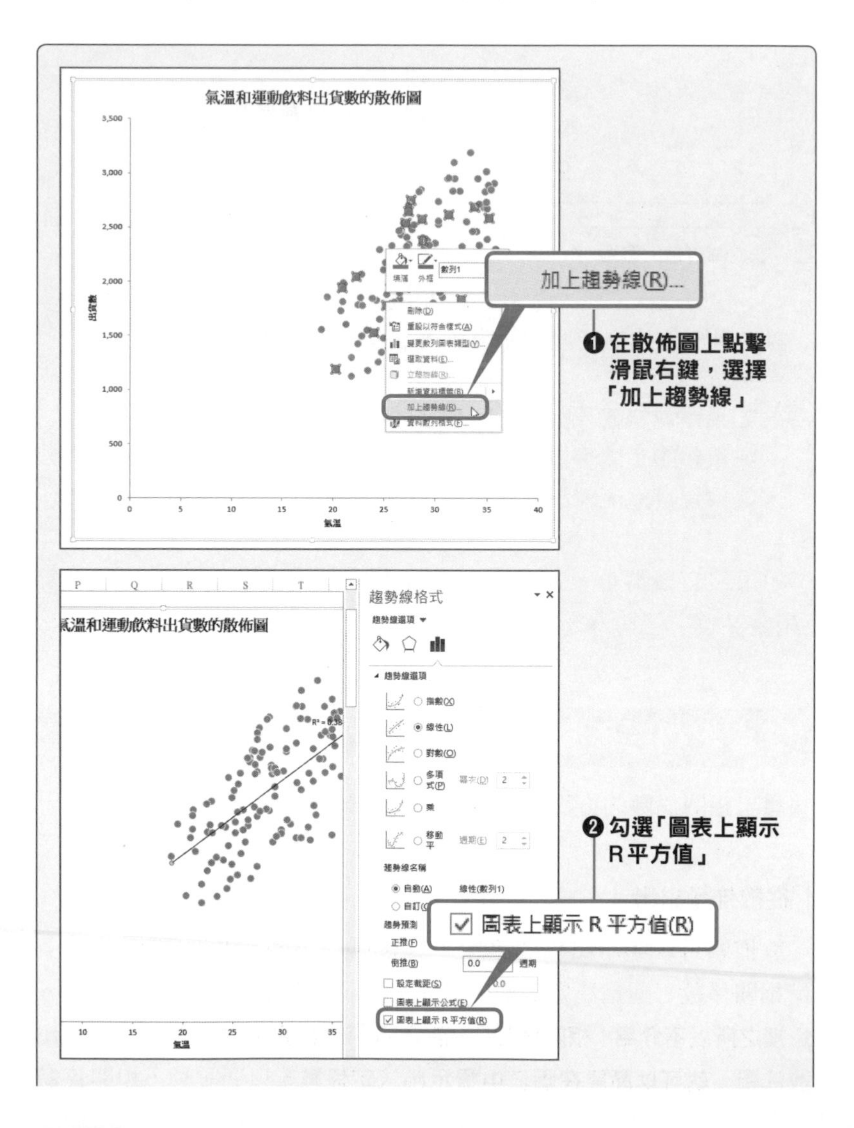

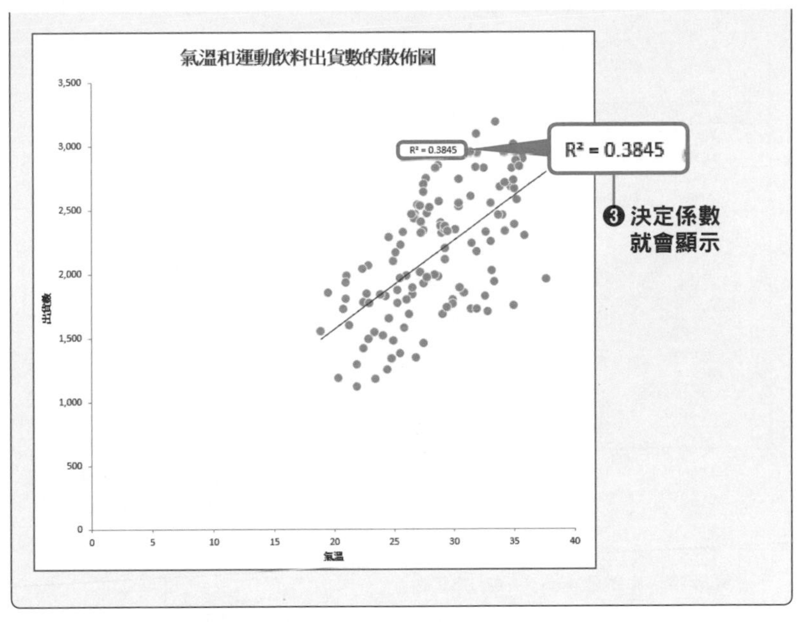

圖 4-29：決定係數的顯示

[利用CORREL函數計算]

「相關」的英語是「correlation」。只要利用取其前面6個字母的「CORREL函數」，就可以輕易地求出相關係數（圖4-30）。

CORREL函數的語法如下。只要在CORREL函數中分別指定X軸和Y軸的資料範圍，就可以計算出相關係數。

＝CORREL（X軸的資料範圍,Y軸的資料範圍）

使用CORREL函數的好處在於求出相關係數之後，可以在變更原始資料時，即時重新計算出相關係數。在另一方面，缺點就是無法計算三個變數以上的相關分析。

希望進行三個變數以上的相關係數時，就使用接著介紹的「分析工具」吧！（可是，使用分析工具時，就算變更原始資料，Excel仍不會即時重新計算，必須多加注意）。

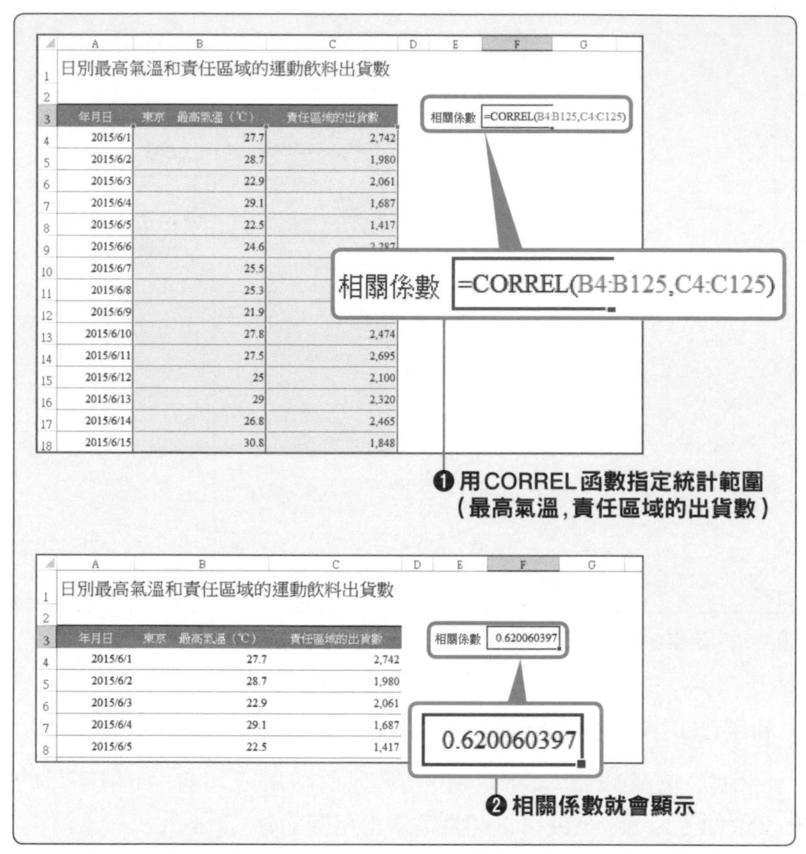

圖4-30：CORREL函數

[使用分析工具]

Excel提供了可以簡單進行優異分析的「分析工具」。只要選擇檔案選單裡面的「選項」，就可以開啟「分析工具箱」。「Excel選項」對話框開啟後，選擇「增益集」，並進一步從「管理」選擇「EXECL增益集」後，點擊「執行」。

「增益集」對話框顯示後，請勾選「分析工具箱」，點擊「確定」。這樣便設定完成了。

設定完成後，「資料」功能區的最右邊就會出現「資料分析」圖示（圖4-31）。

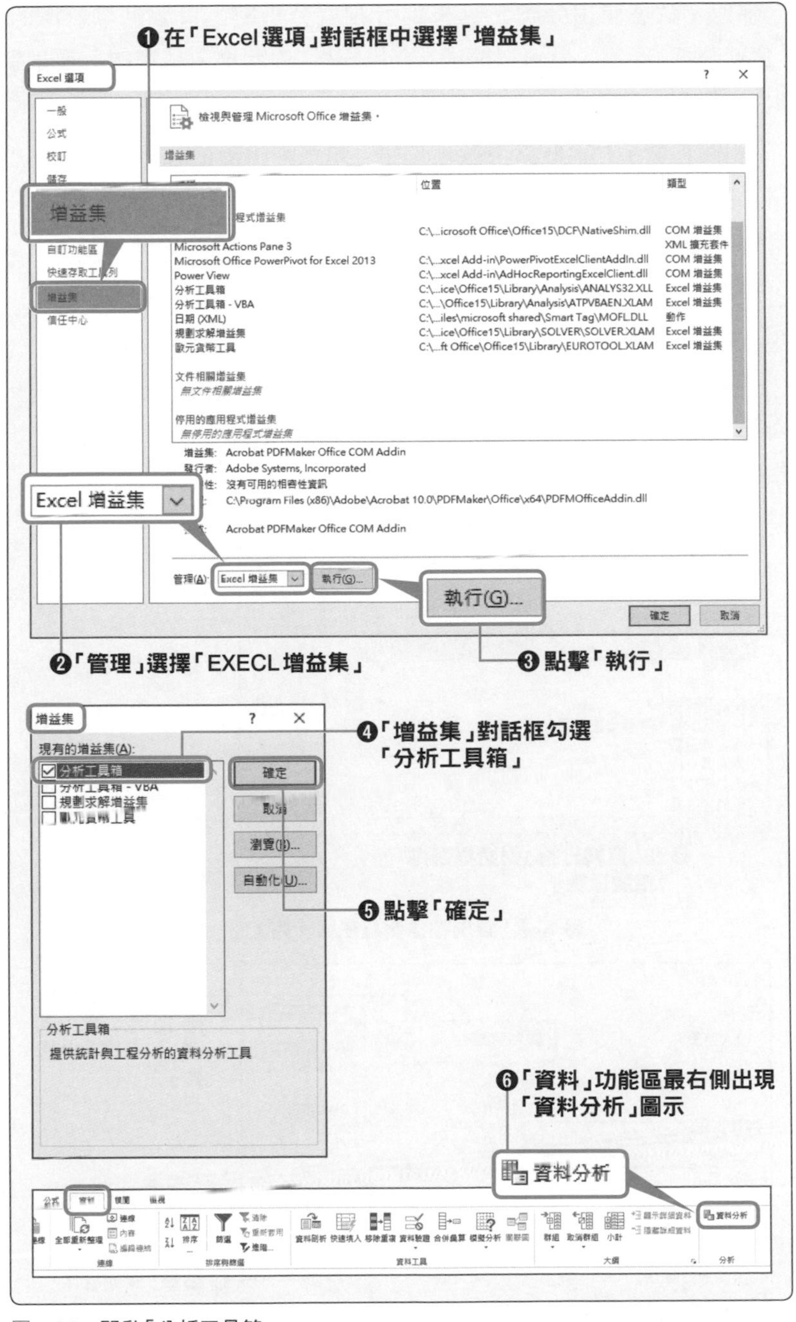

圖 4-31：開啟「分析工具箱」

那麼，試著使用分析工具來進行相關分析吧！只要點擊新增的「資料分析」圖示，就可以開啟「資料分析」對話框。請選擇「相關係數」，點擊「確定」。

「相關係數」對話框出現後，勾選「類別軸標記是在第一列上」。這是因為在之後選擇輸入範圍時，如果一併選擇資料標題，輸出的表格上面就會寫出標題名稱，就可以更加簡單明瞭。

接著，指定「輸入範圍」。範圍請指定原始工作表的B欄「氣溫」和C欄「出貨數」。

最後，指定輸出相關分析結果的工作表。可以輸出在同一份工作表內，也可以輸出成全新的工作表。點擊「確定」後，就會顯示出相關分析的結果（圖4-32）。

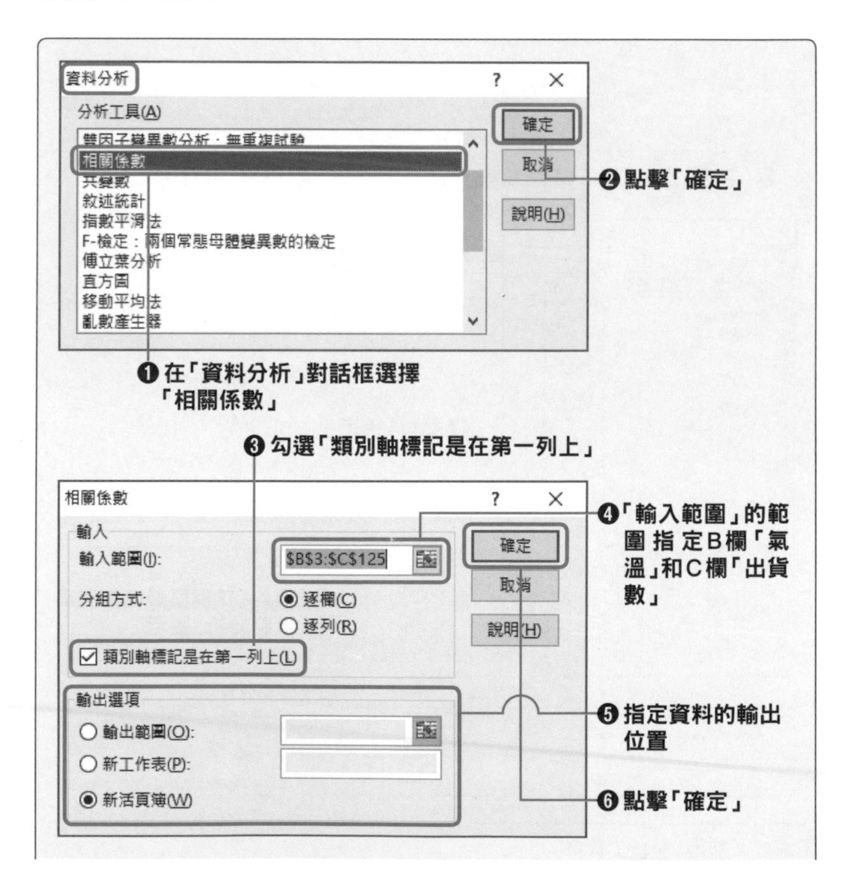

	A	B	C
1		東京　最高氣溫（℃）	責任區域的出貨數
2	東京　最高氣溫（℃）	1.00	
3	責任區域的出貨數	0.62	1.00
4			

❼顯示出相關分析的結果

圖 4-32：使用「分析工具」的相關分析

從分析工具的結果來看，氣溫和運動飲料的相關係數是0.62。也就是說，兩者之間有相關關係（只要氣溫上升，運動飲料的出貨數也會上升）。

也可以進一步從這個分析結果深入探究。或許除了氣溫之外，還有其他因素也與出貨數有關。例如，或許在調查期間，正好有許多秋季運動會舉辦。當然，正因為相關程度大約有0.62，所以如果說從分析結果「找到了具有重大影響的要素（＝氣溫）」，這樣的說法應該也能令人接受吧！這個時候，如果能夠達成自己的目的，那就太完美了。

如何？大家是否都對相關分析有所理解了？請大家務必盡可能實務操作，不要只是了解而已喔！

……不過，「希望針對A和B進行相關分析」這樣的請求似乎不多。

所以，**請大家積極地自問自答：「這兩種資料是否具有關係性？」**然後，試著實際進行分析，藉此讓相關分析成為自己的知識。

Section 11

〔各種分析和圖表製作〕

著名的四種矩陣分析

接下來，針對P.133解說的「絕對必學的三種分析」的第三種「矩陣分析」進行解說。

希望有新「發現」的時候、希望賦予多個解決策略的優先順序時、希望用寬廣的視點去做思考時、希望評估某些事物時，矩陣分析是相當好用。

所謂的矩陣在日語中就是「排列」的意思。這個情況的「排列」是指依照直列、橫排來排列數字或符號。

矩陣分析的優點有四個。

> ①整理事物，使事物更清晰可見
> ②讓兩個觀點交錯，獲得新的發現
> ③擴大容易變得狹窄的視點
> ④簡單進行資料的分類

另外，矩陣分析的最大難關就是尋找成為分析觀點的「兩個軸」；不過剛開始只要利用「常見的矩陣」即可（當然，如果最後能夠靠自己製作出矩陣的話，那就代表自己的分析力已經有所精進）。這裡就來為大家介紹四種較具代表性的矩陣。請配合矩陣分析的活用示意圖加以確認。

償付矩陣

第一種是「償付矩陣（Payoff M atrix）」。這是導出本書曾提到過好幾次的「Low Hanging Fruit」的矩陣。償付矩陣有利於為多種靈感或當前實施的策略賦予優先順序的時候。

以我的情況來說，分析時多半把「成果、效果」放在橫軸、把「使用多少資源（需要投入多少資金或人手）」放在縱軸。

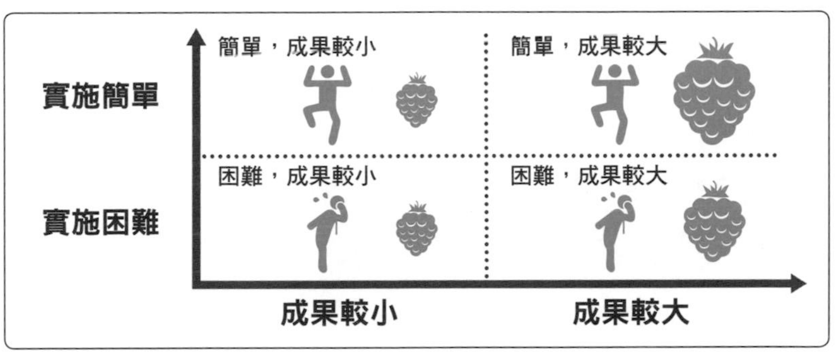

圖 4-33：償付矩陣

重要度和緊急度的矩陣

第二種是用「重要度和緊急度」來區分的矩陣。這是知名的史蒂芬・柯維在《與成功有約》一書中所介紹的矩陣。

對於位在圖4-34「第 I 象限」緊急且重要的事情，我們一定會去做。另外，對於「第 III 象限」緊急但不重要的事情，我們也會去做；可是，「第 II 象限」的「不緊急卻重要的事情」，往往都會無疾而終。史蒂芬・柯維教導我們，應該用這種矩陣來分類代辦事項，增加在第 II 象限所花費的時間，或是減少第 II 象限的代辦事項，讓自己的工作更有效率。

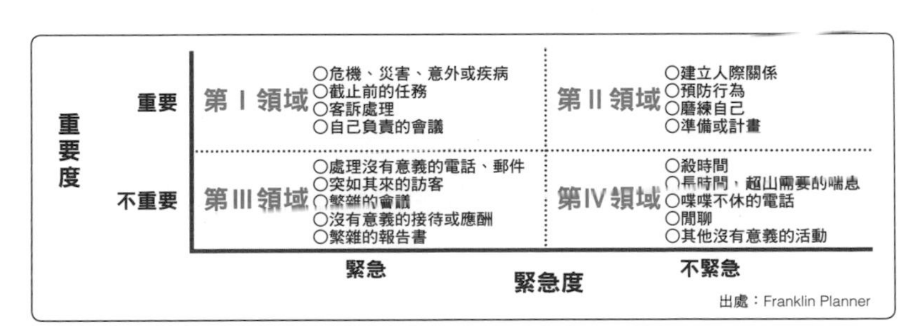

圖 4-34：重要度和緊急度的矩陣

PPM

第三種的矩陣是「PPM（Product Portfolio Matrix：產品組合矩陣）」。這是波士頓顧問集團（The Boston Consulting Group）所開發的矩陣，有利於思考事業戰略的方向性。

PPM用「市場佔有率」和「成長率」的兩個觀點來分類事業。具體來說，乃是分成「明星事業」、「金牛事業」、「問題兒童」、「敗犬事業」四個象限的想法。

[明星事業]

堪稱為「明星」，成長率較高，同時今後仍會持續發展的事業。因為是明星，所以需要較多的設備投資。只要在維持高市佔率的同時，持續成長，就可以培養成金牛事業。

[金牛事業]

市場成長率較低，可以把投資抑制在最小限度，產生最大利益的事業。把「金牛事業」帶來的現金投資在「明星事業」上，就可以使成長更加攀升。

[問題兒童]

「問題兒童」是希望提高市場佔有率，讓其成長成明星事業的事業。因此，不需要投資培育。可是，成長率如果停滯，就會移動至「敗犬事業」。

[敗犬事業]

「敗犬」是市佔率、成長率都偏低，必須評估撤資的事業。

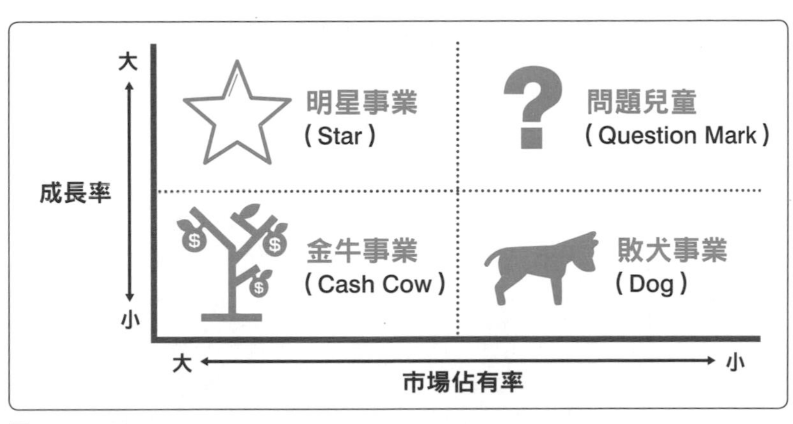

圖 4-35：PPM

安索夫的市場擴張矩陣

最後，第四種是經營學者伊格爾・安索夫（H.Igor Ansoff）所提倡，思考企業成長戰略用的矩陣。這種矩陣把「產品、服務」放在橫軸，「市場」放在縱軸。

第 I 象限是利用既有市場、既有商品來促使企業成長的選項。選擇這個象限時，就要藉由提高既有顧客的購買或使用頻率來促使企業成長。

第 II 象限是開發新商品，並銷售至既有市場的選項。例如，把視訊販售給日本自行車愛好家的企業，進一步販售自行車的零件，藉此擴大銷售的商品類別，這種情況就屬於第 II 象限。

第 III 象限是開拓新的市場，並把既有的商品銷售至新市場。這裡的新市場分成地理性的新市場，以及把其他的顧客區隔視為目標的想法。例如，也把在日本販售的自行車視訊銷售至國外。或者原本是銷售給自行車愛好家；不過也同時銷售給需要形象視訊的卡拉OK、餐飲等企業。

第 IV 象限是把新商品釋放到新市場，風險偏高的選項。以建構新的商業模式居多的創投企業，就屬於這個象限。例如，原本在日本販售自行車的視訊；不過卻準備在海外推動音樂視訊的製作服務，就像是這樣的感覺。

這種矩陣有利於評估該讓事業朝哪個方向成長。

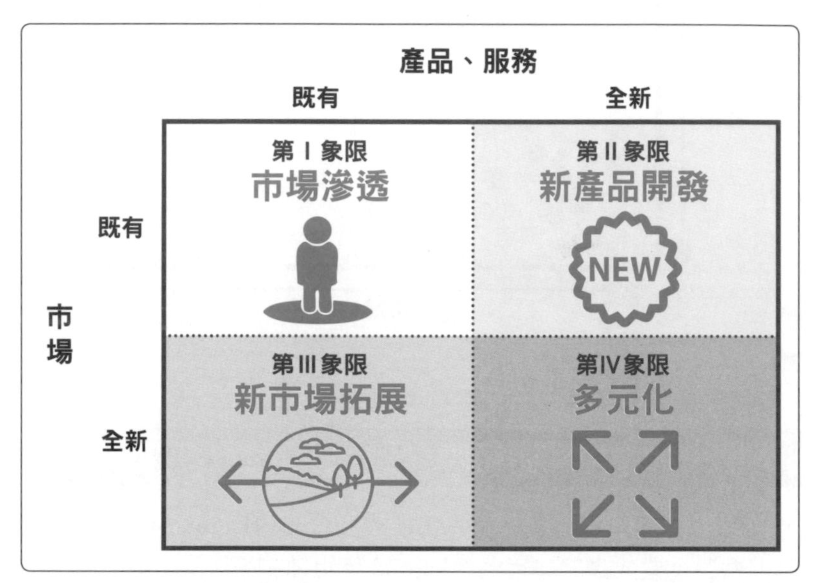

圖 4-36：安索夫的市場擴張矩陣

執行矩陣分析的優點

前面介紹了四種較著名的矩陣分析；不過只要用「重要度與緊急度的矩陣」來分析自己的代辦事項，並用PPM來分析任職公司的事業，應該就能達到很不錯的矩陣分析練習。

說個題外話，在我工作的地方，很少有加班的人。因為很多人都知道「應該集中於重要的事物」，所以都會在腦子裡用「重要度和緊急度的矩陣」把代辦事項分類，這是我個人所感受到的。

另外，我會在各季度進行上個季度的分析和反省，並製作下個季度的計畫。這個時候，我會使用償付矩陣來進行代辦事項的分類。只要在工作上善用矩陣分析，就可以使業務更有效率，提高達到成效的可能性，這是我在日常業務中所深刻體認到的。

Section 12

〔各種分析和圖表製作〕

矩陣的做法和想法

前面介紹了四種著名的矩陣分析；不過，如果要讓自己能夠自行設計矩陣，還是只能不斷地練習。

就像前面所說的，在矩陣分析中思考分析的觀點（縱軸和橫軸）是最重要的關鍵。例如，前面所介紹的四種矩陣分析，分別採用了下列觀點。

矩陣名稱	縱軸和橫軸的觀點
償付矩陣	「成果」×「難易度」
重要度和緊急度的矩陣	「緊急性」×「重要度」
PPM（產品組合矩陣）	「市佔率」×「成長率」
安索夫的市場擴張矩陣	「產品」×「市場」

圖 4-37：四種矩陣的觀點

從上表可以看出，「成果、難易度、緊急性、重要度、市佔率、成長率、產品、市場」這些關鍵字正好就是用來分析的觀點。

從這些關鍵字當中挑選兩個喜歡的觀點來製作新的矩陣，或許也是種方法；不過，如果弄巧成拙的話，就可能演變成為了分析而分析，形成毫無意義的分析。因此，**在思考觀點之前，還是應以決定「進行矩陣分析的目的」為先決條件。**

在決定矩陣之前，先照著下列四個步驟去做，才是最正確的方法。

①決定分析的「目的」
②決定縱軸和橫軸的觀點
③試著放置資料
④思考各象限的含意

那麼，就來檢視各個的步驟吧！

①決定分析的「目的」

進行矩陣分析的時候，應該一定要有某種「目的」。在趨勢分析、相關分析的結果中，也曾經提到過；要先使「分析的目的」明確化，這是絕對不能忘記的重點。例如，就像「為了評估自家公司的廣告策略」或是「為了確認集客策略的優先順序」這樣，一定要先釐清分析的目的。

②決定縱軸和橫軸的觀點

接著，決定縱軸和橫軸的觀點。**選擇觀點的重點是「選擇似乎沒有相關的觀點」以及「選擇兩個對目的而言的重要要素」。**

首先是「選擇似乎沒有相關的觀點」。如果選擇有相關的事物，就會削弱矩陣分析的意義。例如，明明要做網路商城的分析，卻把「訪客數」放在橫軸，「購買數」放在縱軸，這樣一來，做出來的分析結果應該不會太有趣。因為「訪客數」和「購買數」有相關關係，所以這個時候，應該採用「相關分析」會比較恰當。矩陣分析是為了發現不同的角度，所以應該以似乎沒有相關的兩個觀點作為選擇的大前提。

另一方面，「選擇兩個對目的而言的重要要素」的這一點也很重要。

例如，假設你希望評估廣告策略。此時，要是擁有各個廣告的「顯示次數、點擊數、購買數、銷售額」等資料，你會選擇哪一個？答案應該會有好幾個吧！

如果把「量」放在橫軸、「效率」放在縱軸的話，橫軸就是放置「銷售額」，縱軸則是放置「購買數／顯示次數（從顯示到購買的比例）」，似乎就能看出哪種廣告策略的效率比較高。

或者，也可以分別把表示效率的變數，也就是「點擊率」和「購買率」，放置在縱軸、橫軸，這樣也能產生不同的觀點。

如果是我的話，與其兩者擇其一，我會索性製作兩方的矩陣分析，然後進一步比對。因為並不是做了某種矩陣分析之後，就能夠馬上有令人感興趣的發現。

重要的是用各種不同的軸去嘗試矩陣分析（我也很喜歡製作各種不同的矩陣分析，然後再進一步觀察）。

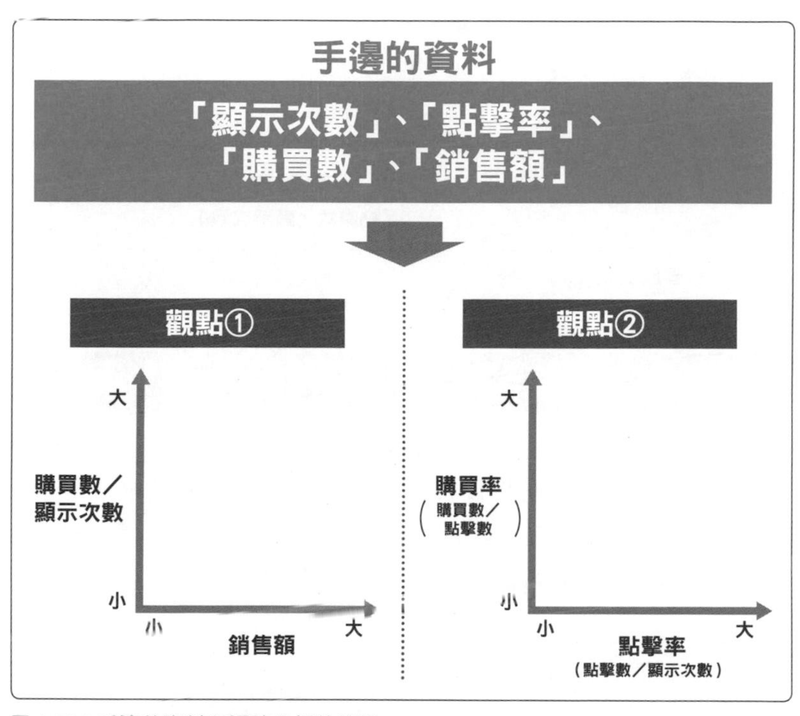

圖4-38：手邊的資料和矩陣分析的範例

③試著放置資料

兩個觀點決定好之後，試著用Excel製作散佈圖，並實際放置資料吧！資料放置完成後，應該會有「這個觀點似乎沒什麼」，或是「這個觀點似乎很有趣」的感覺。

例如，把「點擊率」和「購買率」的資料排放在一起時，如果出現像圖4-39那樣的圖表，因為資料散落的情況相當平均，所以感覺似乎可以從中發現到什麼。另外，也可以大致看出資料分別集中在左右兩側。

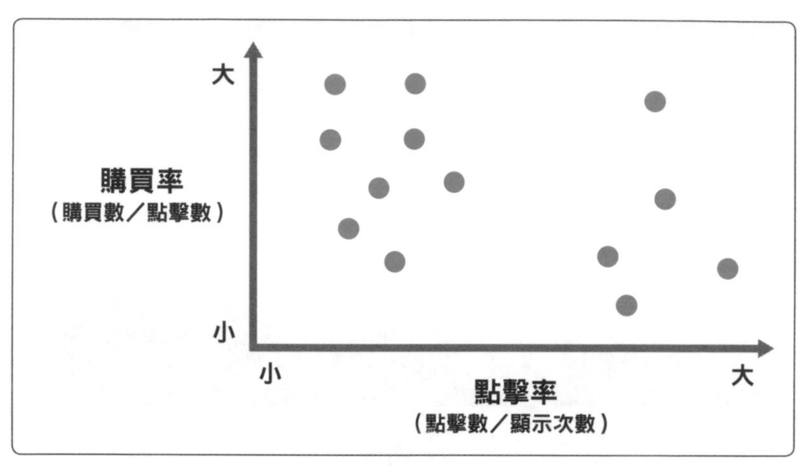

圖 4-39：試著放置資料

④思考各象限的含意

在一個矩陣分析裡會形成四個象限，所以最後就試著為各個象限加上含意吧！如果可以像P.162所介紹的PPM（產品組合矩陣）那樣，為各個象限命名，感覺也挺不錯的。這裡就以前面介紹的圖4-39的矩陣為例，試著加上含意之後，大致就如下列。

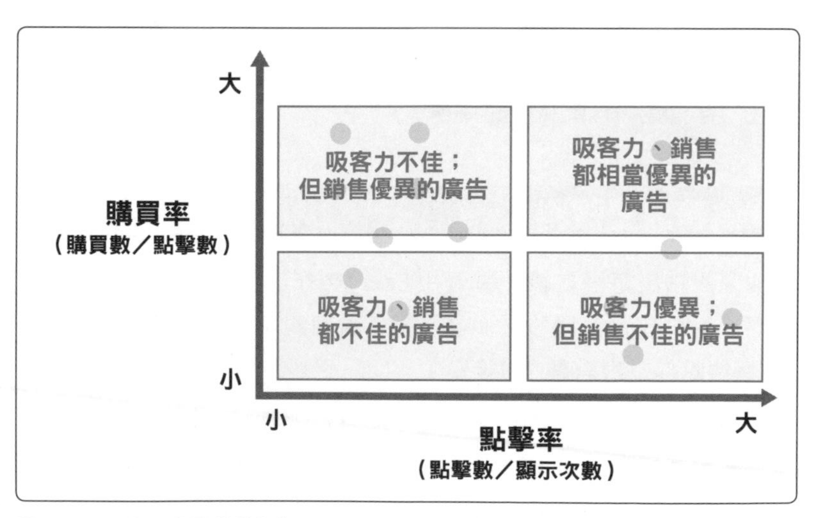

圖 4-40：思考各象限的「含意」

如果可以為各個象限套上含意，就代表那個矩陣分析具有意義。相反地，如果不能套用上含意，就要再次回到「②決定縱軸和橫軸的觀點」，重新思考觀點。

例如，我以前為了評估在線上實施的獲得策略，曾經試著做過在橫軸放置「半年期間取得的訂單數」、縱軸放置各獲得策略類別的「顧客終身價值（每個顧客終生可產生多少銷售額）」的矩陣分析。那個時候，各個象限的含意就像圖4-41那樣的示意圖。

在那之前，我曾經絞盡腦汁地試著對各廣告策略做出改善；不過卻完全沒有成效。結果在做過矩陣分析之後，終於有了哪個策略應該更盡心力、哪個策略應該暫緩（或是撤銷）的方向。雖然有點自吹自擂；不過我真的覺得這是矩陣分析有益於策略評估的絕佳範例。

另外，橫軸和縱軸的象限邊界可以自由界定；不過我通常都是先用Excel計算放置在各軸的資料平均值、中央值，然後再以其中一個值作為邊界。**最重要的是邊界的值也必須具備個人依據。**一旦沒有決定邊界的依據，當遭受質問的時候，就會顯得慌慌張張，好不容易建立的可信度也會下滑。

大家也請務必試著挑戰矩陣分析。只要經過反覆練習，不斷累積經驗，應該就可以製作出縱軸和橫軸更加精闢的矩陣分析。

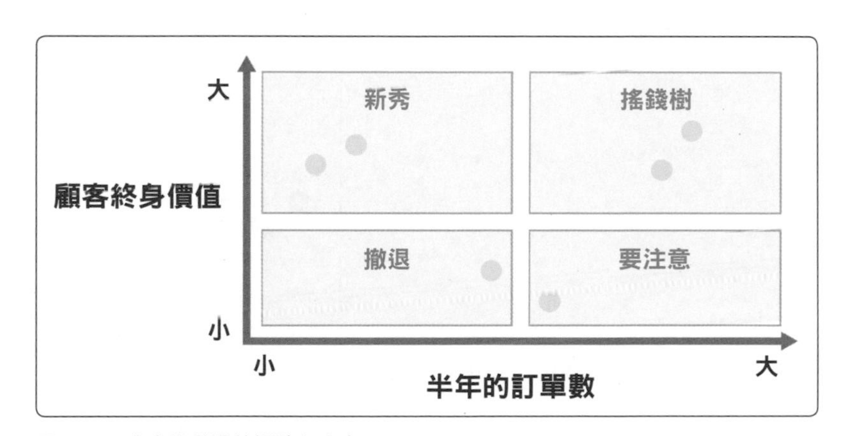

圖4-41：我實際做過的矩陣和含意

〔各種分析和圖表製作〕

Section 13 用Excel製作矩陣分析的圖表

矩陣分析的最大屏障是製作前的「思考部分」，實際的操作作業卻相當簡單。

順道一提，「思考作業」的第一件事就是「試著用矩陣去分析」的想法。這個部分對閱讀本書的讀者來說，應該已經沒有問題了。第二件事就是決定縱軸和橫軸。只要確定這兩件事情，之後只要手邊有資料的話，就可以簡單製作出圖表。

矩陣分析所使用的圖表和相關分析相同，同樣都是「散佈圖」。請選擇欲配置在縱軸、橫軸的資料，利用該資料來製作散佈圖。散佈圖的製作方法已經在P.151說明過了。

散佈圖製作完成之後，畫出垂直線、水平線，把象限加以區隔，或是加上圓形或矩形的圖版，為各個象限的群組命名。Excel無法處理加上圖版的作業，所以就從「插入」標籤的「圖例」，選擇任意線條或圖形吧！（圖4-42）

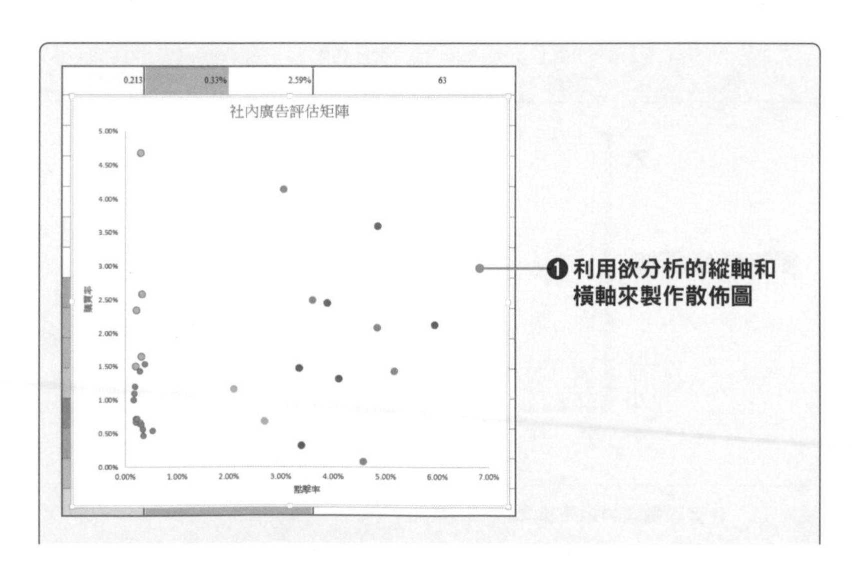

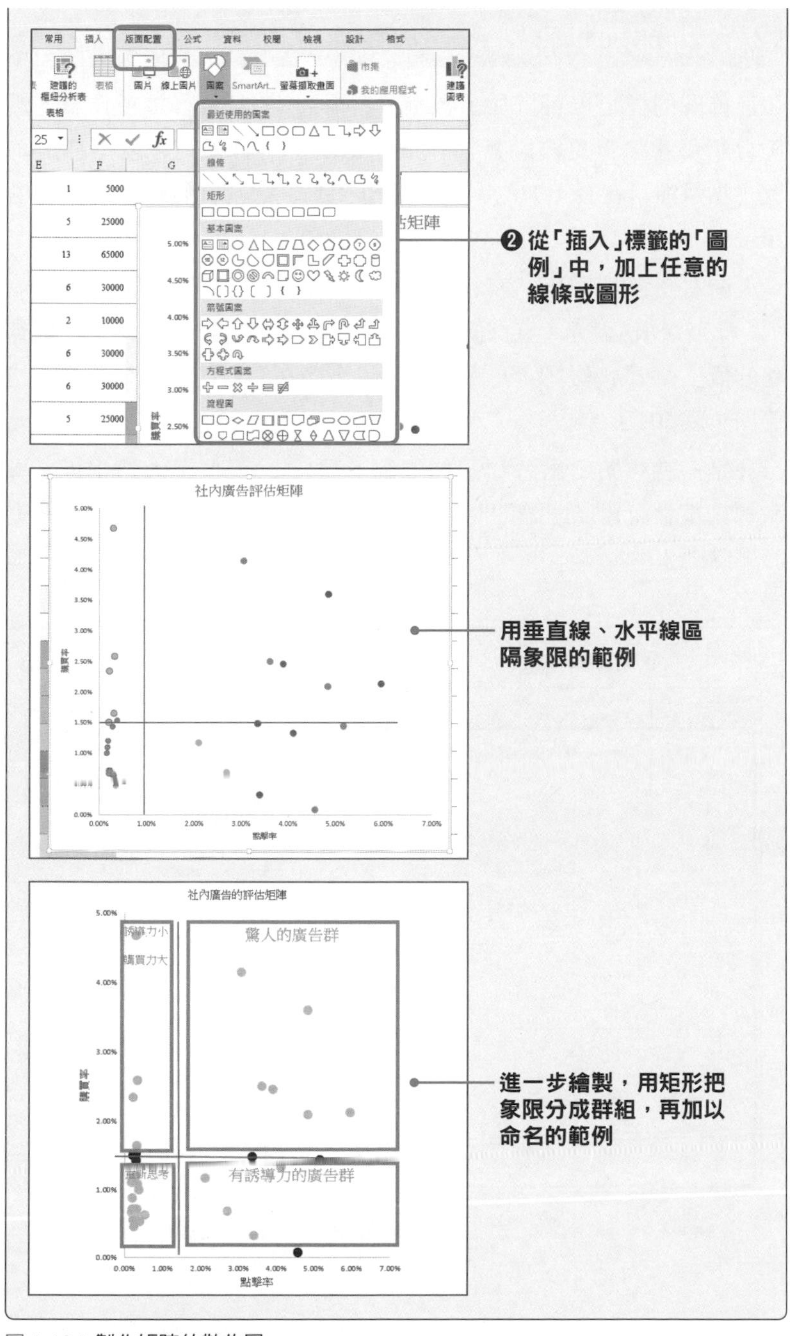

圖 4-42：製作矩陣的散佈圖

為各標記加上標籤

散佈圖的標記也可以加上標籤（名稱）。一旦執行這項作業，矩陣分析就會變得更淺顯易懂。欲在標記加上標籤時，就選擇散佈圖，點擊顯示在右上方的「＋」圖示，選擇「資料標籤」→「其他選項」。

視窗右側會顯示出「資料標籤格式」對話框，點擊「標籤選項」內的「標籤選項」圖示（直條圖的圖示）。勾選「標籤包含」中的「儲存格的值」，並點擊右側的「選取範圍」，選擇寫有標記名稱的儲存格範圍，就OK了。

於是，就會顯示出各標記的標籤（圖4-43）。標記太過相近，導致標籤重疊而難以閱讀的時候，就選擇不容易閱讀的標籤，逐一進行刪除吧！

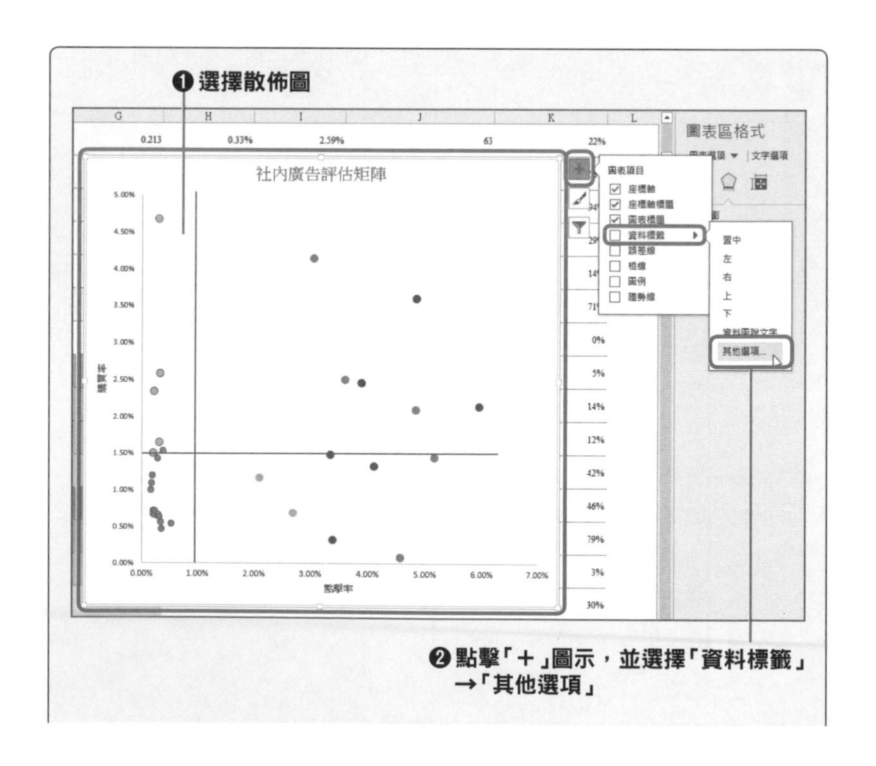

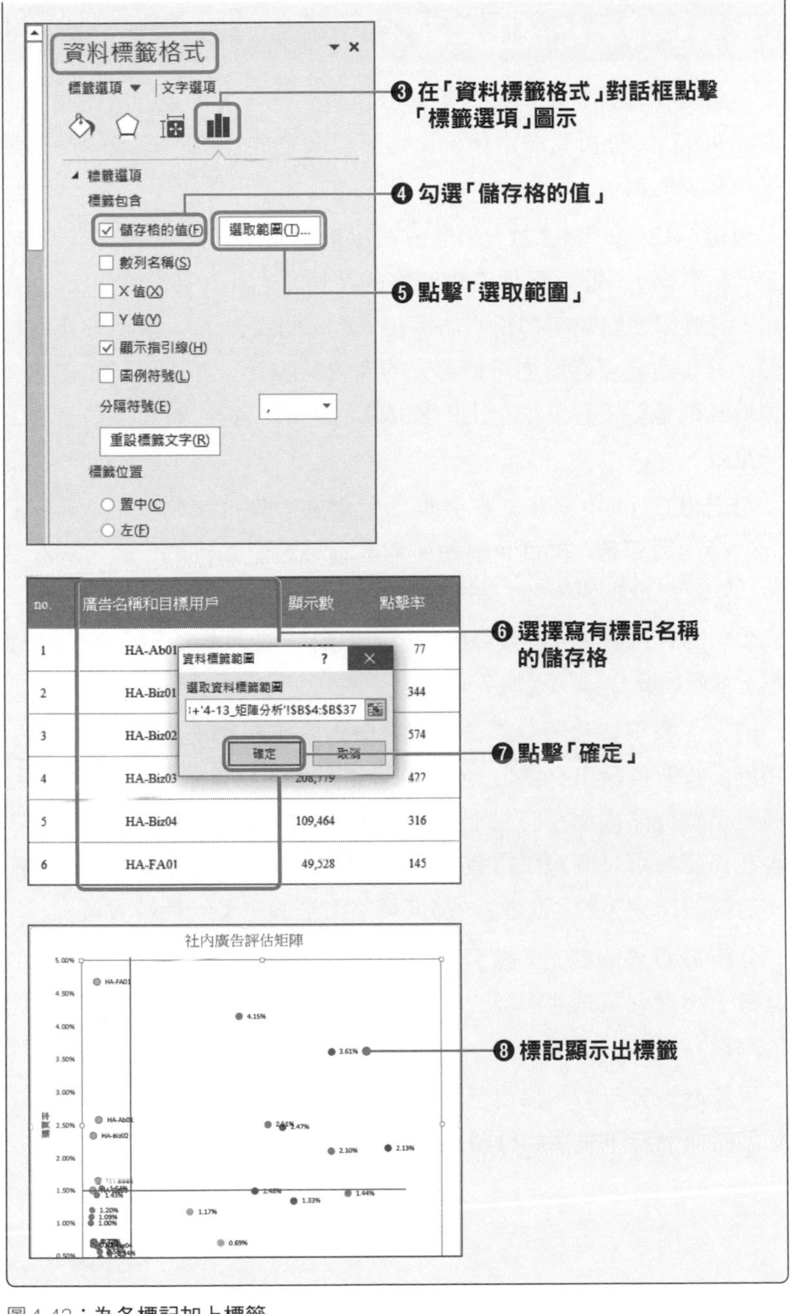

圖 4-43：為各標記加上標籤

透過矩陣分析找出線索

不管是哪種分析都一樣，矩陣分析也相同，並不是「做完圖表，就結束了」。分析完成之後，決定可以闡述些什麼、採取什麼行動是很重要的事情。

像圖4-42（參考P.171）那樣，在縱軸放置「購買率」，在橫軸放置「點擊率」，進行評估廣告策略的時候，右上象限內的東西就會是「購買率和點擊率都很高的廣告（驚人的廣告）」。既然知道這一點，就必須盡可能增加這個部分的廣告。因此，就要檢討如何改善位於其他象限（右下或左上的象限）的策略，並且讓其移動至右上的象限。

還記得P.169中，為了評估線上所實施的獲得策略，把「半年期間取得的訂單數」放置在橫軸，把各獲得策略類別的「顧客終身價值」放置在縱軸的矩陣分析嗎？其實故事還沒有結束。在那之後，**總公司的社長看了我的矩陣分析後，他說：「這真是個『好分析』。可是，你們都沒有『戰略』嗎？」**

的確，我根據那項分析決定了該費力的策略和不用費力的策略；不過卻沒有描繪出整體的方向性、「獲勝用的結構」。那個時候，社長足足質問了兩個小時以上，我完全被攻擊得體無完膚。可是，我現在仍認為那是個鍛鍊自我的美好經驗。如果進行適當的分析，卻不能描繪出完美的「戰略」，那就稱不上是個完美的行銷人員。

分析最重要的就是「練習」。剛開始，不要只想著怎麼做出好的分析，總之就請試著多多分析。隨著次數的增加，你的分析力肯定能夠提升。

只要磨練分析力，讓自己慢慢學會擬定戰略的技巧，有朝一日，你就能成為無所畏懼的行銷人員。

第2部
行銷實務篇

Chapter 05

STEP 3 根據分析進行預測

這裡將解說基於數字的預測、模擬之做法。
雖然難度稍微有點高；不過這是行銷人員必須學習的技巧，
所以請趁此機會好好學習。
另外，本章後半的解說會出現許多工作表範例，
如果有難以理解的地方，請務必一併參考工作表。

Section 01

〔基礎知識〕

預測、模擬這件事

為何模擬很重要

所謂的「預測、模擬」是指以某些事物為根據來「推測」未來還沒有發生的事情。

第3章和第4章已經解說過資料的統計和分析了，而就工作的流程來說，透過資料的統計和分析來找出某些解決的線索後，就要使用那個線索，企劃達成目的用的策略。可是，**為了執行該企劃，就必須有解決該企劃的「數字性依據」。**

例如，假設你被賦予的任務是「提升停滯不前的銷售額」。身為行銷人員的你在四處蒐集資料，進行統計和分析之後，發現顧客的來店數在幾乎沒有改變之下，購買率和平均購買單價卻有下滑的現象。於是，你企劃了提高購買率和平均購買單價用的策略；不過為了執行該項企畫，必須編列500萬日圓的預算。當然，為了拿到那筆預算，你必須向擁有裁決權的上司提出申請，並取得核准。

可是，「這項企劃需要500萬日圓！請務必讓我推行！」就算這樣向上司請求，上司也未必會接受吧！「分析做得很詳細；然而這項企劃可以賺到多少錢？」最後應該會像這樣，無疾而終吧！

不管是哪種業種都一樣，在進行某些企劃的時候，裁決者最在意的是這兩點。

①欲實施的企劃需花費多少成本？
②欲實施的企劃能產生多少成果？

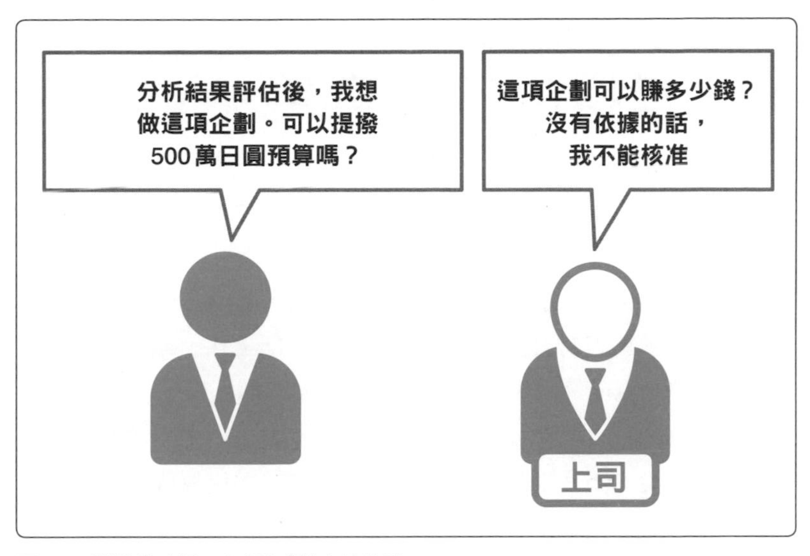

圖5-1：說服的時候，必須有「數字性依據」

在這次的案例中，已經知道①必要成本需花費500萬日圓。可是，②的部分卻完全不清楚。因此，必須蒐集過去的實績等資料，計算出所謂的「成果」。這個作業就是「模擬」。**藉由利用Excel建立模擬，多數人的決策就會很容易形成。**

在這裡說個題外話，我過去曾經向某飲食製造商提出廣告宣傳活動的企劃。很幸運地，承辦人員相當贊同我的企劃內容；不過承辦人員擁有最終裁決權的上司卻不太滿意。

經過多次會議之後，那位上司這麼跟我說：「植山先生，老實說，我不太了解這項企劃的優勢在哪裡。不過，基於這個數字，我同意實施這項企劃。麻煩你了！」

那項企劃執行後所得到的成果，也是我經過仔細計算後才提出的。正因為有「數字性依據」，我才能拿到那張訂單。因此，在實施某些策略之前，只要用數字試算實施企劃的成果，對行銷人員來說，就會成為相當強而有力的技能。

Section 02

〔基礎知識〕

模擬的三種意義

模擬具有三個優點。

第一個優點是可以讓策略更容易獲得認可。這個部分已經在前一節說明過了。正因為有數字性依據，所以在向上司、顧客等核准者進行簡報時，就能夠說出定量性且具說服力的話。

第二個優點是可以在執行之前，確認預定實施的策略能夠達到多少程度的效果。因為事先做過確認，所以可以在模擬成果不佳的時候，在執行之前重新更新策略。也就是說，可以提高未來的成功機率。

然後，第三個優點是可以在實施策略之後，用來作為檢討用的「標準值」。如果沒有標準值，就不知道該策略究竟是成功或是失敗。可是，如果預先制定標準值，就可以在執行後，以「和標準值相比會如何」的觀點進行檢討。

圖 5-2：模擬的三個優點

未達假定的「成果」時……

再繼續來說明一下模擬的效果。前一節曾提到「成本需要500萬日圓的策略」；如果模擬之後，發現該策略的預測效果只有「400萬日圓」的話，該怎麼辦？單純來看，那個策略應該沒有實施的意義。也就是說，這項企劃必須重新修正。

在這個場合下，改良有兩個方向性。第一個方法是從根本去重新思考企劃本身的內容。因為已經透過分析找到了解決的「線索」，所以只要可以思考出成本效果更高的企劃，就可以解決問題。例如，全新思考10個企劃，並分別計算10個企劃的成本效果，然後再提出成本效果最好的企劃，這也不失為可行的方法。

第二個方法是改善現在的企劃。如果可以降低成本，維持原有的利益，就算是當前的企劃，仍然有可行性。

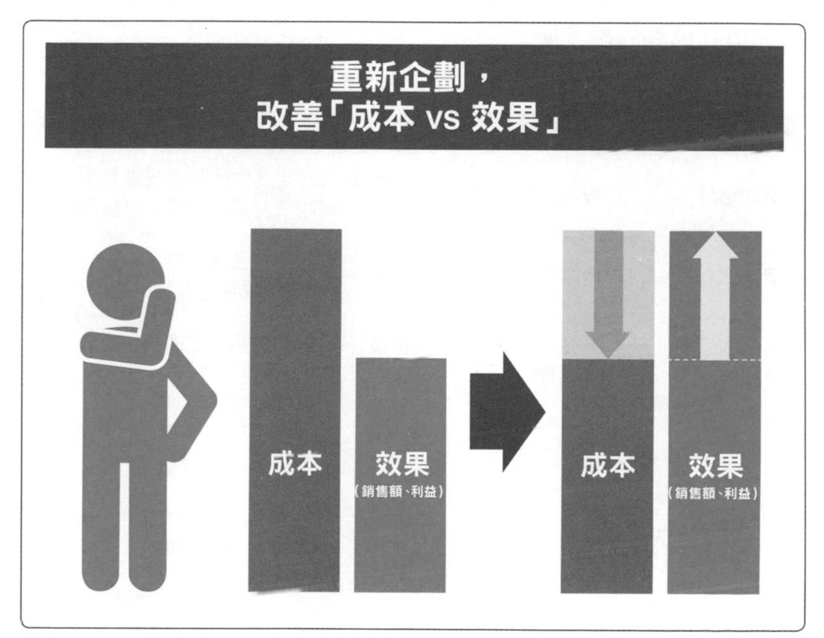

圖5-3：成本效果不平衡時……

注意避免變成「數字遊戲」

可是，採取第二種方法的時候，必須注意避免讓改善變成「數字遊戲」。只要使用Excel，就可以簡單調整數字上的估算。只要稍微改寫模擬的數字，就可以做出視覺性的利益。

可是，一旦熱中於那樣的作業，往往就會導致Excel上的數字逐漸「外觀漂亮，卻跳脫現實」。**企劃的重新檢視，必須能夠真正的改善成本和成果，而不是單純的數字遊戲。**

不管怎麼說，只要在執行策略之前實施模擬，就可以事先評估策略。最重要的是可以在思考策略的階段計算出成果。

就像前面所說的，藉由在規劃階段試算成果，不僅可以透過試算成果來重新檢視企劃，在向上司或顧客說明時，也可以做出更具說服力的簡報。另外，策略實施之後，也可以透過和預測成果的比較，進行適當的反省與檢討，另外，透過這種作業的反覆實施，也能夠提高模擬的精準度。

	沒有模擬	模擬
規劃階段	無法掌握成果。	可以定量性地掌握成果。 可視情況需要，修正企劃內容。
簡報	內容空洞，欠缺說服力。	有定量性且說服力。 （更容易說服他人）
執行後	有目標數值時，還好；不過沒有時，則找不到反省的標準數值。	可以和當初假定的結果比較，判斷出策略的優劣。 可磨練對數字的敏銳度。

圖 5-4：沒有模擬和模擬時的比較

Section 03
〔基礎知識〕
用來模擬的必備要項

模擬時的三個重點

用Excel進行模擬時，有下列三個重點。只要掌握這三個重點，就一定可以做出好的模擬。

①用「數字思考力」分解、思考事物
②反覆練習
③對套用的數字抱持「想法」

那麼，分別來檢視這三個重點吧！

[①用「數字思考力」分解、思考事物]

若要進行模擬，就必須分解銷售額、利益、會員登錄數等目的變數。然後，在那些分解的變數中，找出自己可以控制的數值，並將那些數值套進Excel裡面。在這個作業裡，本書中出現無數次的「數字思考力」是不可欠缺的。數字思考力也曾在「分析」單元登場，從這裡便能夠了解到，數字思考力是可以在各種不同的情境中使用的思考方法。

[②反覆練習]

在「分析」單元中也曾說過相同的話；不管是分析，還是模擬，都不是三兩下就能夠辦到的。

透過持續不斷的反覆練習，才能夠培養出模擬力。從簡單的模擬開始即可，請試著使用Excel積極模擬，肯定能夠有所收穫。

〔③對套用的數字抱持「想法」〕

試著模擬之後，有時計算結果未必能夠盡如人意。前一節也曾提到過，這個時候千萬不要陷入於操弄數字、只調整格式的「數字遊戲」。對於模擬所輸入的數值，必須是**以自己的經驗和知識為基礎的數值，抱持著熱忱的「想法」，才是最重要的。**

模擬就用Excel ！

模擬的時候，Excel是非常強有力且有效的工具。在此介紹其理由。

[許多人都在使用]

有時必須跨部門共享模擬的結果。Excel是每個人都會使用的工具，分享的時候就不會有任何障礙。

[Excel最擅長表格計算]

不用說，大家都知道Excel是「表格計算軟體」，所以當然最適合用來進行模擬作業。

[不使用困難函數下即可製作]

模擬製作上，不需要難懂的Excel函數，幾乎都是四則運算。模擬如果可以用簡單的計算來進行，在與他人共享模擬的時候，就可以更容易理解，同時對方也會倍感貼心。

接下來將介紹利用Excel進行模擬的方法，以及預防錯誤的訣竅等。也請身為行銷人員的各位，務必嘗試模擬作業。

〔基礎知識〕

Section 04

預防Excel錯誤的三個規則

留意三個規則

在介紹用Excel進行模擬的具體方法之前，先來解說「預防錯誤」的三個規則。

製作多個部門的中期計畫的模擬時，有時Excel的工作表會增加5個、10個。這個時候，照著接下來所介紹的「規則」製作的工作表，和沒有根據規則所製作的工作表，會有著截然不同的檢查容易度和修正容易度。

或許也存有「不做過於複雜模擬」的人；不過一旦逐漸習慣這項作業之後，往往會逐漸做出複雜的模擬。這個時候，就算是做簡單的模擬也一樣，仍然強烈建議大家依照接下來所介紹的規則來進行，才會比較妥當。這些都是相當簡單的規則。

規則① 不在計算式裡面直接輸入數值

第一個規則是不要在Excel的計算式中「直接輸入數值」。**輸入在算式中的數字請只採用0或1。**希望在算式中輸入數值計算時，就把數值填在空的儲存格，計算式就用參照「填入數值的儲存格」的方式進行計算。

採用這個的理由，乃是為了方便日後的修正和變更。例如，打算用「利率3%」來計算20年後的定期存款餘額的情況。

一旦在20年份的20個儲存格中輸入像「=●*(1+0.03)」這樣的利息3%計算式，當「希望用利率1%重新計算」的時候，20個儲存格就必須全部重新輸入成「=●*(1+0.01)」。如果只有20個儲存格，或許逐一重新輸入不算什麼；然而，如果是幾百、幾千筆的話，那將會是何等浩大的工程。當然，不小心輸入錯誤的可能性也會提高。這個時候，只要把計算式的利息3％寫在其他儲存格，用來作為絕對參照的話（關於絕對參照，請參考P.220），只需要變更那個儲存格，就可以一次變更20個儲存格的計算式，相當方便。

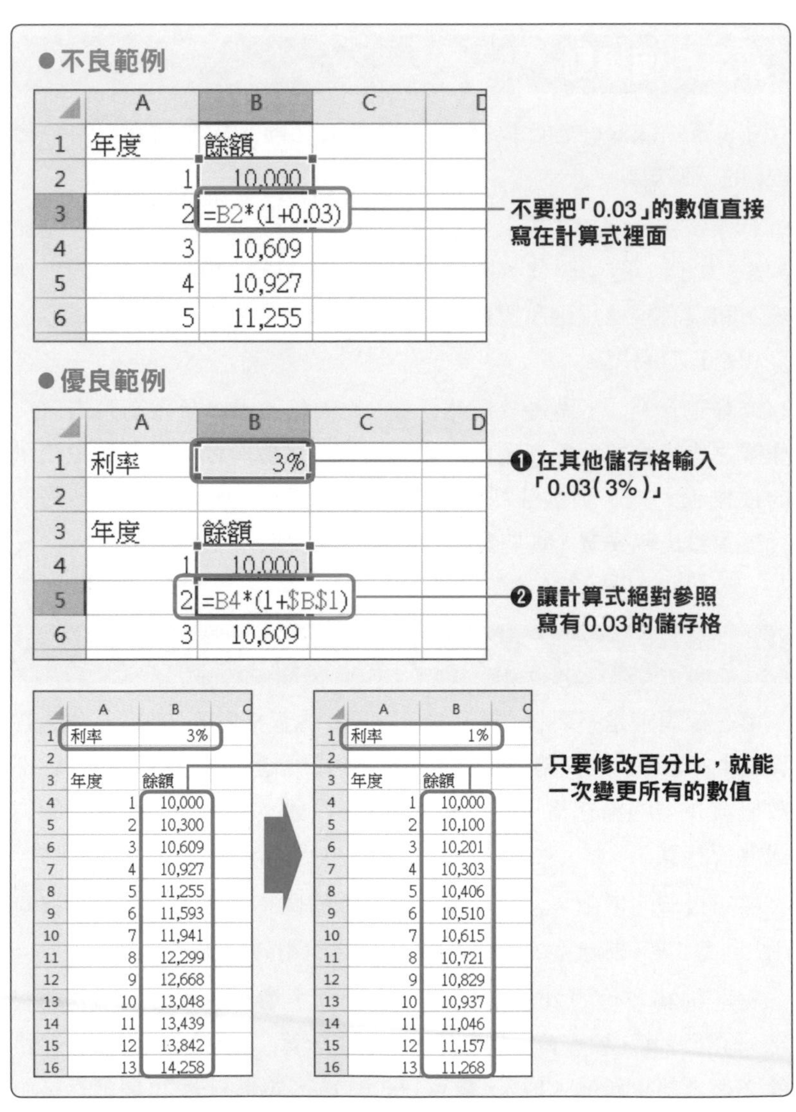

●不良範例

	A	B	C	D
1	年度	餘額		
2	1	10,000		
3	2	=B2*(1+0.03)		
4	3	10,609		
5	4	10,927		
6	5	11,255		

●優良範例

	A	B	C	D
1	利率	3%		
2				
3	年度	餘額		
4	1	10,000		
5	2	=B4*(1+$B$1)		
6	3	10,609		

	A	B	C
1	利率	3%	
2			
3	年度	餘額	
4	1	10,000	
5	2	10,300	
6	3	10,609	
7	4	10,927	
8	5	11,255	
9	6	11,593	
10	7	11,941	
11	8	12,299	
12	9	12,668	
13	10	13,048	
14	11	13,439	
15	12	13,842	
16	13	14,258	

	A	B	C
1	利率	1%	
2			
3	年度	餘額	
4	1	10,000	
5	2	10,100	
6	3	10,201	
7	4	10,303	
8	5	10,406	
9	6	10,510	
10	7	10,615	
11	8	10,721	
12	9	10,829	
13	10	10,937	
14	11	11,046	
15	12	11,157	
16	13	11,268	

圖5-5：規則① 不在計算式裡面直接輸入數值

規則② 不要在計算式裡面參照其他工作表的儲存格

第二個規則和第一個規則類似，就是「不要把其他工作表的儲存格放進計算式裡面」。

希望使用其他工作表的數值進行計算時，不要讓計算式直接參照其他工作表的數值，首先，請把其他工作表的數值搬到同一份工作表內的儲存格。然後，**用工作表內的儲存格進行計算。**

為什麼這麼做呢？因為進行模擬檢查的時候會比較方便。在儲存格輸入計算式時，只要在該儲存格點擊兩下，或是按下「F2」鍵，就可以看見輸入的計算式，另外，用於計算的其他儲存格也會強調顯示。

這個時候，**只要是在同一份工作表內完成的計算，就可以一眼看出使用了哪個儲存格進行計算。**可是，如果計算式中有參照其他工作表的數值，就無法一眼看出是否參照了正確的數值。另外，每次確認的時候，也必須開啟其他工作表。如果只有1、2次，或許不會覺得麻煩；一旦需要確認幾十次的話，就會浪費很多時間。

另外，從別人手中拿到Excel工作表，確認計算內容的時候，如果計算式參照了其他工作表的數值，也會有「拜託～完全搞不清楚參照了哪個數值」的感覺（我也曾經有好幾次類似的經驗）。

為了減少事後重新檢視時的功夫和錯誤，請務必養成這個習慣。

剛開始或許會覺得有點麻煩；不過一旦試行之後，應該就會發現重新檢視很輕鬆而無法停止。

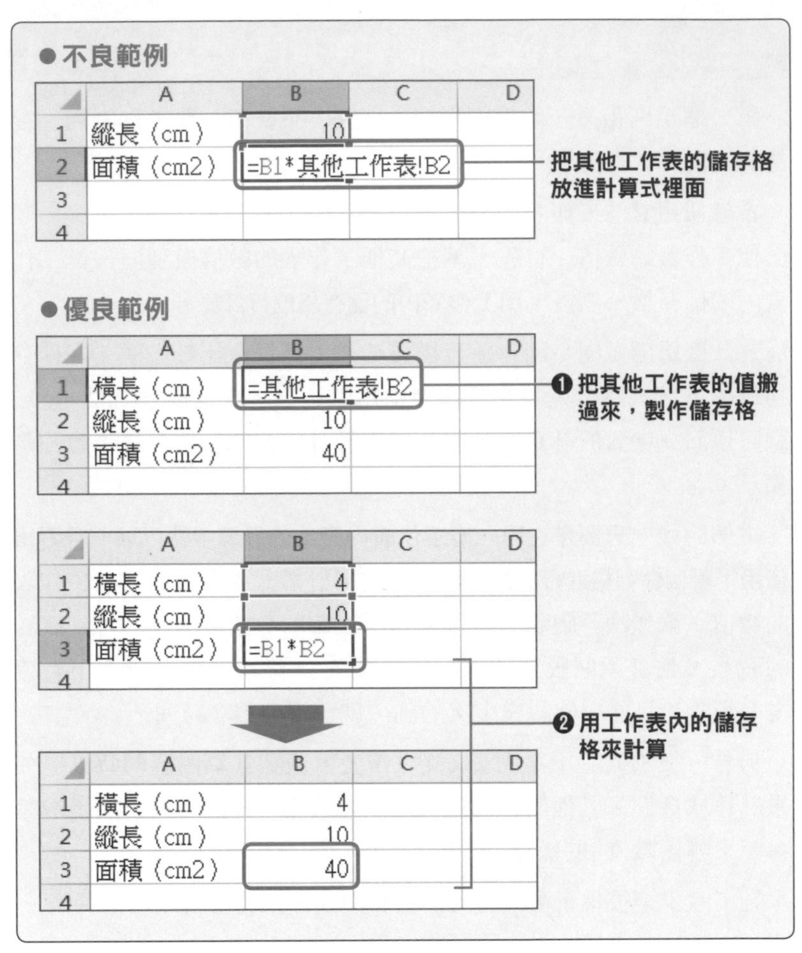

圖5-6：規則② 不要在計算式裡面參照其他工作表的儲存格

規則③ 為輸入的數值加上依規則為基準的顏色

第三個規則就是為輸入的數值加上顏色的規則。這個規則相當的單純；不過一旦實行，卻非常有效。具體來說，請把輸入的數值分類成四種，並套用上顏色（圖5-7）。

教我這種文字顏色規則的人是我在投資銀行任職時的朋友。朋友說：「為了減少錯誤，我會幫文字標上顏色。」於是我便問他：「使

規則	文字顏色
輸入數值的數字	藍
參照其他工作表的數字	綠
計算的數字	黑
參照變動條件的數字	紅

圖5-7：文字顏色的規則範例

用什麼Excel功能，可以自動標色嗎？」結果他說：「我是用手動方式逐一標色。」剛開始覺得「雖說可以減少錯誤，卻真的很麻煩」；不過自己實際操作過後，發現這的確是個很不錯的方法。

為什麼呢？因為這個標色作業的本身，也可以順便達到檢查的效果。標色的時候，有時會碰到「啊！這是需要計算的儲存格。我搞錯了」這樣的情況，就能成為模擬的最佳確認作業。

另外，之後重新檢視的時候也是。只要有標上文字顏色，例如藍色文字的部分，就可以一眼看出「這是手動輸入的儲存格」，確認時會更有效率。

雖然這是非常單純的規則；然而只要實際操作過，就可以深刻感受到這真的是個相當強有力的規則。

說個題外話，我以前曾做過初創企業的事業計畫模擬。那是一件工程相當浩大的的模擬作業，所以作業本身就相當累人，結果在提出之後卻發現一個地方有錯誤。

雖說是常有的事情；然而一旦發現一個錯誤，就會緊接著再發現其他錯誤。結果，就要連續不斷地處理找到的錯誤，當時的辛苦現在仍記憶猶新。

那個時候，如果依照這裡所介紹的「三個規則」進行模擬，就不會發生那樣的情況了。大家請務必實踐這裡所介紹的規則。

Section 05

〔基礎知識〕

模擬的基本步驟

接下來解說實際的模擬方法。另外，這裡所製作的模擬有提供工作表範例的下載。只要一邊參考範例一邊閱讀，就能提高學習效果（參考P.08）。

那麼，模擬要利用下列步驟來進行製作。我本身也都是以這個步驟來進行模擬。

> ①列出先決條件
> ②製作表格框架
> ③把計算式輸入表格

這次試著製作某個虛構的旅行服務公司的模擬。先稍微說明一下公司背景，這間公司在網路上提供旅行相關資訊。這個企業的主要收入來自網站的廣告收入和透過網站的旅行預約手續費。

雖然服務推出後的兩年期間，網站的訪客有逐漸增加的趨勢；然而這個企業希望增加更多的免費會員。創業時期，該企業透過成果報酬型廣告，以「只要每獲得一名免費會員，就支付4000日圓」的形式來招募會員；不過隨著競爭企業的增加，所招募的會員人數漸漸不如預期。於是，該企業便全新設立了提供各種資訊給用戶的媒體網路。他們希望誘導媒體網站的訪客進行免費會員的註冊。

找到擁有媒體網站製作實績的合作企業後，該企業對這個媒體網站的成本效果（花費多少成本，可以比以往節省多少）進行了模擬。

那麼，現在就在這樣的背景之下，進行模擬吧！

[①列出先決條件]

第一個步驟就如前面所寫的，就是列出模擬的「先決條件」。所謂的先決條件，就是作為模擬基礎的「數字」。在這次的範例中，就以「合作企業過去經手的媒體網站實績（月訪客）和製作費」作為先決條件。

前提

合作企業的媒體網站的實績訪客數

媒體網站	經過月數	月訪客數
Blog A	1	32,025
Blog B	3	190,559
Blog C	7	329,544
Blog D	6	500,677
Blog E	2	9,249
Blog F	3	14,992
Blog F	4	56,390
Blog F	5	97,189
Blog F	6	110,385
Blog F	7	74,901
Blog F	8	143,365

製作費

媒體網站	經過月數
初期費用	3,000,000
月繳內容製作費	1,000,000

圖5-8：列出合作企業的實績及製作費

[②製作表格框架]

接著，製作進行模擬計算用的表格框架。首先，在橫框列出計算的區間。這裡採用從2017年開始，為期兩年期間的計算。

縱框寫上模擬的項目。如果一開始就能寫出分解成細微要素的項目，當然是最好；然而在還不習慣這類作業的時候，應該會覺得很困難吧！所以就先試著從可以聯想到的「大要素」開始寫起。請根據先決條件「合作企業過去經手的媒體網站實績（月訪客）和製作費」去思考能夠試算的項目。這次的最終目的是希望算出這個媒體網站的「成本效果」，所以可以聯想出下列的相關項目。

> ①透過媒體網站招攬的預估訪客
> ②媒體網站的訪客中預估會進行免費會員註冊的會員數
> ③為了獲得②的會員數，過去的做法花費了多少成本
> ④媒體網站的製作費
> ⑤用媒體網站來取代舊有方法時，可節省的成本（③減掉④之後的數字）
> ⑥可一眼看出成本效果（花費費用和可節省費用的比較）的數值

再者，在模擬的過程中，必須進行把先決條件和各種要素相乘的大量計算。模擬的結果也會在簡報的時候使用，所以光是自己看得懂還不夠，還必須讓其他人也能清楚明瞭。基於如此，像上述⑥的「成本效果」那樣，預先輸入1～2個可以讓他人一目了然的數字，是非常重要的事情。

那麼，接下來把這些「大項目」填入Excel的表格裡吧！

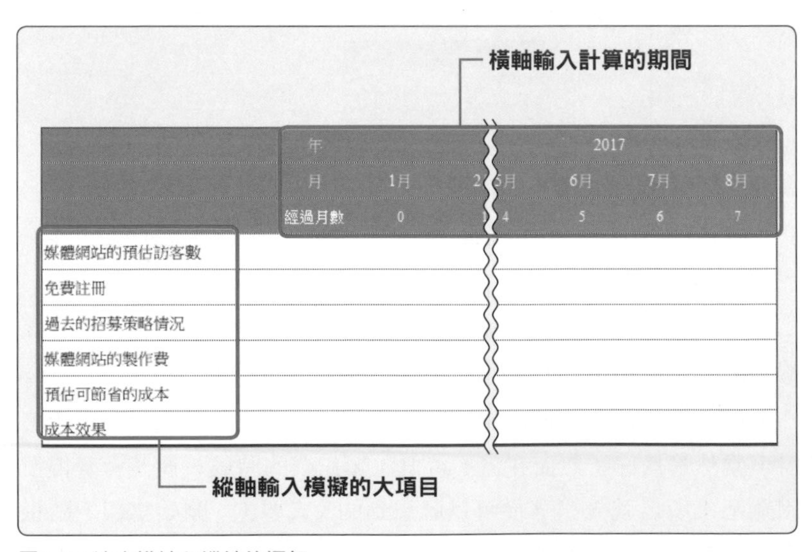

圖5-9：決定橫軸和縱軸的框架

了解大項目之後，要怎麼計算才能推斷出這些項目？試著思考樹狀圖。這個時候，樹狀圖就會形成如下的樣子。

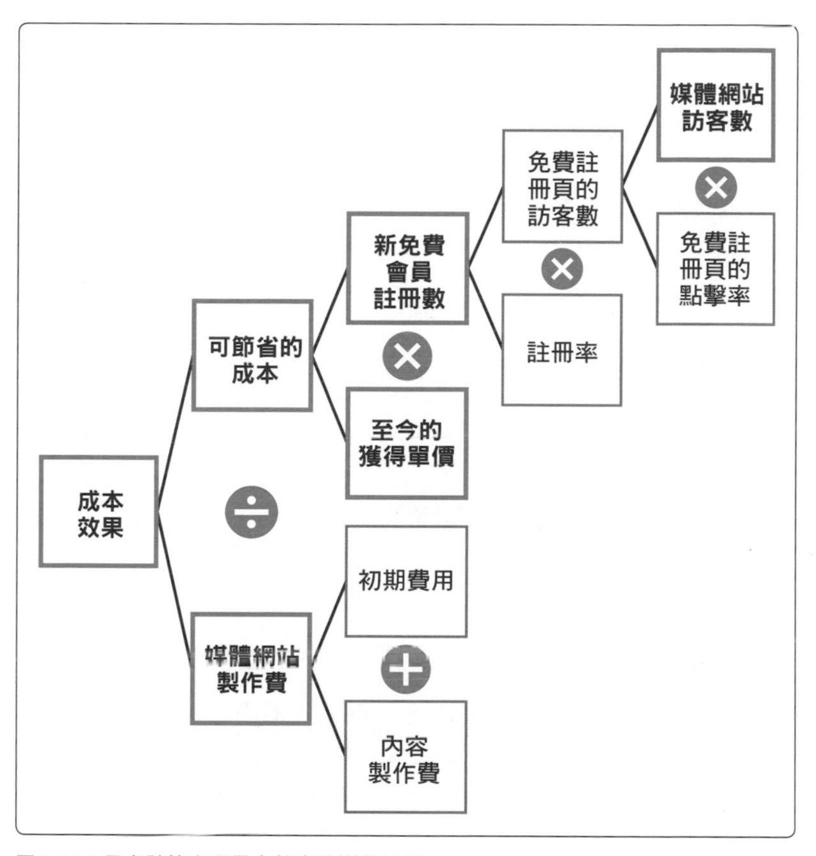

圖5-10：思考計算大項目之數字的樹狀結構

這個樹狀結構列出來之後，就進一步把這些項目填寫到橫軸的項目裡面。只要填在大項目下方的右鄰儲存格，就可以清楚看出該項目是所屬於大項目裡面的「中項目」。另外，中項目的右鄰儲存格，如果再進一步寫上單位，就會更加清楚明瞭。一旦全部列出在縱軸，項目就會如圖5-11所示。

只要像這樣，預先把橫軸、縱軸的框架製作起來，就可以一眼看出應該填寫哪個儲存格，同時更容易掌握整體感。

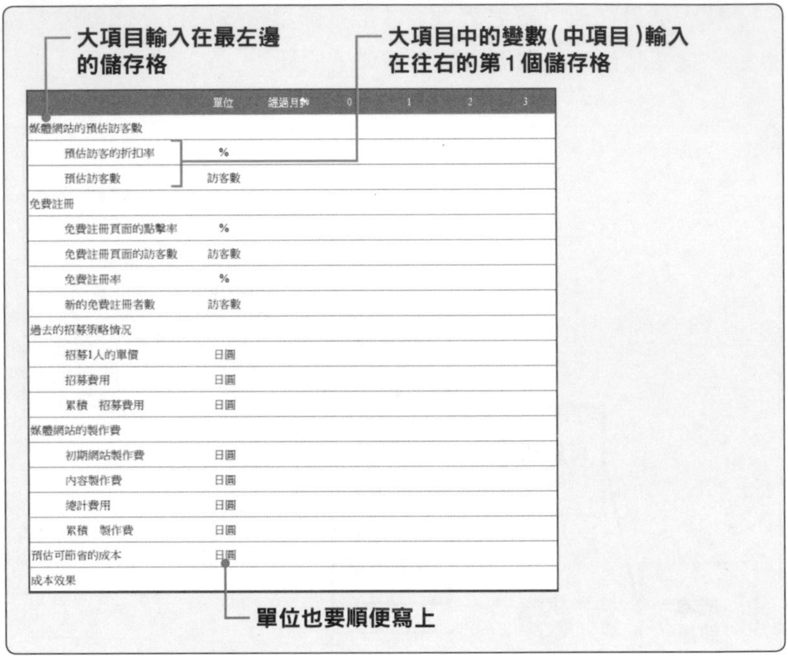

大項目輸入在最左邊的儲存格

大項目中的變數（中項目）輸入在往右的第1個儲存格

	單位	經過月數	0	1	2	3
媒體網站的預估訪客數						
預估訪客的折扣率	%					
預估訪客數	訪客數					
免費註冊						
免費註冊頁面的點擊率	%					
免費註冊頁面的訪客數	訪客數					
免費註冊率	%					
新的免費註冊者數	訪客數					
過去的招募策略情況						
招募1人的單價	日圓					
招募費用	日圓					
累積　招募費用	日圓					
媒體網站的製作費						
初期網站製作費	日圓					
內容製作費	日圓					
總計費用	日圓					
累積　製作費	日圓					
預估可節省的成本	日圓					
成本效果						

單位也要順便寫上

圖5-11：把縱軸的項目全部列出

[③把計算式輸入表格]

最後，要在空白的儲存格輸入計算式；不過在那之前，請先輸入「已經知道數值的數字」。例如，現有方法的「招募1人的單價」是4,000日圓，所以就要在「招募1人的單價」項目輸入4,000。另外，「媒體網站的製作費」也是先決條件的數字，所以也要分別輸入。因為是手動輸入，所以請不要忘記把文字顏色設定成藍色（參考P.187）。

接著，在需要計算的儲存格輸入計算式（圖5-12）。配合P.191想出的「樹狀圖」，進行計算式的輸入吧！另外，計算式就算採用簡單的四則運算也沒關係，或是使用自己知道的函數也沒有問題。工作表範例最上方的「預估訪客數」是使用FORECAST函數進行計算（在範例中為了讓用FORECAST函數計算的值乘以8成，而設置了折扣率）。FORECAST函數是迴歸分析的函數，詳細請參考P.204。

已經知道數值的數字，
先用藍色文字輸入

過去的招募策略情況						
招募1人的單價	日圓	4,000				
招募費用	日圓					
累積　招募費用	日圓					
媒體網站的製作費						
初期網站製作費	日圓		3,000,000			
內容製作費	日圓			1,000,000	1,000,000	1,00

	單位		年 月 經過月數	1月 0	2月 1	3月 2	4月 3	5月 4	6月 5
媒體網站的預估訪客數									
預估訪客的折扣率	%	80%							
預估訪客數	訪客數				**19,004**	**44,330**	**69,656**	**94,983**	**120,30**
免費註冊									
免費註冊頁面的點擊率	%	0.5%							
免費註冊頁面的訪客數	訪客數				95	222	348	475	602
免費註冊率	%	10%							
新的免費註冊者數	訪客數				9	22	34	47	60
過去的招募策略情況									
招募1人的單價	日圓	4,000							
招募費用	日圓				36,000	88,000	136,000	188,000	240,000
累積　招募費用	日圓				36,000	124,000	260,000	448,000	688,000
媒體網站的製作費									
初期網站製作費	日圓			3,000,000					
內容製作費	日圓				1,000,000	1,000,000	1,000,000	1,000,000	1,000,000
總計費用	日圓			3,000,000	1,000,000	1,000,000	1,000,000	1,000,000	1,000,00
累積　製作費	日圓			¥3,000,000	4,000,000	5,000,000	6,000,000	7,000,000	8,000,000
預估可節省的成本	日圓			-3,000,000	-3,964,000	-4,876,000	-5,740,000	-6,552,000	-7,312,00
成本效果				0.0	0.0	0.0	0.0	0.1	0.

輸入計算式，完成模擬

圖 5-12：輸入計算式，完成表格

以上就是模擬的基本步驟。

前面所介紹的模擬，如果要從頭開始製作或許有點困難，大家可以先從簡單的內容試著挑戰。即便是簡單的模擬也一樣，**先寫上模擬可以使用的「先決條件」，決定好模擬的表格框架，然後再分別輸入計算式，這樣的基本步驟仍然是相同的。**

〔基礎知識〕

Section 06

模擬結果和現實結果不同的理由

預測要使用「有依據的數值」

把數值套用在模擬的表格時，請盡可能使用「有依據的數值」。一旦沒有採用有依據的數值，模擬的結果就會變成非現實的結果。

如果有實績值，就應該輸入實績值，如果沒有適當的實績值，就應該找出類似的案例，從該數值進行類推。

如果上司或顧客有模擬經驗的話，肯定會提問：「這個數值是從哪裡得來的？」為什麼呢？因為他們知道模擬的時候，只要輸入適當的數值，就可以簡單呈現出好看的結果。

最初，模擬是為了預測現實中的「未來」所實施的作業。所以，**應該盡可能採用客觀的數值、有依據的數值。**

可是，未必都能夠客觀性地製作所有的數值。這個時候，就要使用自己對數字的直覺，採用比較主觀性的思考。

例如，前章節製作的模擬有個名為「預估訪客的折扣率」的項目，該項目輸入了80%的數值（圖5-13）。

也就是說，試算當訪客數只有預估的「8成」時，會出現什麼樣的數字。當然，在實際執行專案的時候，肯定會想辦法達到100%的預估訪客數；不過在模擬的時候，還是應該預先加上「折扣後的計算」。老實說，折扣率「80%」這個數字並沒有明確的依據，這是我憑著「差不多用這種程度的折扣應該就可以了吧？」這樣的直覺所設定的。

像這樣，巧妙地混入客觀性的視點和主觀性的視點來套用模擬計算式是非常重要的。

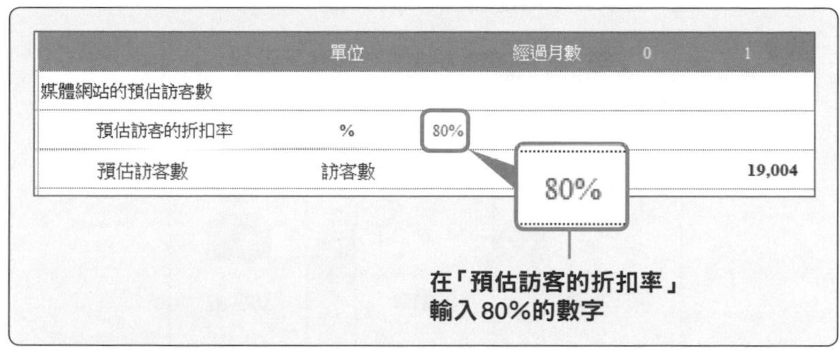

圖5-13：預估訪客的折扣率

計算結果和現實結果有大幅落差時？

就算盡可能把現實性的數值輸入在每個儲存格，在解開答案之後，有時仍會出現模擬結果和現實結果有大幅差異的情況。那個理由當然源自於策略本身的成功或是失敗；不過除此之外，可能還有下列兩個原因。

> ①計算的結構跳脫現實
> ②模擬所使用的數值跳脫現實

那麼，就來詳細地檢視這兩點吧！

[①計算的結構跳脫現實]

「計算的結構跳脫現實」是指重要的要素不在預估計算式的「樹狀結構」（參考P.191）之內。這是相當常見的範例。

例如，模擬橫幅廣告效果（經由橫幅廣告存取網站的訪客數）時，所採用的是「顯示次數×點擊率」的計算；然而現實中卻採用「顯示次數×點擊率×折扣」這樣，多出一筆折扣數值的計算方式，因而導致模擬結果和現實結果截然不同。

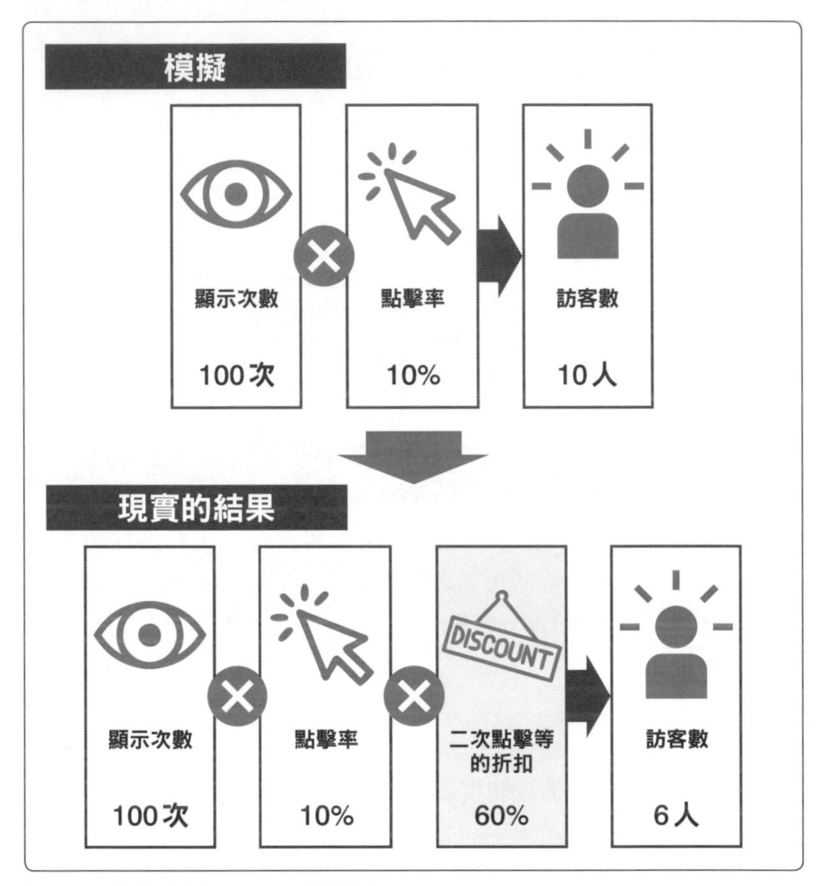

圖5-14：計算結構和現實有所差距的範例

[②模擬所使用的數值跳脫現實]

模擬所使用的數字和現實的數字有所差距，也是有可能發生的情況。原因很多，季節、商品特性、媒體特性等因素都有可能。

例如，在保養品新聞網站或資訊網站、部落格等頁面，刊載夏季保養品宣傳活動的橫幅廣告。模擬的時候，用「10％」來計算點擊率。而採用10％的理由是過去在保養品評論網站刊載橫幅廣告時，點擊率就差不多是這個數字。

可是，答案揭曉之後，卻發現橫幅廣告的點擊率是「0.1％」。這樣一來，模擬的結果當然會和現實的結果有很大的差距。點擊率之所以和預估有所差異，乃是因為刊載網站的特性不同，網站訪客的需求和橫幅廣告的訴求度有所差異。

像這樣的情況並不少見，所以應該充分注意模擬所使用的數字，同時，為了之後的驗證，也必須特別注意模擬的結構。

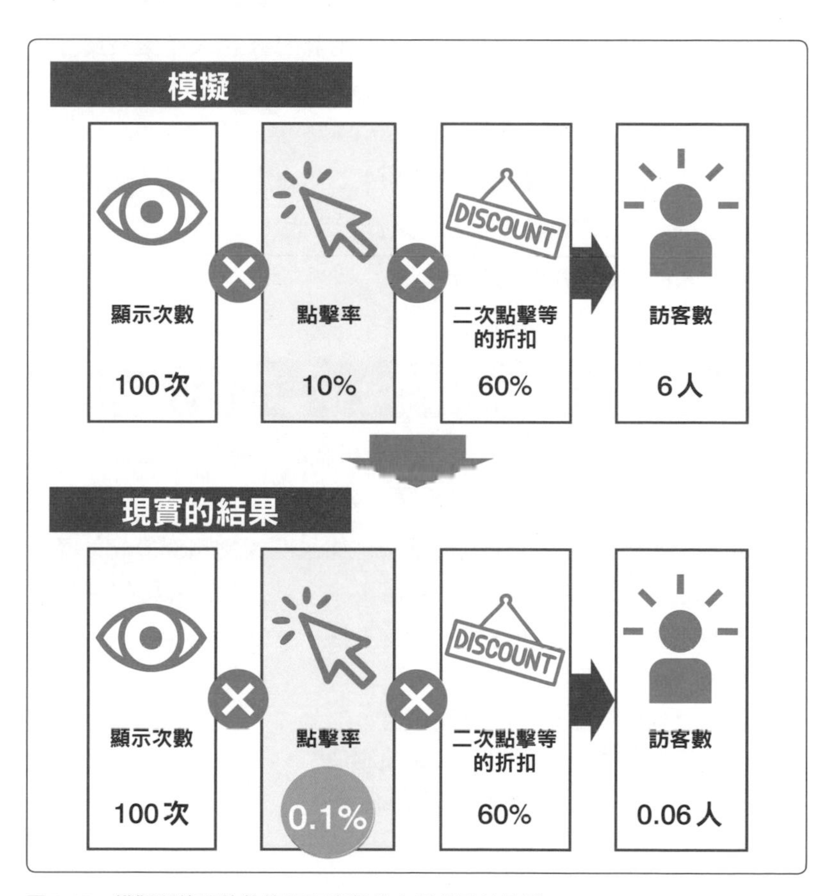

圖5-15：模擬所使用的數值和現實數值有所差異的範例

Section 07

〔模擬的製作〕

用迴歸分析來預測

可由分析來預測嗎？

在P.188中介紹了藉由分解事物、套用計算式在各要素來進行模擬的方法。這是模擬的基本方式；不過如果可以再加上由「分析」來預測的方法，在實務上就會更加受用。

有益於預測的分析可舉出「迴歸分析」、「趨勢分析」和「敏感度分析」三種。接下來將針對各種方法來進行解說。

首先，先從「迴歸分析」開始。

迴歸分析的預測方法

第4章曾介紹過「相關分析」。相關分析就像範例中的「氣溫」和「運動飲料出貨量」那樣，可以透過相關係數來調查兩種資料的關係。

從這裡開始將更進一步，例如計算「如果明天的預測最高氣溫是28度，那麼運動飲料的出貨量會是多少」，這就是所謂的迴歸分析。從迴歸分析導出預測值的方法有三個。

①從圖表求出迴歸式，計算預測值
②從分析工具求出迴歸式，計算預測值
③利用FORECAST函數來計算預測值

那麼，現在來解說各個方法。這裡就以電視購物作為範例吧！以電視購物的「廣告投資額」為基礎，進行SEO的銷售額預測。另外，在本書範例的Excel 工作表中準備了一年份的電視廣告投資額和SEO、SEM的銷售額資料。接下來就要使用這些來進行迴歸分析，請大家務必親自挑戰看看。

使用散佈圖檢視相關

這個方法的第一個步驟是製作散佈圖，因為要調查SEO銷售額和電視廣告投資額之間的相關關係。圖5-16是根據工作表範例所製作的散佈圖。只要檢視這份圖表，應該就可以看出兩者之間的相關關係。一旦實際用CORREL函數（參考P.155）計算工作表的電視廣告投資額和SEO銷售的相關係數的數字，就會得到數字「0.62」。在實務上，相關係數超過0.6的情況並不多（對我來說，就算相關係數是0.4左右，我還是會把它視為有某種程度的相關關係，並利用迴歸分析來計算預測值）。

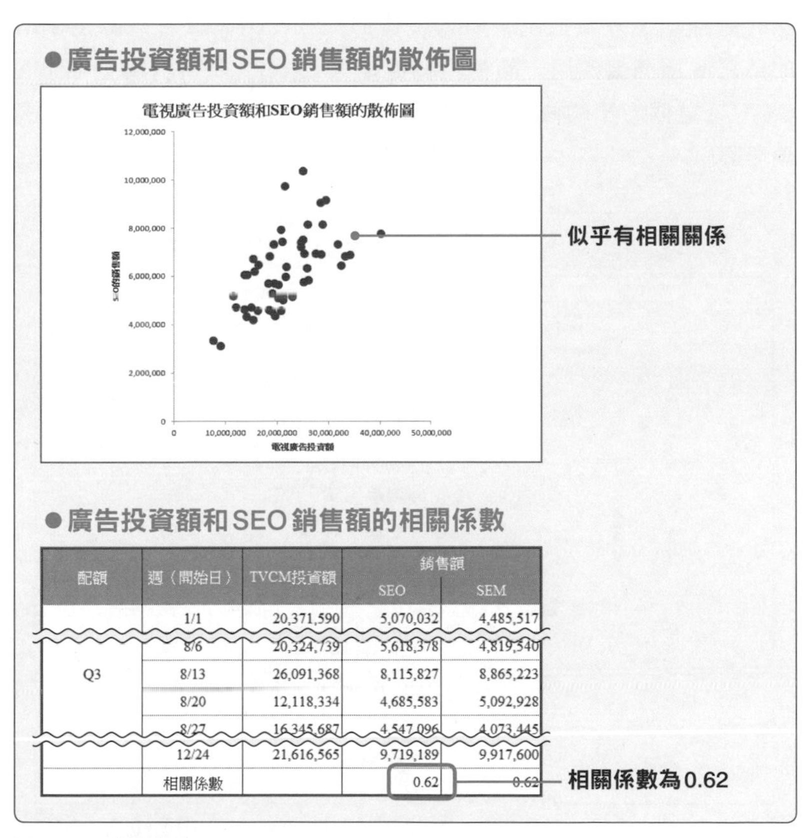

配額	週（開始日）	TVCM投資額	銷售額	
			SEO	SEM
	1/1	20,371,590	5,070,032	4,485,517
Q3	8/6	20,324,739	5,618,378	4,819,540
	8/13	26,091,368	8,115,827	8,865,223
	8/20	12,118,334	4,685,583	5,092,928
	8/27	16,345,687	4,547,096	4,073,445
	12/24	21,616,565	9,719,189	9,917,600
	相關係數		0.62	0.62

圖5-16：確認相關

接著，求出迴歸式，計算預測值。就如前述，因為計算方式有三個，所以接下來就進行各別的介紹。

[①從圖表求出迴歸式，計算預測值]

在標記的上方點擊滑鼠右鍵，選擇「加上趨勢線」，就會顯示出趨勢線。只要在「趨勢線選項」勾選「圖表上顯示公式」，散佈圖上就會出現「y=ax+b」的迴歸式。**只要加上的趨勢線符合「未來的銷售趨勢方向」這樣的假說，就代表所顯示的算式可以用來預測銷售額的變化。**

順道一提，範例中顯示的是「y = 0.1454x + 3,060,869.18」這樣的迴歸式，只要把電視廣告投資額代入「x」，就可以算出SEO的銷售額預測值「y」。請把這個值輸入Excel，試著計算看看（圖5-17）。這個方法的優點在於從散佈圖求出迴歸式，所以可以輕易地理解原理。

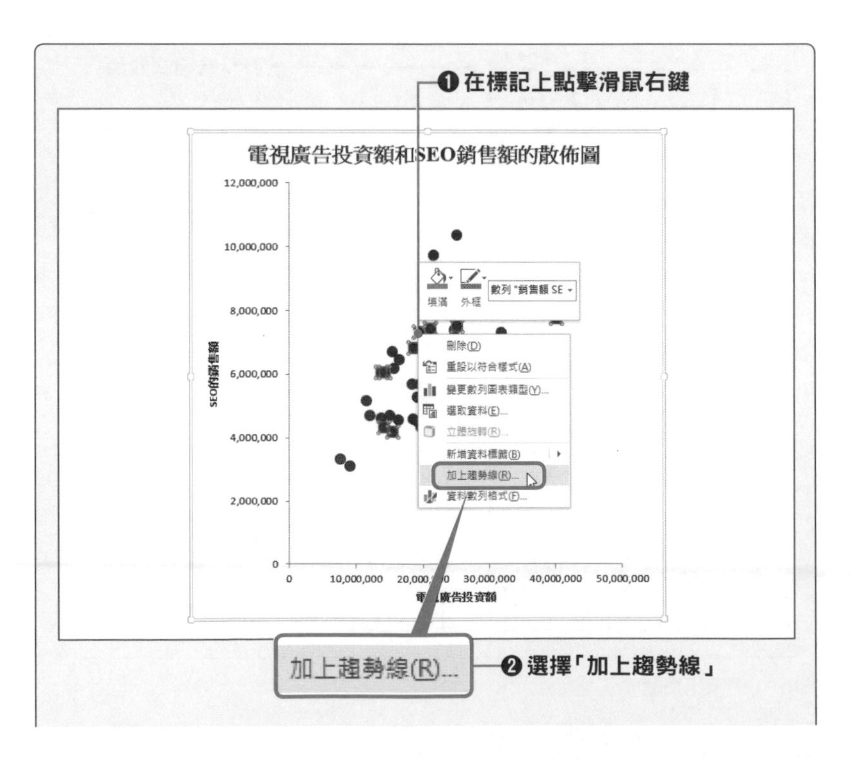

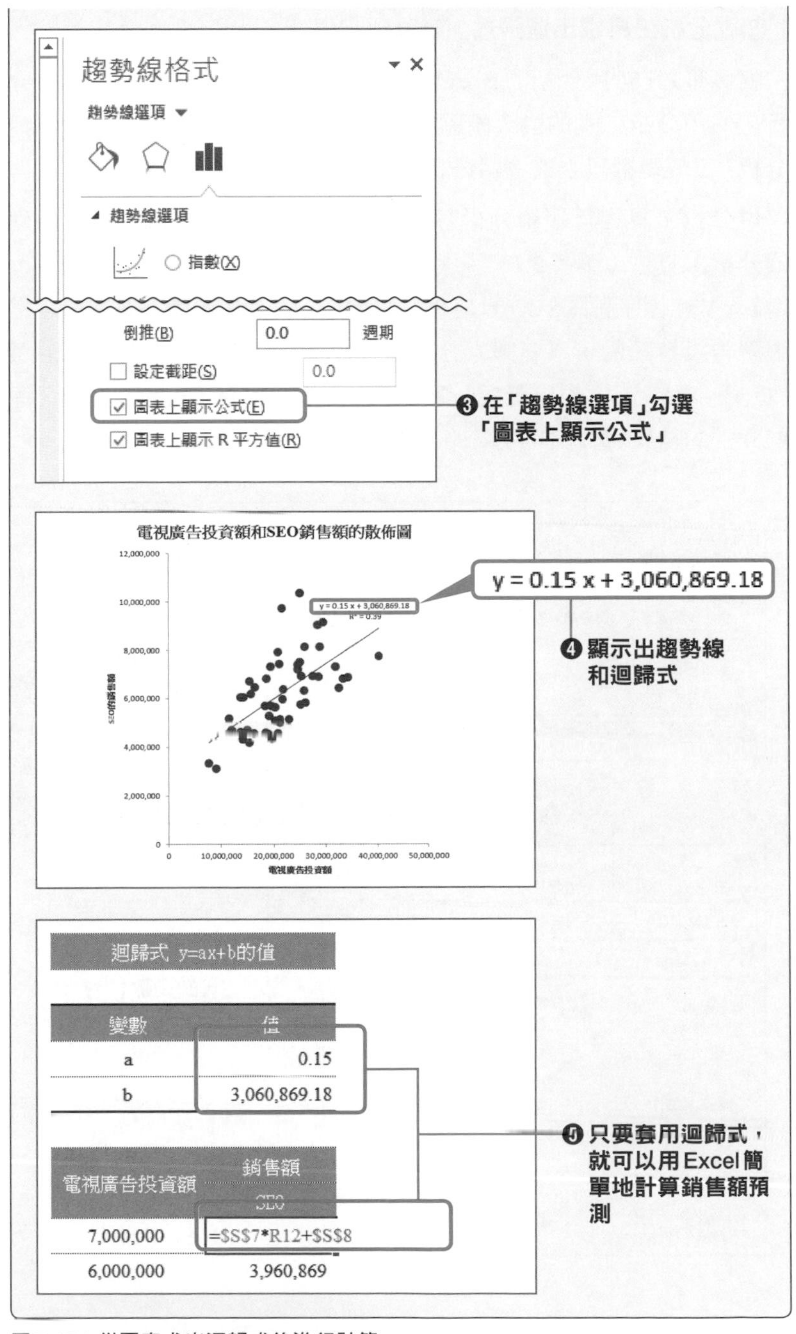

圖 5-17：從圖表求出迴歸式後進行計算

[②從分析工具求出迴歸式，計算預測值]

就算是P.156所介紹的Excel 的「分析工具」，也可以進行迴歸分析。使用分析工具的最大優點，就是可以做出三個變數以上的迴歸分析（三個變數以上的迴歸分析稱為「多元迴歸分析」）。

用分析工具進行迴歸分析時，就點擊「資料分析」圖示，從條列的分析工具中（參考P.157）選擇「迴歸」。「迴歸」對話框啟動後，「輸入Y範圍」選擇SEO的銷售額範圍，「輸入X範圍」則請指定電視廣告投資額的資料範圍（指定範圍的前端有項目名稱時，要勾選「標記」項目）。「輸出選項」選擇新工作表，點擊「確定」之後，迴歸分析的結果就會出現在新的工作表裡面（圖5-18）。

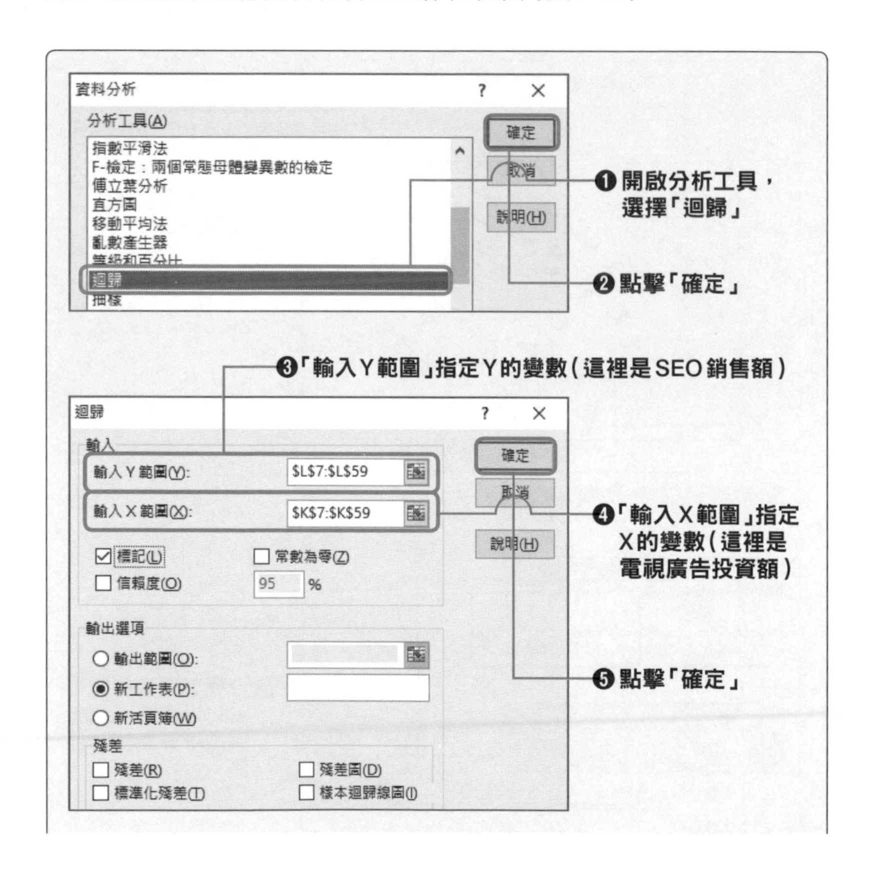

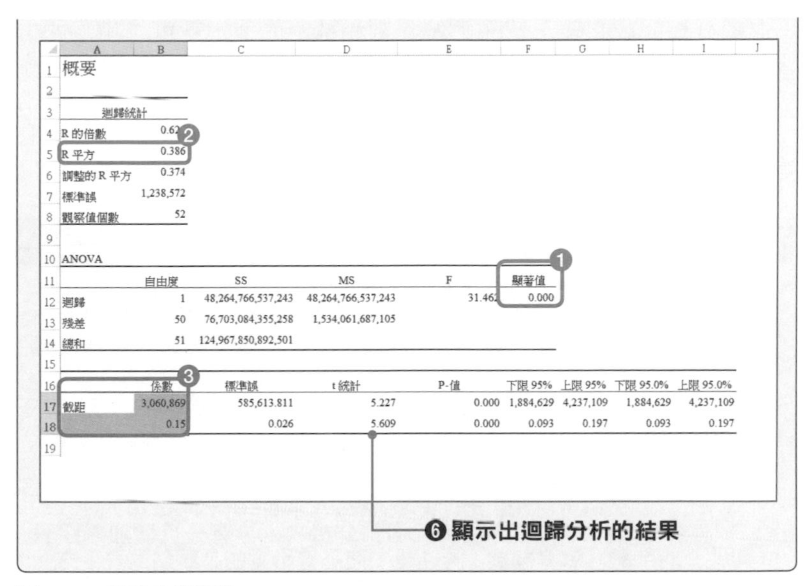

概要

迴歸統計	
R 的倍數	0.62
R 平方	0.386
調整的 R 平方	0.374
標準誤	1,238,572
觀察值個數	52

ANOVA

	自由度	SS	MS	F	顯著值
迴歸	1	48,264,766,537,243	48,264,766,537,243	31.462	0.000
殘差	50	76,703,084,355,258	1,534,061,687,105		
總和	51	124,967,850,892,501			

	係數	標準誤	t 統計	P-值	下限 95%	上限 95%	下限 95.0%	上限 95.0%
截距	3,060,869	585,613.811	5.227	0.000	1,884,629	4,237,109	1,884,629	4,237,109
	0.15	0.026	5.609	0.000	0.093	0.197	0.093	0.197

圖5-18：利用分析工具

工作表裡有各種不同的數字；不過應該檢視的數字只有三個。

首先是「顯著值」，請檢視這個項目的數字是不是小於0.05。這是可以了解迴歸式是否成立的值。當顯著值小於0.05時，這個迴歸分析可以判斷為「成立」。

關於這個數值的意思，就是代表迴歸式的所有值「有可能性為0的概率」。總之，請記住「數值越趨近於0越好」。

接著，檢查名為「R平方」的項目。

這是相關係數平方後的決定係數，代表迴歸式的「精準度」。數值範圍是0至1之間，數值越趨近於1，就代表迴歸式的精準度越高。

這個範例的數值約0.39（0.386），就代表「SEO的銷售額是電視廣告投資額的39%」的意思。

最後，請檢視一下「係數」欄位。這裡顯示出迴歸式y=ax+b的迴歸係數和截距。也就是說，這個範例導出了「y = 0.15x + 3,060,869.18」這樣的迴歸式。

迴歸分析完成之後，使用迴歸係數和截距的值，就可以和①的方法一樣，計算出SEO的預估銷售額。

此外，「迴歸統計」裡共列出了五個項目，這些都是表示「迴歸式是否適用」的變數，所以在此概略介紹一下。

項目名稱	概要
R的倍數	被稱之為「複相關係數(Multiple Correlation Coefficient)」。迴歸分析的時候，指的是「相關係數」。因此，取-1～1之間的值。越接近絕對值1，就代表迴歸式的精準度越高。
R平方	複相關係數平方後的值。代表資料整體的多少%可以利用迴歸式來說明。
調整的R平方	被稱為「調整後的決定係數(Adjusted R-Square)」。R的倍數、R平方在多元迴歸分析中，具有一旦增加說明變數，就會趨於1的性質，而不受影響的是調整的R平方。說明變數只有一個迴歸分析(簡單迴歸分析)時，不太需要理會這個數值；不過進行三個變數以上的多元迴歸分析時，就要透過這個數值來檢查迴歸式的精準度。
標準誤	代表從迴歸式求出的預測值的落差。這個數值越小，代表迴歸式的精準度越高。
觀察值個數	迴歸分析使用的資料數。

圖5-19：「迴歸統計」的各項目的意思

[③利用FORECAST函數來計算預測值]

使用FORECAST函數來計算預測值，其實是最快速的方法。只要採用這個方法，就可以在無視迴歸式的情況下，計算出預測值。另外，**這個方法和前兩個不同，因為不是以自行手動輸入迴歸式的迴歸係數和截距的方式來製作計算式，所以改變原始資料的時候，就可以即時改變預測值。**這是相當好用的函數，所以建議在了解迴歸式之後，加以使用。

只要輸入兩種過去的資料和預估的X值，FORECAST函數就可以計算出預估值。函數的語法如下。

FORECAST(x, 已知的y, 已知的x)

上述語法中的「x」裡指定預測用的值。以這次的範例來說，就是套用「電視廣告投資額」。

「已知的y」裡指定「過去的y的資料範圍」。以這次的範例來說，就要指定過去的SEO銷售額的資料範圍。

「已知的x」裡指定「過去的x的資料範圍」。以這次的範例來說，就要指定過去的電視廣告投資額的範圍。僅透過這樣，就可以製作出預估值（圖5-20）。

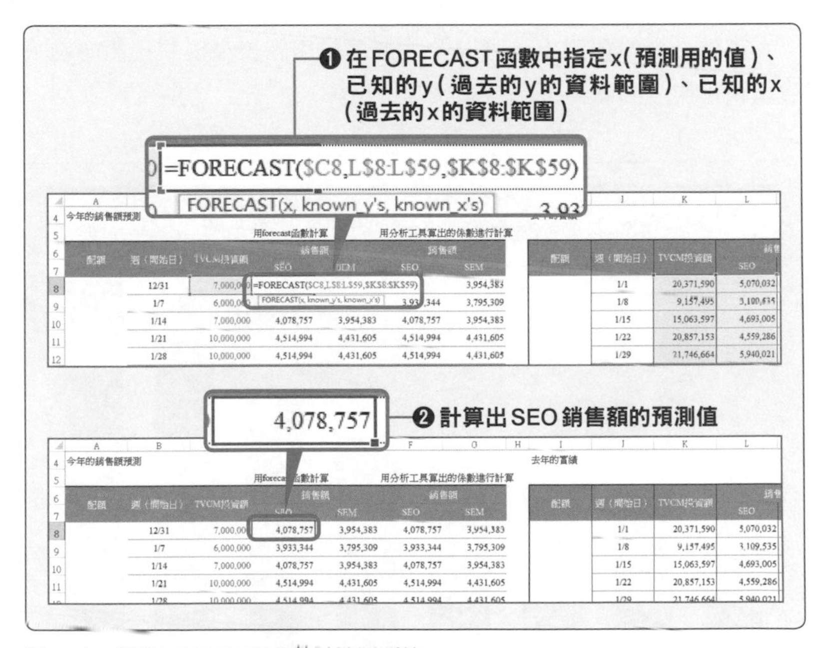

圖5-20：利用FORECAST函數計算預測值

以上，介紹了三個迴歸分析的方法。每個方法都有各自的特色；不過只要先記住①從散佈圖計算的方法和③使用FORECAST函數的方法即可。如果還游刃有餘的話，請再試著挑戰②利用分析工具的方法。

Section 08

〔模擬的製作〕

用趨勢分析來預測①

根據過去實績計算未來

趨勢分析是分解過去的資料，並且掌握銷售額、會員註冊數等變數為何上升或下降的原因。詳細已經在P.135解說過了，而這種趨勢分析不光是分析過去，也可以使用在未來的預測。簡單來說，**就是把過去的趨勢繼承到未來，藉此建立預測。**

在趨勢分析的預測中，可以像下圖那樣用圖表表現銷售額的過去實績和預測，因此具有容易閱讀的特徵。

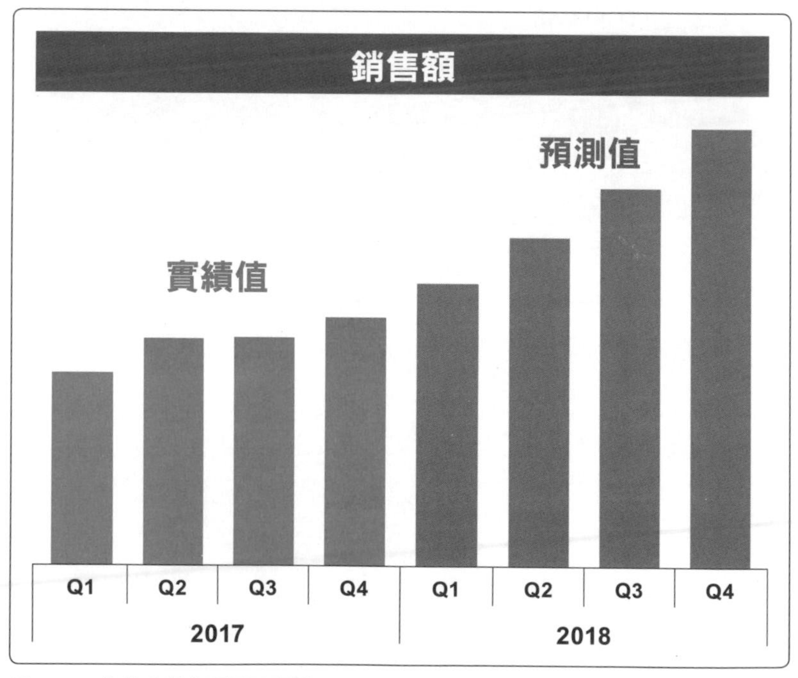

圖5-21：趨勢分析的預測示意圖

但是，如果把銷售額成長率的乘積，當成銷售額的預測，那樣的結果根本就稱不上是「預測」。

所謂的趨勢分析是把銷售額分解成「訪客」、「購買率」、「平均購買單價」等要素，並且進一步分析各要素的趨勢；而趨勢分析的預測則是藉由預測訪客、購買率、平均購買單價等要素的推移，自動地計算出銷售額預測。**像這樣透過「構成目的變數之變數」的變化來計算出目的變數的做法，才是趨勢分析的有趣之處**（詳細將在P.210進行解說）。

為什麼不直接用「銷售額成長率」來計算銷售額，而要讓訪客、購買率等要素成長之後再來進行計算呢？因為銷售額本身是自己無法直接操作的值。

自己能夠直接改善的部分應該是訪客、購買率、平均購買單價等要素。因此，努力在改善可以直接改善的數值，才能夠改善銷售額，這正是用趨勢分析所描繪出的結果。

設定目標時的思考方式

進行預測的時候，當然也必須設定「目標」，而建立目標的方法有兩種。第一種是設定「如果可以這樣該有多好」的理想目標；而第二種是根據現實所累積的數值來設定目標（順道一提，也有來自公司或上司蠻橫無理的目標要求如「你明年的目標是多少！」等，算是第三種方法。不過，這裡就省略不提）。

以我個人來說，不管是第一種還是第二種，這兩種目標我都會設定，也就是說我建議設定兩種目標。具體來說，我會用第一種方法設定直接目標（稍微高一點的目標）。例如，今年第四季的銷售額明明不到2億日圓，卻把明年第四季的的目標值設定為「3億日圓」。這個時候，我就會想說：「如果明年的第四季銷售額可以達到3億日圓，那該有多好！社長肯定也會嚇一跳吧！」然後，想像一下目標達成的情況，讓自己鬥志滿滿。

接著，透過趨勢分析計算應該讓主要數值成長多少，才能夠達到目標。請檢視一下計算結果，看看那樣的結果是否符合現實。如果符合現實的話，就可以把它設為直接目標。

再來是第二種方法，我也會試著設定現實性數值所堆積而成的目標。這個方法的優點是可以設定出可能達成的目標。可是，相反地其缺點就是缺乏「如果可以達到這個數字，那就太棒了！」的理想。因此，我認為同時採用這兩種方法，建立「直接目標」和「一般目標」兩種數值目標的做法，最為有效。

好目標的條件「SMART」

順道一提，就好目標的條件來說，有個名為「SMART」的條件。SMART是由「好目標的五個條件」的第一個字母所組成。

條件	概要
Specific（具體的）	明確且具體的。不是用「試試看」、「努力一下」之類的曖昧表現。
Measurable（可預測）	用「可測量的數字」設定目標。重要的是不論由誰來看，都可以清楚知道是否會達成。
Achievable（可達成）	可透過自己的努力達成。一開始就「無法達成」的目標，無法提高鬥志。
Realistic（現實的）	或許是挑戰性的目標；但應該切合實際。
Time-bound（期限明確）	應該決定好達成目標的期限。

圖5-22：SMART的法則

利用趨勢分析設定某些數值目標的時候，基本上都已經具備「具體的（Specific）」、「可預測（Measurable）」和「期限明確（Time-bound）」三個要素了。至於剩下的「是否能夠達成」和「是否切合實際」兩個要素，只要在進行目標設定時，透過計算的方式來滿足這兩個要素，那就更加完美了。

使用成長率計算也相當便利

利用趨勢分析進行預測，在輸入數值的同時，要思考希望讓訪客在各季增加多少%、讓購買率改善多少%、是否能夠提高平均購買單價。

然後，**在進行預測的時候，只要著眼於「成長率」，就會相當方便。**例如，「購買率」的標準會因為網路商城而有不同的差異。既然有購買率一旦下降10%，就會大聲驚呼「怎麼會這樣！」的網站，自然也會有購買率只有2%，卻仍被評斷為「還算可以」的網站。

我過去也曾經負責過購買率只有2%的網路商城。在那之前，我負責的網站的購買率大約是5%左右，所以我便基於「2%過低，所以要提升至5%」這樣的觀點，而推行各種不同的策略；不過最後還是沒有達到購買率5%。也就是說，對於我全新負責的網路商城來說，「5%購買率」根本是超乎現實的目標。

因此，最適合作為現實性評估值的是「成長率」。預測購買率的時候，也要計算過去的成長率，並思考以其為基礎的目標成長率。甚至，**只要套用「過去購買率×目標成長率」，就可以更容易做出切合實際的預測。**我在預測訪問率、購買率或銷售額等的趨勢時，也會使用成長率來進行計算。

本書的工作表範例是以P.142曾出現的「網路商城的銷售額」為例，進行了實際的趨勢分析，所以請務必參考。在趨勢分析的工作表中，要讓「購買率」在各季分別成長10%（這是相當具有侵略性的目標）；不過並非直接輸入購買率的數值，而是要乘上來目前季的成長率，計算目標購買率。

Section
09 〔模擬的製作〕用趨勢分析來預測②

使用成長率進行預測

介紹實際使用趨勢分析來進行預測的方法。最終呈現出的結果就會如圖5-23所示。上面是圖表，下面則是對應圖表的表格。實際的工作表請參考本書的工作表範例。

表格上半部（標色的儲存格）的數值是過去的實績值，下半部（空白的儲存格）的數值則輸入預測的未來數值。

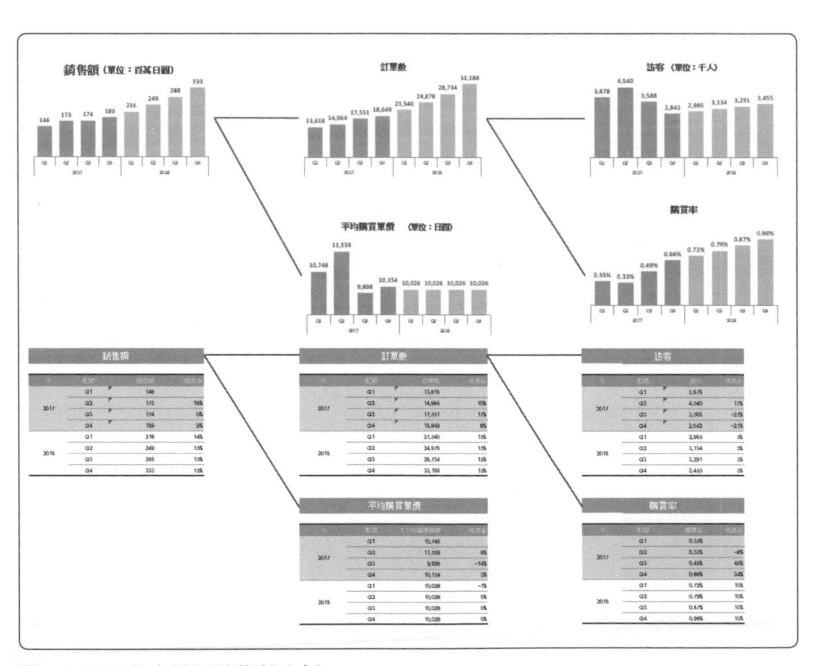

圖5-23：工作表範例的趨勢分析

關於製作步驟，先製作表格，接著再製作圖表。圖表的製作很簡單，重要的是表格部分。

工作表的表格分成「銷售額」、「訂單數」、「平均購買單價」、「購買率」、「訪客」五項，其中「銷售額」和「訂單數」的預測值可以利用下列的計算式導出。

> 銷售額＝訂單數 × 平均購買單價
> 訂單數＝訪客 × 購買率

因此，要在Excel輸入上述的計算式。例如，只要預先在「2018年1Q銷售額」的儲存格裡輸入「訂單數 × 平均購買單價」的計算式，再輸入2018年1Q的訂單數、平均購買單價，Excel就會自動算出銷售額數字（圖5-24）。

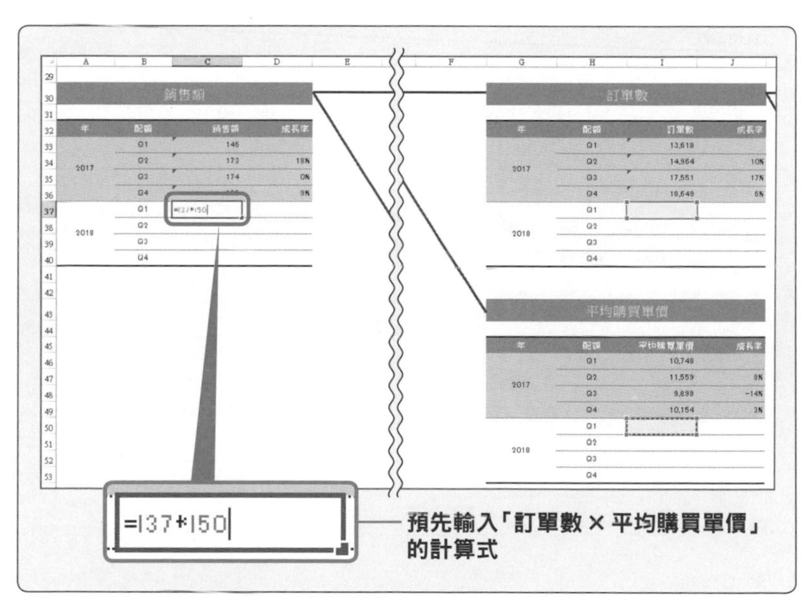

圖5-24：預先輸入計算式

另一方面，「平均購買率」、「購買率」、「訪客」的未來數字，就必須自行輸入。

在工作表範例中，「平均購買單價」幾乎沒有變化，所以就採用求出平均的AVERAGE函數，把2017的預測值全部設定為「2016的Q3和Q4的平均值」（圖5-25）。

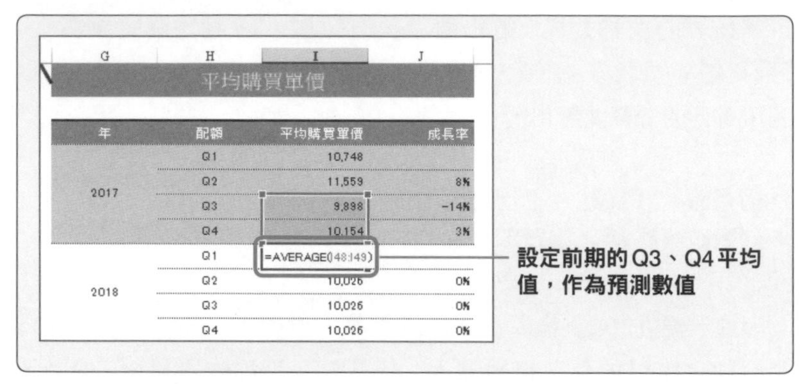

圖5-25：平均購買單價的預測

接著，「購買率」就像P.209所接觸的那樣，著眼在「成長率」來計算預測值（圖5-26）。

‖ 本期購買率＝前期購買率 ×(1+成長率)

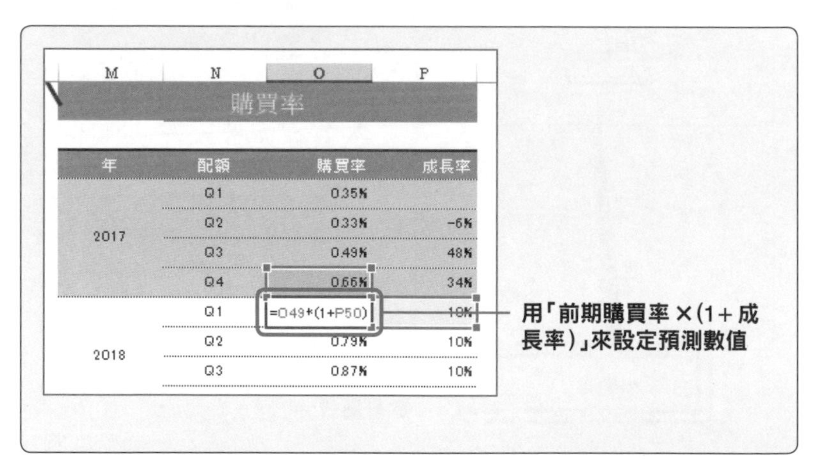

圖5-26：購買率的預測

最後，「訪客」的計算也和購買率一樣，根據成長率來進行計算；不過因為訪客數沒有小數點，所以要用把小數點捨去的INT函數來把數值調整成整數（圖5-27）。

‖ 本期訪客＝INT(前期訪客 ×(1+成長率))

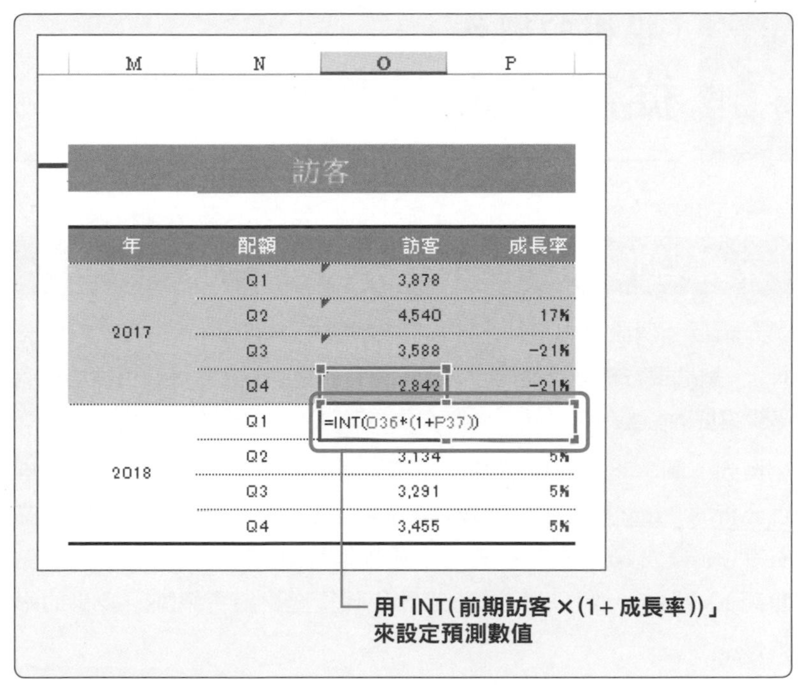

圖 5-27：訪客的預測

再者，表格中數值的文字顏色是根據製作模擬時的規則（參考P.186），請把計算的文字設為黑色、把直接輸入的數值設為藍色。這樣應該就可以一眼看出直接輸入的數值僅有「訪客的成長率」和「購買率的成長率」。

此外，試著用趨勢分析進行預測之後，應該可以從中找出「自己現在應該在哪個部分傾注全力」。例如，以我個人的觀點來看這次的預測，推測只要集中於「訪客」和「購買率」的成長，銷售額應該就能有所提升。這是利用趨勢分析進行預測的優點。或許單憑文章的閱讀，還是有難以理解的部分。總之，只要能夠粗略地想像「趨勢分析的預測」即可。之後，僅剩下實踐而已。剛開始依樣畫葫蘆即可，請務必試著親自動手預測看看。

Section 10

〔模擬的製作〕

從敏感度分析來預測

檢視兩個變數的變動影響之敏感度分析

介紹另一個設定目標或預測時可使用的分析，那就是「敏感度分析」。**敏感度分析可以在構成要素的值有所變動時，掌握對目標變數有多少程度的影響。**

例如，圖5-28是我以前擔任網路商城的顧問時，實際製作的敏感度分析的Excel。我把橫軸設為「訪客數（存取數）」、縱軸設為「購買率」並分成10階段，在表格中進行銷售額的計算（最左上方是銷售額）。藉此，就可以確認訪客數和購買率對銷售額賦予多少的影響程度。

現在的銷售額

橫軸為「訪客」

購買率 \ 訪客	1,500	2,000	2,500	3,000	3,500	4,000	4,500	5,000	5,500	6,000
1.87%	106,590	142,120	177,650	213,180	248,710	284,240	319,770	355,300	390,830	426,360
2.37%	135,090	180,120	225,150	270,180	315,210	360,240	405,270	450,300	495,330	540,360
2.87%	163,590	218,120	272,650	327,180	381,710	436,240	490,770	545,300	599,830	654,360
3.37%	192,090	256,120	320,150	384,180	448,210	512,240	576,270	640,300	704,330	768,360
3.87%	220,590	294,120	367,650	441,180	514,710	588,240	661,770	735,300	808,830	882,360
4.37%	249,090	332,120	415,150	498,180	581,210	664,240	747,270	830,300	913,330	996,360
4.87%	277,590	370,120	462,650	555,180	647,710	740,240	832,770	925,300	1,017,830	1,110,360
5.37%	306,090	408,120	510,150	612,180	714,210	816,240	918,270	1,020,300	1,122,330	1,224,360
5.87%	334,590	446,120	557,650	669,180	780,710	892,240	1,003,770	1,115,300	1,226,830	1,338,360
6.37%	363,090	484,120	605,150	726,180	847,210	968,240	1,089,270	1,210,300	1,331,330	1,452,360

縱軸為「購買率」

依照「購買率」和「訪客」的數字類別來算出銷售額

圖5-28：我實際製作的敏感度分析範例

順道一提，表格中的儲存格是用顏色來區分目標達成度。最深色是目標達成100％的數字，第二深色是目標達成75～99％的數字，第三深色的則是目標達成50～74％的數字。一旦像這樣區分，就算不細看數字，仍然可以一眼看出目標達成度。另外，為了表現出作為目標的銷售額數字，必要的訪客數和購買率也是一目了然。這個是敏感度分析的優點。

說個題外話，當時我還根據這份敏感度分析的表格，反覆做了「下個月的銷售額目標設定」、「為達成必要的訪客＆購買率所做的策略檢討」、「策略的實行＆反省」，進而改善了銷售額。通常，敏感度分析都是用來檢視變數的影響；不過感覺到可以當成轉動PDCA的工具來使用。

敏感度分析的活用法

那麼，就來檢視敏感度分析的具體性預測方法吧！這裡也跟趨勢分析一樣，以網路商城作為範例。在重新檢視去年的第4季的數字後，發現既有顧客和新顧客的訂單數和平均購買單價上有所差異。具體來說，新顧客的訂單數占了整體的60％；另一方面，新顧客的平均購買單價則比既有顧客低35％（圖5-29）。

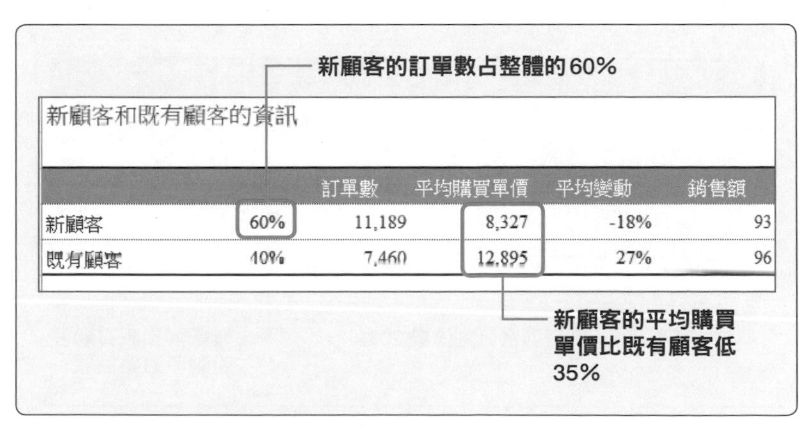
新顧客和既有顧客的資訊

		訂單數	平均購買單價	平均變動	銷售額
新顧客	60%	11,189	8,327	-18%	93
既有顧客	40%	7,460	12,895	27%	96

圖5-29：過去3個月的新、舊顧客資訊

身為行銷人員應該會浮現出「為了增加既有顧客的訂單數，是否該推出舊顧客限定的感謝優惠活動？可是，平均購買單價會不會因此而下降？」、「新顧客的平均購買單價偏低，所以是否該試著推出免運費活動？這樣一來，平均購買單價應該也會提升。」等各種不同的策略。

這個時候，最有效的判斷材料就是敏感度分析。在敏感度分析中，例如當平均購買單價往上下變動20%時，就可以確認會帶給銷售額多少的影響。

請檢視圖5-30，正中央的「189」是現在的銷售額。正中央往右的數字是新顧客的平均購買單價增加20%時的預估銷售額，同樣地，左邊的數字是平均購買單價減少20%時的預估銷售額。另一方面，正中央下方的儲存格是既有顧客的平均購買單價增加20%的預估銷售額，上方的儲存格則是既有顧客的平均購買單價下降20%時的預估銷售額。藉由這樣的排列，就可以輕易判斷出應該把既有顧客和新顧客的哪一方的平均購買單價提升至何種程度。**像這樣兩個變數上下變動時，用來檢視對目的變數的影響是敏感度分析的傳統做法。**

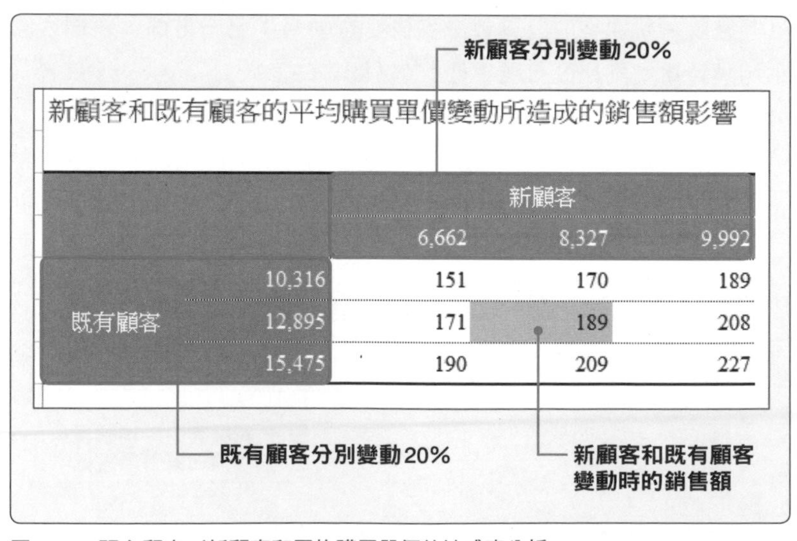

新顧客和既有顧客的平均購買單價變動所造成的銷售額影響

		新顧客		
		6,662	8,327	9,992
既有顧客	10,316	151	170	189
	12,895	171	189	208
	15,475	190	209	227

圖5-30：既有顧客／新顧客和平均購買單價的敏感度分析

敏感度分析的製作方法

也順便來介紹一下製作敏感度分析的步驟吧！最終呈現出的結果就如圖5-31。這裡也把活用在趨勢分析上的網路商城之銷售額舉成為例。實際的工作表請務必參考本書的工作表範例。敏感度分析的表格外部設置了「前提條件」和「模擬的變數」。只要改變這個變數（銷售額目標、訪客、購買率的成長率的值），敏感度分析的結果也就會即時地改變（參考P.219）。

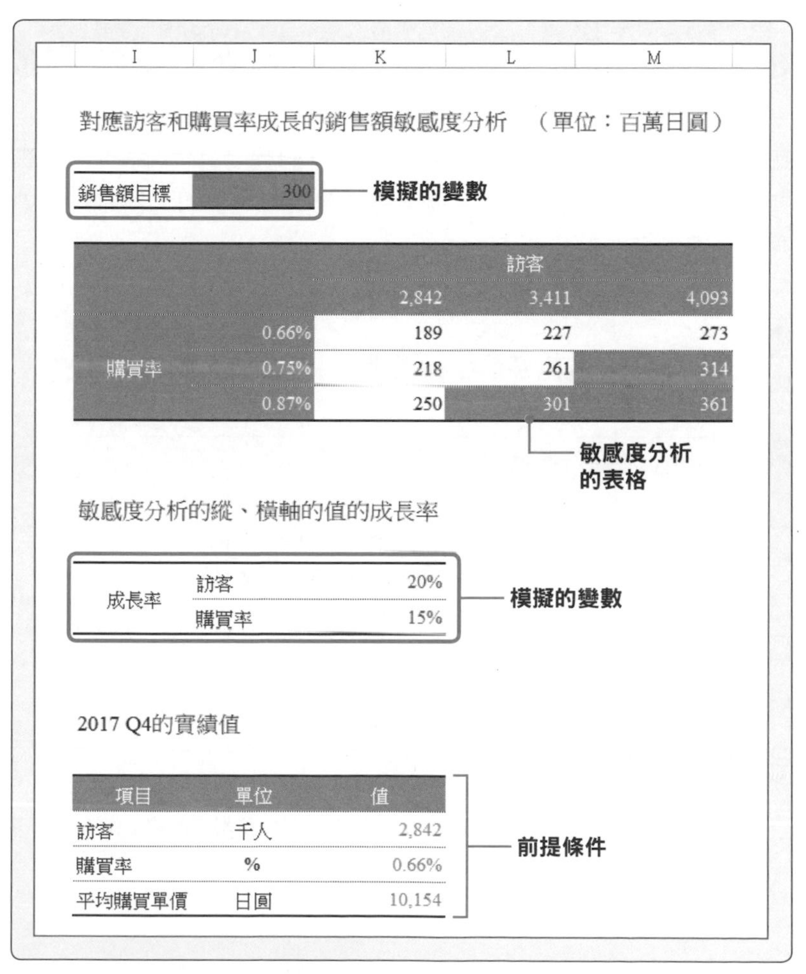

		訪客		
		2,842	3,411	4,093
購買率	0.66%	189	227	273
	0.75%	218	261	314
	0.87%	250	301	361

成長率	訪客	20%
	購買率	15%

項目	單位	值
訪客	千人	2,842
購買率	%	0.66%
平均購買單價	日圓	10,154

圖5-31：敏感度分析的預測示意圖

那麼，敏感度分析的製作和P.188所介紹的模擬建立步驟相似，可以透過下列三個步驟實行。

> ①列出前提
> ②製作敏感度分析的框架
> ③輸入敏感度分析的計算式

那麼，分別來檢視吧！

①列出前提

首先，輸入手邊現有的數值。在工作表中，把趨勢分析中所出現的「訪客」、「購買率」、「平均購買單價」的數字引用過來。藉由最初彙整「前提的數值」，就可以掌握手邊有哪些資料，同時在腦中加以整理（圖5-32）。

圖5-32：列出前提條件

②製作敏感度分析的框架

接著，製作進行敏感度分析的框架。縱軸放置「購買率」，橫軸放置「訪客」，檢視各個成長率對銷售額帶來的影響。再者，購買率、訪客一起參照①的前提條件的值；不過「成長率」的部分則建議記載在其他儲存格，並參照該儲存格進行計算。這樣一來，只要變更填寫在其他儲存格的成長率，銷售額的數字也會自動改變，就可以做出更具彈性的敏感度分析（圖5-33）。

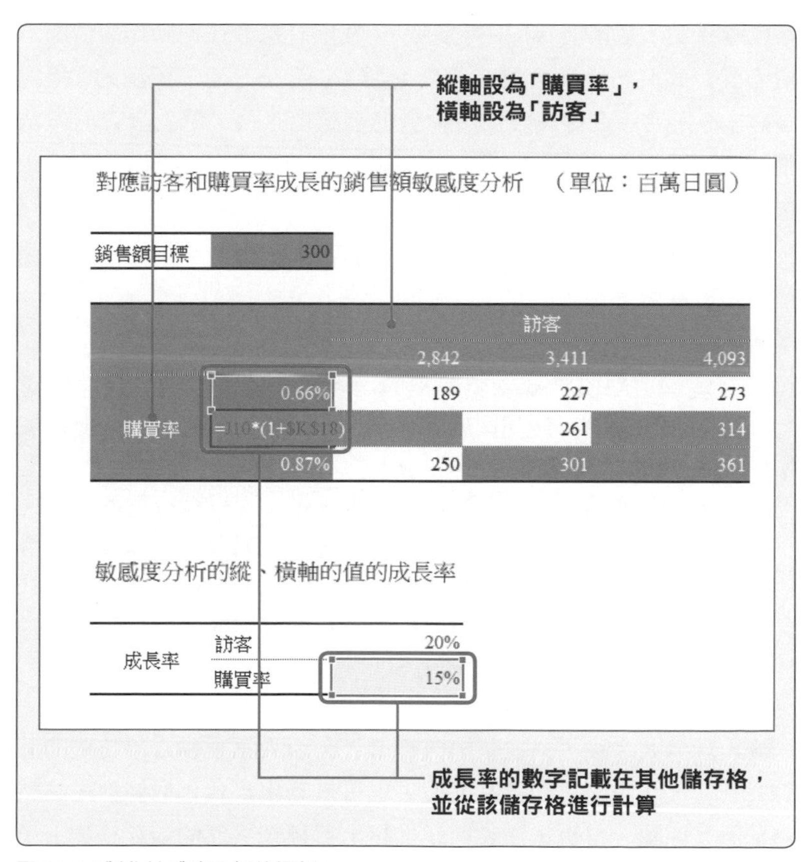

圖5-33：製作敏感度分析的框架

③輸入敏感度分析的計算式

最後進行敏感度分析的計算。這裡輸入下列的計算式。

> **銷售額＝平均購買單價×訪客×購買率**

再者，也可以如同一般用計算式指定參照儲存格；不過這個時候，要是分別使用絕對參照和相對參照的話，將會更加便利。

在Excel中，一旦把計算式複製到其他的儲存格，參照中的儲存格也會移動。這就稱為「相對參照」（在沒有採取任何動作的情況下輸入計算式時，全部會變成相對參照）。另一方面，所謂的「絕對參照」是指就算進行複製也不會調動參照儲存格。絕對參照的做法很簡單，只要在希望絕對參照的欄或列前面加上「$」即可。把$想像成「圖釘」，或許就能更容易理解。

請檢視圖5-34。左上方的儲存格就像下列這樣，分別使用絕對參照和相對參照。

> - **平均購買單價希望參照前提的儲存格，同時希望不論怎麼複製，都會隨時參照相同的儲存格，所以就在欄和列的兩邊都加上$，變成「$K$28」。**
> - **訪客希望複製到旁邊時參照目標會移動；不過就算垂直方向複製，也不要移動參照列，僅把列設定為絕對參照。因此，採用「K$9」，僅在列編號的前面加上$，固定列的部分。**
> - **購買率是希望僅在水平方向複製時不要移動欄，所以設定成「$J10」，只在欄的前面加上$。**

輸入計算式之後，只要藉由自動填入，埋入垂直和水平位置的計算式，便大功告成。如果有需要，也可以利用格式化的條件，讓整體更清楚明瞭。這份工作表則是把超出目標銷售額的儲存格標上了顏色。

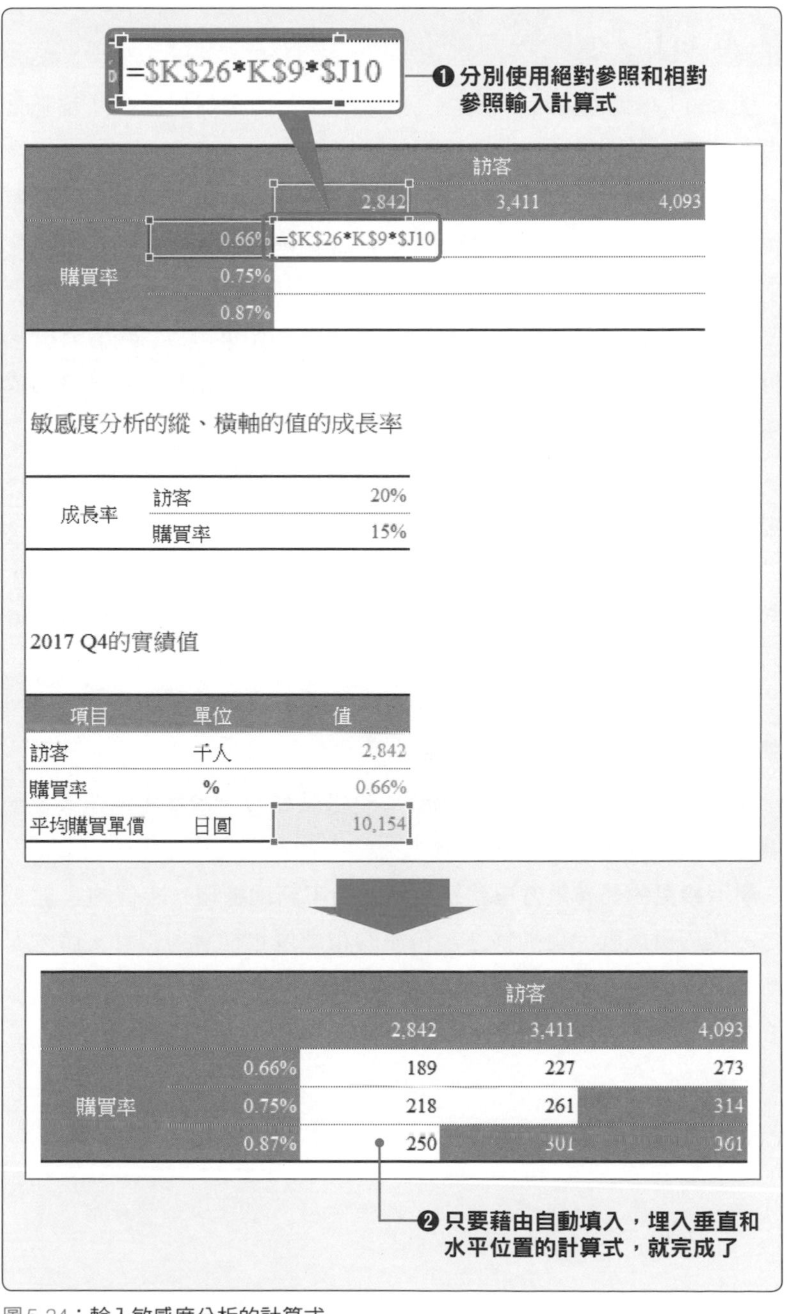

圖 5-34：輸入敏感度分析的計算式

反覆的練習！

前面從「模擬的方法」開始，逐一解說使用「迴歸分析」、「趨勢分析」、「敏感度分析」進行銷售額預測的方法。

老實說，在實際進行簡報的時候，如果可以事先備妥「樂觀案例」、「一般案例」、「悲觀案例」等三種模擬的話，那就更加理想了。

另外，模擬的結果除了表格的呈現之外，如果可以善用直條圖、折線圖，讓聽取簡報的對象更輕易了解銷售額的推移、可削減的成本或是成本效果，應該就能大幅提高說服力。

本書的工作表範例用趨勢分析實際製作了三種模擬案例，並且還把模擬結果製成了圖表，請大家務必參考。

模擬是「預測未來」，所以或許很多人認為「很困難」、「自己辦不到」。如果透過前面的解說，可以讓大家產生「搞不好自己也辦得到」的想法，那就太令人開心了。

只要學會前面解說的模擬方法、從各分析導出預測的技巧，應該就可以讓大家在實務上更加活躍。

或許有些內容讓人覺得「很難」；不過請務必一邊參考工作表，一邊反覆的練習。

學習模擬的最有效方法就是從零開始不斷地練習。練習的次數越多，技巧自然就能更加精進，預測的精準度也能有所提升。請大家務必反覆練習，努力提升自己的「商務能力」。

Chapter 06

最後，解說報告、簡報資料的製作方法。

就算分析、模擬再怎麼完美，

如果不能傳達給對方，那就沒有意義了。

只需要再下點功夫，就能提高表格、圖表的易讀性。

配合報告、簡報的基本，一併進行介紹。

〔基礎知識〕

Section 01 報告、簡報資料製作的目的和注意事項

報告、簡報的目的

在實務上進行前面所學習的統計、分析、預測之後，就必須向上司或顧客進行簡報或報告。

基本上，簡報的目的就是「促使人採取動作」。就是讓對方了解、接納簡報的內容，然後採取某些行動。因此，行銷人員必須製作「更淺顯易懂的簡報資料」。**如果看了簡報資料的對方，可以在3秒內理解你想傳達的訊息，那就是最理想的。**因此，必須把簡報資料裡面的圖表、表格製作得更臻完美、更淺顯易懂。

就算使用相同的資料，隨著製作的圖表不同，傳達的方式也會有很大的改變。接下來就來介紹製作報告、簡報資料的各種技巧。

「自己用的資料」和「給人看的資料」的差異

剛開始希望大家記住的事情是「自己用的資料」和「給人看的資料」的差異。前面曾說過「資料應該要淺顯易懂」的話；不過並不代表所有的Excel工作表都要淺顯易懂才行。在工作上，「速度」也很重要，所以「只給自己看的資料」並不需要花費時間去調整格式。首先，**請先判斷那份資料是「給自己看？還是給別人看」。**每天可以使用的腦力相當有限，所以應該把精神集中在重要的事情上面，盡量不要把精神花費在無謂的事情上頭。

每天可使用的腦力相當有限

圖6-1：把精神集中在重要的事物上

「簡單」是易讀資料的關鍵字

就像前面所說的，「給別人看的Excel資料」必須淺顯易懂。那麼，什麼樣的資料才算是「容易閱讀的資料」呢？

我深信「簡單的資料就是容易閱讀的資料」。代表20世紀的建築師路德維希・密斯・凡德羅（Ludwig Mies van der Rohe）說過「Less is more」這句話，也就是「簡單就是美」的意思。我很喜歡這句話。

擁有大量熱情粉絲的蘋果公司也一樣，他們的產品都會盡可能採用簡單的設計。蘋果最頂尖的首席設計師強尼・艾維（Jonathan Ive）也在產品發表會上說過：「為了盡可能簡化產品，我們會在試行錯誤之後，從零開始重新設計。」從這裡便可窺見到，他們以簡單為目標，追求淺顯易懂的態度。

Excel的表格和圖表也一樣，盡量刪除多餘的部分，力求簡單，藉此浮現出想傳達的內容。而那樣自然就會製作出「傳達想傳達的內容的資料」。

Section 02

〔基礎知識〕

思考說服對象的「需求」

簡報對象想要的是什麼？

製作簡報資料時，最重要的事前準備就是「了解簡報對象的需求」。只要直接向對方詢問：「你的需求是什麼？」就好了；然而往往卻是不可行的，所以站在對方的立場來想像對方的需求，就變得非常重要。

尤其對行銷人員來說，掌握對方的需求，更是相當重要的技巧。比起「站在對方的立場」，如果可以用「靈魂出竅，進入對方身體」那樣的心情去做思考的話，那就更完美了。

福特汽車的創始人亨利・福特（Henry Ford）也曾留下這麼一段話。

「如果成功有什麼秘訣的話，那就是了解他人的立場，並站在自己立場的同時，也可以從他人的立場去檢視事物的能力。」

亨利・福特

你也一樣，請務必從平常開始留意「站在他人的立場去做思考」。這樣一來，技能就會逐漸培養起來。

順道一提，站在簡報對象的立場進行思考時，一旦意識到下列兩點，就能更快掌握訣竅。

①思考簡報對象的「立場」
②思考對簡報對象而言的「好處」

接下來就進行更詳細的解說吧！

[①思考簡報對象的「立場」]

首先，思考簡報對象是什麼樣的人、有什麼樣的立場。例如，「課長旗下有10名部屬」、「這個課長的上司曾做過顧問，對數字相當敏感」、「然而課長本身對數字不太敏銳，所以只要資料裡面加進就算直接呈給上司看也沒關係的定量性資料，似乎就沒問題了」……之類的具體思考是最重要的。

[②思考對簡報對象而言的「好處」]

接著，具體思考對簡報對象而言的好處是什麼。如果對方要求提出目標的話，「目標的達成」便是對方的好處。

這個時候，只要能夠簡報對該目標有多少貢獻，肯定能讓對方感到開心。

「提問」也很重要

如果有機會和對方直接面對面談話，「提問」也是非常重要的事情。**如果可以抱持著「希望幫助對方」的心情來提問，那就是最棒的。**然後，提問的時候，至少要掌握下列四點（引用來源：青木毅 提問型業務）。

- 現狀（現在是什麼樣的狀態）
- 欲求（對方希望怎麼做）
- 課題（各種課題中，認為最重要的課題是什麼）
- 期待（對自己有什麼樣的期待）

關於第四點「期待」的目的是為了掌握對方的期待值；而對簡報者來說，就是要思考超乎對方期待的企劃，希望讓對方感到驚喜。

〔基礎知識〕

Section 03 用PREP法製作淺顯易懂的簡報內容

進行簡報的時候，「簡報的組織架構」也很重要。製作簡報內容的組織架構時，建議採用名為「PREP」的觀念。PREP的觀念不光是口頭上的報告，同時也可以應用在文章或簡報資料的組織架構。接下來就進行說明吧！

PREP各個單字所代表的意思如下。

P：Point（結論）
R：Reason（理由）
E：Example（案例）
P：Point（結論）

那麼，接下來試著基於PREP的結構來撰寫文章。請想像一下向課長進行課內懇親會提案的情境。部長也預定參加那場懇親會。

Point（結論）
課長，下次的公司內部懇親會去吃什錦燒吧！

Reason（理由）
部長喜歡吃什錦燒。另外，部門裡的女性員工也推薦了一家什錦燒店，聽說味道很不錯，而且生啤酒一杯只要350日圓，價格也很合理。

Example（案例）
部長2年前參加的懇親會也是在什錦燒店，當時的氣氛很熱絡，大家都很滿意。另外，那個時候的花費也不高，所以部長還誇獎課長「幫公司省錢」。

Point（結論）
所以，這次的懇親會就去什錦燒店吧！

圖6-2：PREP的內容架構

大家覺得如何？用PREP組織出的內容架構，是不是相當有說服力？PREP的優點有下列三點。

[①從結論開始說起]

先說結論，就可以讓聽話者馬上知道你想說什麼。**很多人都會先從背景開始說起，那個時候，大部分的聽眾心裡都會想著：「到底想說些什麼？」**在商場上，從結論開始說起是很重要的事情。

[②不光是「理由」，還要加上「案例」]

為了做出邏輯性的說明，支持結論的「理由」也相當重要。可是，人未必可以單靠邏輯就能夠勸服。另外，一旦只說明理由，就會變成抽象且主觀性的內容，有時也很難讓對方產生想像。因此，如果在說明理由之後，再列舉出「具體範例」，就會使內容變得更加具體，同時也能瞬間豁然開朗。

[③最後不要忘了結論]

最後，再次以結論來作為結尾，就可以把原本的主張確實傳達給對方。如果真的想把自己的主張傳達給對方，最後的結論是非常重要的，千萬不能忘記。

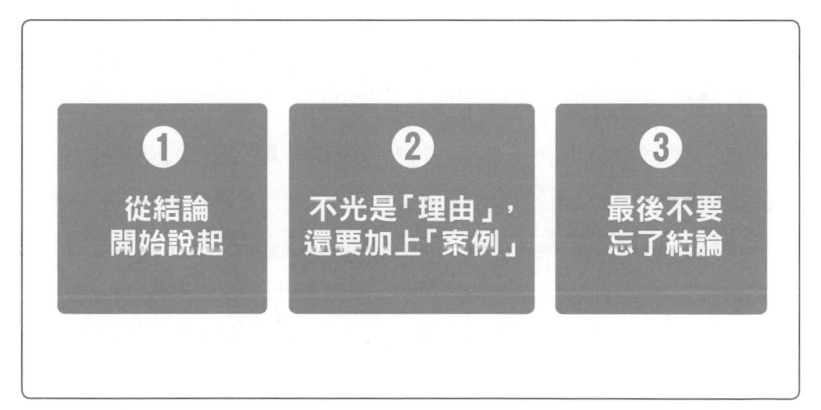

圖6-3：PREP的流程淺顯易懂的理由

Section 04 〔基礎知識〕

資料做成最低需求量

分別準備簡報資料和Appendix

如果在製作簡報資料之前，進行大量的調查、分析、模擬，就會想把所有資料都放進簡報資料裡面。「想讓大家看到我用心、努力的證據！」這樣的心情是難免的；不過一旦這麼做，簡報的內容過度膨脹，就會變成想說的話無法傳達的資料

就像前面所說的，「簡單」是淺顯易懂資料的關鍵字。因此，簡報資料量也要以最低需求做成濃縮的內容，才是最理想的。

未能收納到資料裡面的其他調查、分析、模擬結果，**只要以不同於簡報資料的「Appendix（附屬資料）」形式準備起來即可。**然後，當對方提問的時候，就可以馬上拿出相關資料來回答。這樣一來，簡報對象的內心裡應該會產生「這傢伙真能幹」的想法吧！

簡報短一點，問答多一些

假設簡報用的會議時間有1小時，簡報時間限制在20分鐘左右，剩下的40分鐘用來進行問答，是最為理想的方式。為什麼呢？因為人類的集中力沒辦法持續那麼長的時間。

另外，簡報結束之後，請對方提出問題，**就可以藉此消除簡報中未能涵蓋到的「對方所抱持的疑問」。**搞不好在問答的過程中，還可以深入挖掘到對方認為「重要」的部分。

透過那樣的互動時間，應該就可以加深簡報對象的理解度。

因此，就算簡報可能沒辦法在預定「20分鐘」內完成，製作簡報的時候，還是要盡可能預留問答的時間。

最糟的情況是會議時間明明有1個小時，卻遲到了10分鐘，然後用投影機投影簡報資料的時候又浪費了15分鐘，結果因為太過驚慌，把剩下的35分鐘全花在簡報上頭，而且簡報對象還必須在聽完簡報之後，馬上進入下個會議，這種情況也是可能發生的。為了避免發生這樣的失誤，最好可以在事前確實做好準備。

加進最低需求的內容

就算沒辦法把努力製作的分析、模擬結果全部加進簡報資料裡面也沒關係。只要把透過那些作業所「得知的事物」全部集中在一起，就足以把你想傳達的內容確實傳達給對方了。

因此，要時時提醒自己，簡報的內容要濃縮成最低需求的「重要內容」，並做到簡單且淺顯易懂。

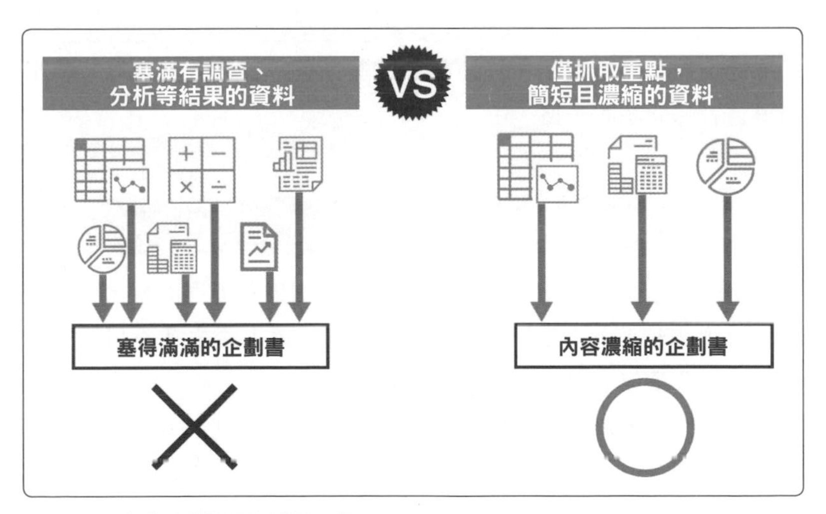

圖6-4：內容濃縮的簡單資料最理想

〔易讀性表格的製作方法〕

Section 05 用來製作易讀性表格的三個規則

接下來，終於要解說具體的資料製作方法了。首先，就從「表格」的製作方法開始。

「易讀性表格」是什麼樣的表格呢？**我認為易讀性表格應該是「即使不用解說，也能夠傳達內容的表格」。**例如，蘋果公司的iPhone和iPad擁有就算沒有使用手冊也知道怎麼使用的介面。表格也一樣，應該做成就算不用解說也可以傳達的表格。

為了製作易讀性表格，只要注意下列三點，就沒問題了。

①字型大小和字型
②框線的畫法
③項目的標色

那麼，逐一進行說明。只要記住這些規則，任何人都可以製作出簡單且容易閱讀的表格。

①字型大小和字型

表格中的字型大小和字型要全部統一。如果有不同的話，看的人或許就會去猜測「設定不同的背後含意」。讓人產生多餘想法的表格，往往會讓對方覺得有壓力。

Excel預設的字型大小是12pt，直接使用就可以了。至於字型部分，日本語的話，就設定為「MS PGothic」；英語的話，則設定為「Arial」。每一台電腦都有安裝這些字型，而且兩者都屬於容易閱讀的哥德系列，可以安心使用。

此外，表格內的字型大小雖是共通的；不過表格標題一旦比表格內的文字大上兩成左右，就會更加容易閱讀。

②框線的畫法

第二個是框線的畫法。首先，要把工作表背景上的格線清除。清除格線的方法很簡單，只要在功能區的「顯示」中把「格線」的核取方塊取消勾選即可（圖6-5）。或者，按下「Ctrl」+「A」鍵或點擊Excel工作表的最左上方，在選擇所有儲存格之後，再用白色填滿儲存格，也是OK。

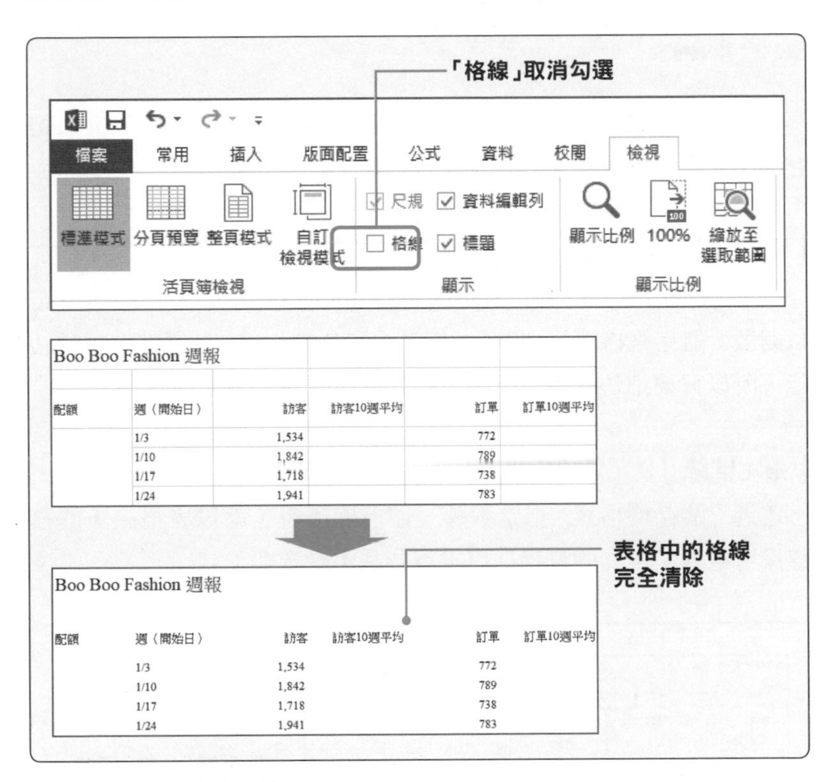

圖6-5：清除工作表的格線

接著，繪製表格的框線。框線也要盡可能簡單，僅用橫線來製作表格。**最上面和最下面採用粗線，中間的框線則使用虛線（圖6-6）**。如果沒有特別必要的話，就不要使用直線。從圖例就可以明顯看出，因為文字本身是靠左對齊，加上把數字和數字的項目設定為靠右對齊，所以就可以自然和相鄰的儲存格區隔開來。

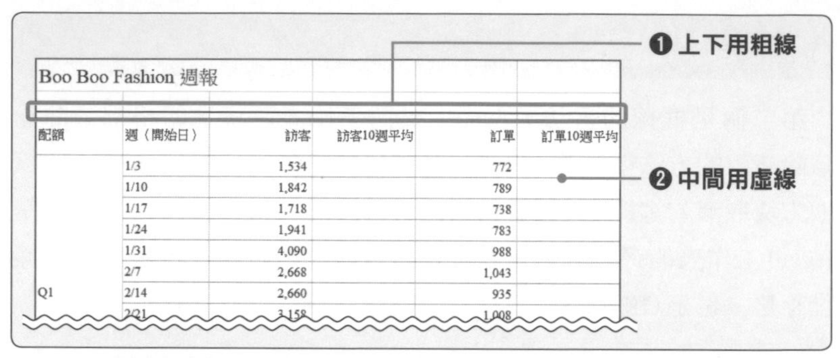

Boo Boo Fashion 週報					
配額	週（開始日）	訪客	訪客10週平均	訂單	訂單10週平均
	1/3	1,534		772	
	1/10	1,842		789	
	1/17	1,718		738	
	1/24	1,941		783	
	1/31	4,090		988	
	2/7	2,668		1,043	
Q1	2/14	2,660		935	
	2/21	3,158		1,008	

圖6-6：繪製框線

關於框線的畫法，只要透過下列的兩個步驟來繪製即可。一次把它記下來，以後每次製作表格時就不用去思考（圖6-7）。

[開啟「儲存格格式」]

按下「Ctrl」+「1」鍵（Mac則是「Command」+「1」鍵），就可以開啟「儲存格格式」。另外，因為「儲存格格式」是經常使用的功能，所以只要把快捷鍵記下來，操作就可以更加快速。

[指定框線]

透過「儲存格格式」指定框線。如前面所說，就以表格上下的橫線採用粗線、中間的框線採用虛線為基本設定吧！

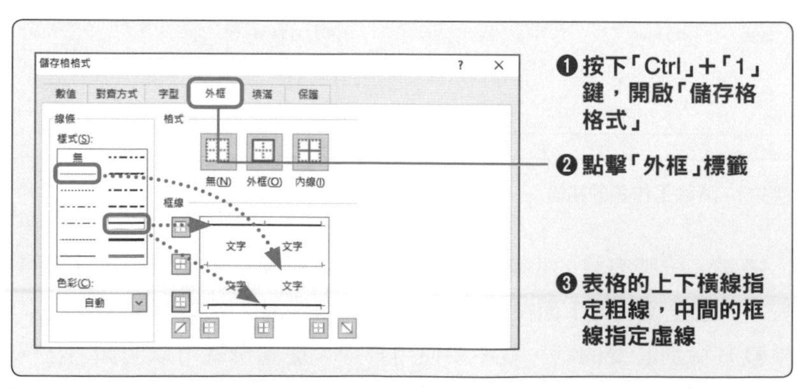

圖6-7：外框的畫法

③項目的標色

藉由在項目上標色，就可以清楚區別項目和數值。顏色可以採用較淺的色彩鋪底；不過如果是採用深色，就要把文字設定成白色。關於顏色的選用方法，可以採用自家公司的企業色彩，如果是提交給顧客的提案資料，採用接近該公司的企業色彩亦可。。

一旦套用這三個規則，就會完成像圖6-8那樣的表格。

請務必基於這三個規則，試著製作表格看看。**只要一次把它記下來，就可以在不多做思考下製作出易讀性表格。**另外，也可以視狀況不同，照著自己的方式去尋找「這樣做更容易閱讀」的規則。

Boo Boo Fashion 週報

配額	週（開始日）	訪客	訪客10週平均	訂單	訂單10週平均	銷售額	銷售額10週平均
	1/3	1,534		772		3,269,420	
	1/10	1,842		789		3,196,239	
	1/17	1,718		738		3,176,352	
	1/24	1,941		783		3,214,215	
	1/31	4,090		988		4,114,032	
	2/7	2,668		1,043		4,250,225	
Q1	2/14	2,660		935		4,098,105	
	2/21	3,158		1,008		4,244,688	
	2/28	2,925		836		3,669,204	
	3/6	2,721	2,526	896	879	3,919,104	3,715,158
	3/13	2,600	2,632	820	884	3,374,300	3,725,646
	3/20	2,930	2,741	827	887	3,543,695	3,760,392
	3/27	4,180	2,987	780	892	3,396,120	3,782,369
	4/3	5,202	3,313	1,017	915	4,090,374	3,869,985
	4/10	5,270	3,431	1,083	925	4,366,656	3,895,247
	4/17	6,262	3,791	1,077	928	4,394,160	3,909,641
	4/24	5,421	4,067	1,092	944	4,572,204	3,957,051
	5/1	2,730	4,024	990	942	4,141,170	3,946,699
	5/8		4,146		954		3,977,531
Q2	5/15		4,324		961		3,984,835
	5/22		4,571		981		4,072,054
	5/29		4,844		1,007		4,160,114
	6/5		4,977		1,052		4,312,913
	6/12		4,921		1,061		4,308,348

圖6-8：表格的完成圖

〔易讀性表格的製作方法〕

Section 06

數字要和「比較對象」一起展現

數字因為有「比較對象」而有意義

數字本身並沒有任何意義。和其他數字加以比較之後，數字才會產生所謂的意義。因此，**展現數字時一定得要列出「比較對象」**。「比較對象」有各式各樣，這裡就來介紹一下。

例如，假設圖6-9的資料是第二季的店鋪訂單數。最新的數字是「990」；不過這個數字該怎麼判斷才好呢？一旦光檢視這個，就只知道「數字比其他週來得差」而已。

季	週	訂單數
Q2	4/3	1,017
	4/10	1,083
	4/17	1,077
	4/24	1,092
	5/1	990

圖6-9：第二季的店鋪訂單數

那麼，如果把它重新修正成圖6-10，結果會是如何？這裡增加了三種「比較的數值」。藉由比較數值的存在，可以明白數字頓時增加了意義。針對各個的比較對象來做個簡單的介紹吧！

季	週	訂單數	訂單數的10週間平均	較上週成長率	較去年成長率
Q1	3/6	896	879	7%	51%
	3/13	820	884	−8%	22%
	3/20	827	887	1%	45%
	3/27	780	892	−6%	31%
	4/3	1,017	915	30%	65%
Q2	4/10	1,083	925	6%	97%
	4/17	1,077	928	−1%	66%
	4/24	1,092	944	1%	65%
	5/1	990	942	−9%	44%

圖6-10：增加比較對象之後的表格

[10週間平均]

「10週間平均」正如字面的意思，就是指最近10週間的平均，所以各週的上下變動呈現平穩。如果最近的訂單數超出10週間平均的話，我多半會把它判斷為還不算差的數值。

[較上週成長率]

和上週相比時的成長率也有利於判斷。從上表來看，「990」這個數字和上週成長率相比，結果為「－9％」，便可得知比上一週下降9％。可是，和上週相比屬於比較短見的視野，所以並不會因為數字下滑而感到沮喪。只要在數週期間提升即可，所以應該思考如何提升這個部分。

[較去年成長率]

一旦有和1年前的數字相比時的成長率，就可以看出「相較於去年，成長了多少」。一旦和1年前的數字相比，就要把「季節主因」一併納入考量。

假設，每年在盂蘭盆節的時期，銷售額都會變差。今年盂蘭盆節時期的銷售額，如果和上個月的相同週間相比，當然就會比較差。可是，如果和去年的盂蘭盆節時期相比，卻有成長的話，便可判斷出這樣的訂單數並不算是慘淡。

依業種特性的不同，也有重視「前季成長率」的情況。例如，成長顯著的產品，比去年成長許多的情況較為明顯，所以就要以比上季成長多少為目標，這樣的案例也是有的。

相比較的數值要配置在附近

這裡以「訂單數」為例，試著製作了和當前訂單數比較的數值，從結果可清楚了解到，因為有了比較的數值，表格才會更有意義。

另外，在前面圖6-10的表格中，把「比較的數值」擺放在當前數值的右鄰。像這樣把相比較的數值配置在附近，也是基本的鐵則。

〔易讀性表格的製作方法〕

Section 07 儲存格或圖表的顏色太多！最多「兩色」就好

盡量減少使用的顏色

盡可能減少Excel工作表所使用的顏色是使資料更容易閱讀的訣竅之一。一旦隨著紅色、藍色、綠色、黃色等各種顏色的增加，資訊量也會跟著變多，結果就會變成他人不易閱讀的圖表。

以「Less is more」的概念為原則，請用最低需求的顏色來統一資料。色彩最多使用「兩色」就好。

或許也有人認為「圖表如果不使用顏色，反而不容易閱讀」。的確，例如，折線圖的線條較多的時候，如果只使用2種顏色，就會出現相同顏色的折線，因而難以區分。這種時候，**只要以基調色彩為基礎，靈活運用深色、淺色，就可以製作出漂亮的折線圖。**

順道一提，一旦使用在資料上的顏色不多，就會有兩個好處。

> ①可減輕閱讀者的視覺負擔
> ②資料就算被影印成黑白，也容易傳達內容
>
> 那麼，分別來看看詳細說明吧！

①可減輕閱讀者的視覺負擔

儲存格、折線一旦使用太多顏色，就會給看資料的人帶來壓力。相反地，就算是較少的色彩數量，仍然可以藉由其他巧思來適當傳達希望傳達的內容。

例如，假設想要用折線圖來表現自家公司的銷售額急遽成長的情況。如果同時加上競爭公司A、B的銷售額折線圖來作為比較對

象，就會形成共計有三條折線的折線圖。

這個時候，希望傳達的是「自家公司的銷售額急遽成長」，所以用深藍色來表現，這會使其最顯目。

另一方面，如果競爭公司A的折線使用淡藍色、競爭公司B的折線用水藍色來表現，就可以讓整體更一致、更容易閱讀，同時也能徹底傳達希望傳達的內容（參考P.252）。

②資料就算被影印成黑白，也容易傳達內容

自己製作的資料除了直接提供給簡報對象之外，有時也會有由其他人發佈給其他人的情況。

如果是透過電子郵件傳送的話，就可以在彩色狀態下傳送出去；不過，如果是紙本，或許會有被影印成黑白文件後再轉交給其他人的情形。

這個時候，就會希望**就算資料被影印成黑白，還是可以充分傳達希望表現的內容。**

只要用單一色彩的濃淡為折線圖加上顏色，就算被影印成黑白資料，還是能夠以自家公司的銷售額是深灰色，競爭公司的銷售額是淡灰色的方式來加以表現，所以就不會影響到希望傳達的內容。

如果用紅色、綠色、藍色來表現的話，在資料被影印成黑白的時候，每個顏色都會變得類似，進而使資料變得不容易閱讀。

所以盡可能減少表格、圖表，甚至是簡報資料所使用的顏色，有相當大的好處。

為了避免濫用大量顏色，製作出猶如存在於森林的有毒生物般的資料，還是希望大家能夠多加注意。

Section 08

〔易讀性表格的製作方法〕

不再製作顯示錯誤的報表！

不希望出現錯誤顯示的時候

一旦從事行銷工作，就會有製作各種不同報告的機會。

然而，因為小小的記載失誤而導致錯誤顯示的情形也很常見。例如，在圖6-11中，「購買率」和「平均購買單價」的項目下方就出現了「#DIV/0!」這樣的錯誤。

「購買率」輸入的計算式是「購買數 ÷ 訪客」，「平均購買單價」則是輸入「銷售額 ÷ 購買數」這樣的計算式，之所以出現錯誤，乃是因為「訪客」、「購買數」和「銷售額」等欄位沒有輸入數值，所以才會出現錯誤。

Boo Boo Fashion 週報

週	訪客	購買數	購買率	平均購買單價	銷售額
1	1,534	772	50.3%	4,235	3,269,420
2	1,842	789	42.8%	4,051	3,196,239
3	1,718	738	43.0%	4,304	3,176,352
4	1,941	783	40.3%	4,105	3,214,215
5	4,090	988	24.2%	4,164	4,114,032
6	2,668	1,043	39.1%	4,075	4,250,225
7			#DIV/0!	#DIV/0!	
8			#DIV/0!	#DIV/0!	
9			#DIV/0!	#DIV/0!	
10			#DIV/0!	#DIV/0!	

計算式的參照位置沒有輸入數值，因此就會出現錯誤

圖6-11：出現錯誤顯示的表格

如果是這種規模的表格，只要重新在空白儲存格裡輸入數值即可；然而萬一是更大規模的表格，就很難輕易排除錯誤。另外，出現錯誤顯示的報表，也會影響到整體的美觀。

用IFERROR函數來預防錯誤顯示

在那種時候，就要使用「IFERROR函數」。IFERROR函數是當指定的數值出現錯誤時，就會顯示出「錯誤時希望顯示的值」的函數。語法如下所示。

=IFERROR(值,錯誤時的值)

例如，假設購買率的計算為錯誤時，希望把顯示的值設為「空白」。這個時候，就要在購買率的儲存格D4裡輸入下列語法。

=IFERROR(C4/B4,"")

之後，就只要把D4儲存格的填滿控點(選擇儲存格時，右下角出現的四角形標記)往下拖曳，之前出現錯誤的儲存格就會變成空白。當然，「平均購買單價」也可以採用相同的處理(圖6-12)。

這樣一來，就可以避開錯誤顯示，製作出外觀漂亮的表格。或許有人覺得「麻煩」；不過**行銷人員必須經常使用Excel，所以絕對不能省略這麼一點小麻煩。**

另外，除了IFERROR函數之外，還有幾個預防錯誤顯示的好用函數，這裡也順便介紹一下(圖6-13)。此外，如果把函數加以組合搭配，使用起來就會更加便利，有興趣的人請務必試試看(圖6-14)。

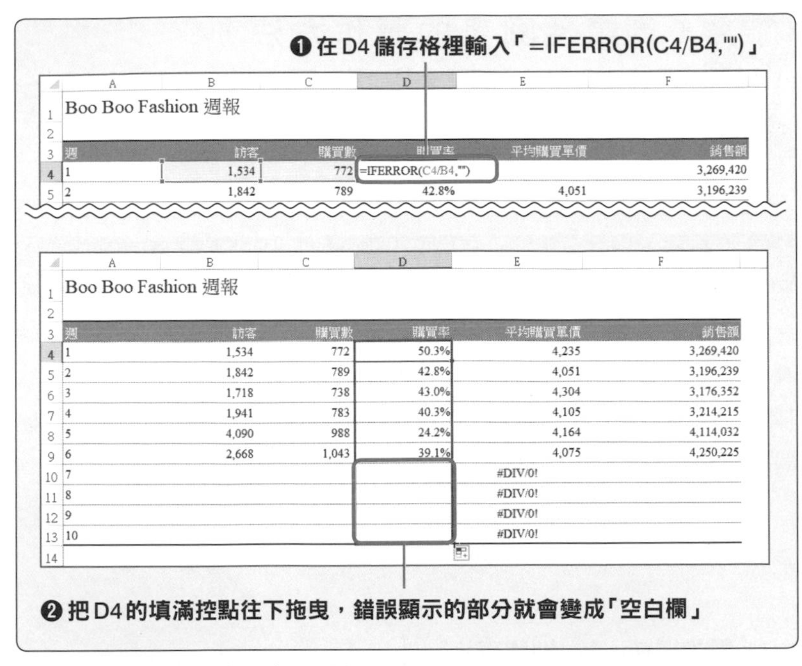

圖6-12：IFERROR函數的應用範例

函數名稱	概要	語法	範例	範例可做出的事
IF函數	可以指定，如果為真，就執行什麼動作；如果為假，就執行另一個動作	=IF(邏輯式,為真的情況,為假的情況)	=IF(B2>80,"合格","不合格")	儲存格B2的值大於80時，顯示「合格」；小於80時，顯示「不合格」
ISBLANK函數	如果指定為檢查對象的儲存格的值為空白，就傳回TRUE；如果不是空白，就傳回FALSE	=ISBLANK(檢查對象)	=ISBLANK(C23)	如果儲存格C23為空白，就顯示「TRUE」；不是空白，就顯示「FALSE」
ISERROR函數	檢查對象為錯誤時，就傳回TRUE；如果沒有錯誤，就傳回FALSE	=ISERROR(檢查對象)	=ISERROR(E23/C23)	如果儲存格E23/C23無法相除，就顯示「TRUE」；可以相除，就顯示「FALSE」
ISNUMBER函數	檢查對象如果是數字，就傳回TRUE；如果不是數字，就傳回FALSE	=ISNUMBER(檢查對象)	=ISNUMBER(E23)	如果儲存格E23有數字，就顯示「TRUE」；如果沒有數字，就顯示「FALSE」

圖6-13：預防錯誤顯示的函數

組合範例	範例	範例可做出的事
IF函數和ISBLANK函數	=IF(ISBLANK(C25),"",AVERAGE(C16:C25))	C25儲存格為空白時，顯示空白。C25儲存格不是空白時，顯示C16～C25儲存格的平均值。
IF函數和ISERROR函數	=IF(ISERROR(E25/C25),"",E25/C25)	E25/C25的計算結果如果為錯誤，就顯示空白。如果可以計算，就顯示出E25/C25的計算結果。
IF函數和ISNUMBER函數	=IF(ISNUMBER(F18),F18/D18,"")	F18儲存格不是數字時，顯示空白；F18儲存格為數字時，顯示F18/D18的結果。

圖6-14：函數的組合範例

Section 09

〔易讀性圖表的製作方法〕

依目的別挑選圖表的方法

該選什麼樣的圖表？

「表格」一旦圖表化，就可以使內容更容易理解。圖表有「直條圖」、「折線圖」、「圓形圖」、「散佈圖」、「泡泡圖」等各種不同的種類，而**使用符合自己希望表現的目的的圖表，則是在製作容易傳達的簡報資料上所不可欠缺的。**

那麼，接下來就來整理介紹一下，在哪種情境下應該使用哪種圖表。

[①「量的單純比較」則用直條圖]

諸如希望比較自家公司每年的銷售額時、單純希望比較兩種事物的場合時，直條圖最適合。直條圖既簡單又易懂，所以或許是使用最為頻繁的圖表種類。因為只有直條的存在感，以及用來比較的直條高度（橫條圖則是橫條的長度），所以對閱讀者來說，相當容易明白，又能加深印象。

[②表示「時間序列的變化」時用折線圖]

如果希望表現時間序列的變化，就要採用折線圖。例如，希望檢視自家公司和競爭公司過去5年期間的銷售額推移等時候，折線圖最為適合。可以清楚看出比較要素在時間序列上的變化、趨勢。

例如，自家公司的銷售額趨勢從去年開始瞬間攀升，折線圖就可以充分傳達這個令人興奮的訊息。

再者，直條圖和折線圖這兩種圖表是在實務中最常使用的圖表。**製作圖表的目的是「獲得某些新發現」，直條圖和折線圖都是相當簡單**

的圖表，所以可以輕易獲得新發現。這兩種圖表因為簡單，不需要花太多時間去解讀，因此可以更仔細地思考圖表的意思。

[③如果表現「結構」，就用圓形圖]

諸如市場的市佔率等，希望檢視「在整體中的比例」時，就要利用圓形圖。實際上，「業界內的各家銷售額比例」等都經常用圓形圖來表現。

[④「分布」則用散佈圖和泡泡圖]

散佈圖在矩陣分析、相關分析和迴歸分析的解說中經常使用；不過是運用在檢視透過兩種要素的分布時。例如，一旦試著製作全國各店鋪的「銷售額規模」和「利益率」的散佈圖，就可以大略區分出「銷售額規模和利益率都很高的優良分店」、「銷售額規模較大，但利益率低的分店」、「銷售額不大，但利益率高的分店」、「銷售額、利益率都偏低的分店」。

另外，希望比較三種要素時，就要使用泡泡圖，而不是散佈圖。泡泡圖的製作方法將在P.260進行解說。

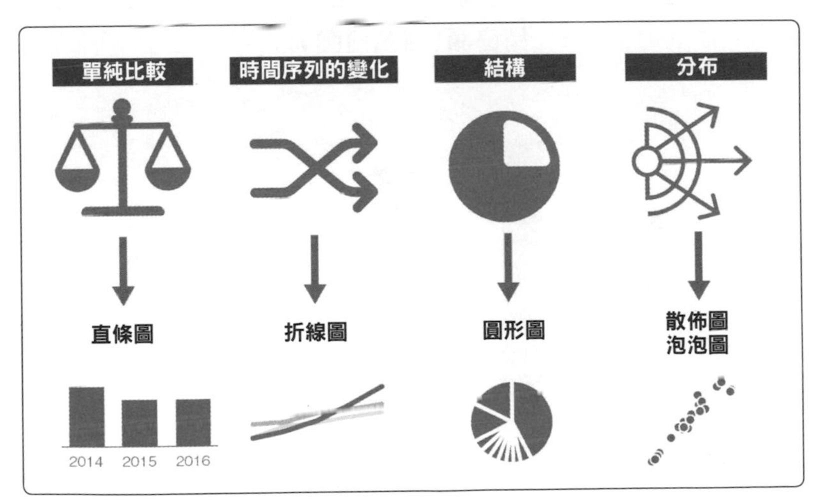

圖 6-15：依目的別挑選圖表的方法

Section
10 〔易讀性圖表的製作方法〕易讀性直條圖的製作方法

稍微下點功夫就能改變！

不少人都是把Excel以預設方式製作的圖表直接貼在資料上來利用。可是，**擅長簡報的人一定會把圖表加工得更容易閱讀。**只要稍微下點功夫，圖表就會變得更加容易閱讀。因此，接下來就來學習把圖表加工得更容易閱讀的方法吧！首先，先從長條圖開始。

直條圖是最常使用的圖表之一。正因為如此，更需要學習易讀性直條圖的製作方法。

首先，圖6-16是Excel以預設方式製作的圖表。

以閱讀者的立場來看，這種直條圖的最大問題點是「難以看出各直條的數值」。

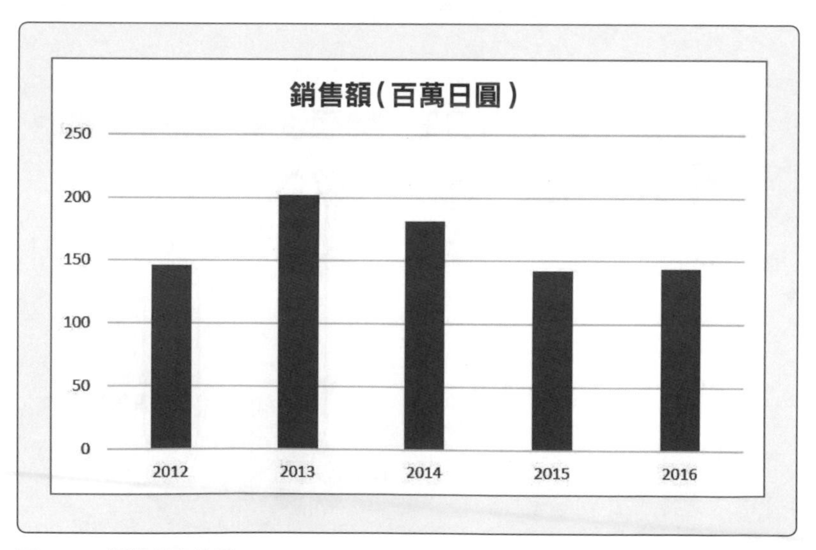

圖6-16：預設的直條圖

例如，即使想知道「2016年的銷售額是多少」時，因為單看直條無法了解數據，所以必須透過左側的刻度來確認。而且，就算看刻度，也頂多只知道數據是「150萬日圓又多一點」。如果以閱讀者的立場來看，應該會希望在看到直條的瞬間，也能掌握數值吧！

那麼，請看看圖6-17的圖表。這是為了更淺顯易懂而稍做加工的圖表。只要稍微看一眼，就可以馬上清楚看出數字了，不是嗎？

那麼，接下來解說變更部分和變更方法。

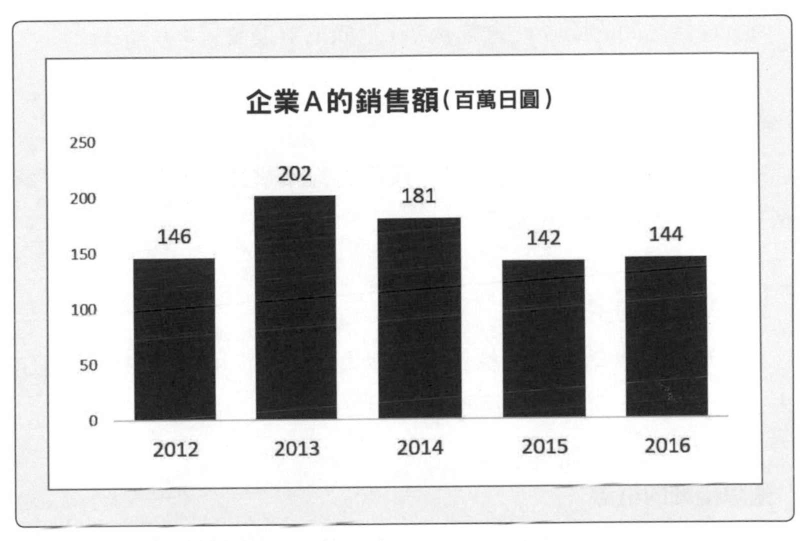

圖6-17：加工得更容易閱讀的圖表

[直條的顏色]

直條的顏色要變更成和製作資料相同的基調色。只要雙擊直條，就會出現「資料數列格式」，就可以從「填滿和框線」的「填滿」，把色彩變更成任意顏色。另外，陰影或立體格式則一律不使用。

[直條的寬度]

預設直條圖的直條寬度比較窄，直條之間的間隔較寬，所以要變更寬度，使直條更具有存在感（圖6-18）。雙擊直條開啟「資料數列格式」之後，會顯示出「數列選項」。在預設中，「數列重疊」的數值是－27%，「類別間距」是219%，這裡要把「數列重疊」的數值改成0%，「類別間距」改成50%。

此外，「數列重疊」是用來指定直條的重疊與否。這個圖表只有「銷售額」，所以並沒有數列重疊的問題；不過如果把「銷售額」和「成本」兩個項目製作成直條圖時，一旦把數列重疊設定為「100%」，直條就會呈現完全重疊的狀態。

另外，「類別間距」用來指定直條之間的間隔。間隔越小（數值越小），直條之間的間隔就會越狹窄（直條的寬度變寬）。

[顯示數值在長條上方]

追加銷售額數字在長條上方。只要右鍵點擊直條，選擇「新增資料標籤」，就可以顯示數值。

[加大刻度等的字型大小]

加大橫軸、縱軸、資料標籤的字型大小。分別用滑鼠選擇希望加大字型的字串，直接變更字型大小即可。

[刪除橫軸的框線]

因為不需要橫軸的框線，所以要選取刪除。用滑鼠選擇框線，再按下「Delete」鍵，就可以刪除。

[修改標題]

在預設中，圖表的標題是「銷售額（百萬日圓）」；不過僅這樣並不明確，所以將其變更為「企業A的銷售額（百萬日圓）」（加上單位，再把單位的字型大小縮小，就會感覺更加貼心）。只要用滑鼠選擇標題部分，就可以變更字串。

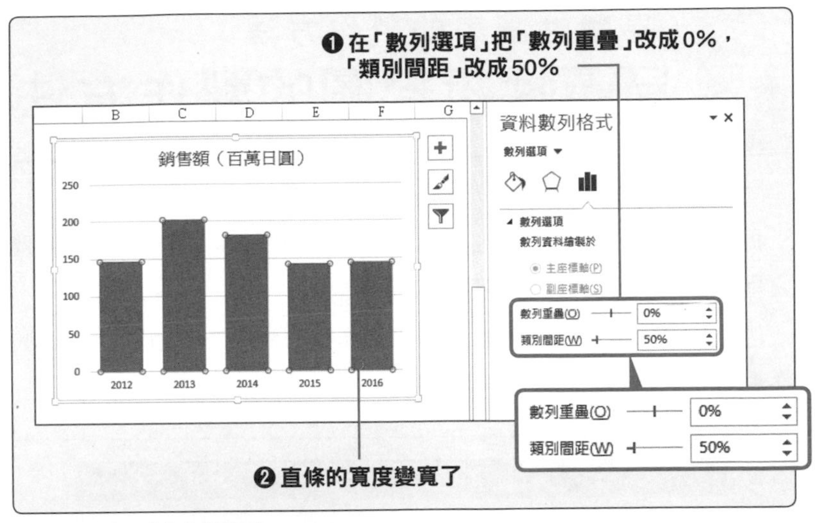

圖6-18：變更「直條的寬度」

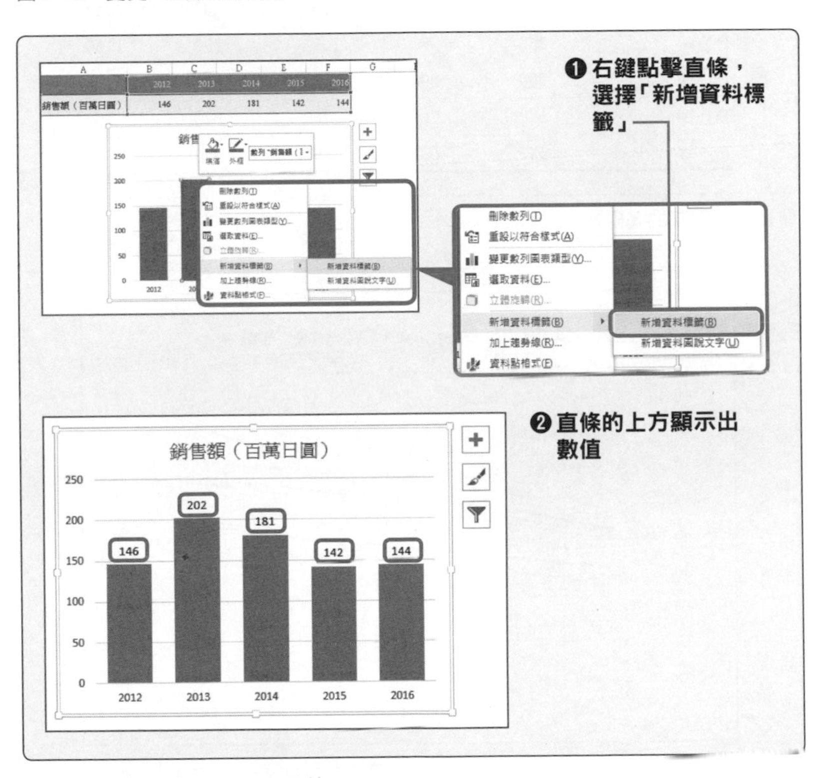

圖6-19：在直條的上方顯示數值

Section 11

〔易讀性圖表的製作方法〕

易讀性折線圖的製作方法

折線圖和直條圖一樣，也是頻繁使用的圖表。因此，請藉這個機會學習易讀折線圖的製作方法。

這次要根據圖6-20的表格資料來製作折線圖。一旦以預設方式製作折線圖，就會如圖6-21所示。

企業	2015	2016	2017	2018	2019
自家公司	832	921	1052	1253	1500
A公司	1015	1050	1162	1203	1264
B公司	850	980	1030	1100	1160
C公司	800	890	980	1060	1140
D公司	640	700	760	820	900
E公司	540	632	705	720	800

圖6-20：圖表的基礎數字

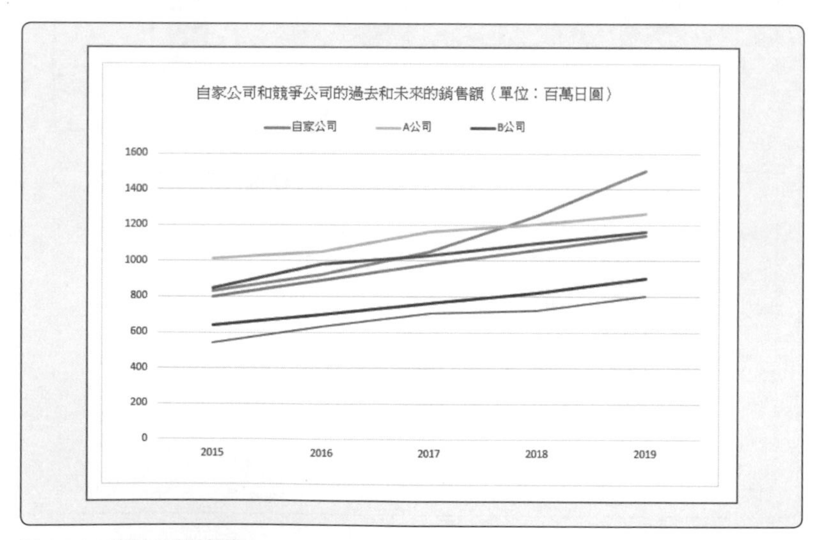

圖6-21：預設的折線圖

這個圖表的問題點是「①線條太多，不容易檢視」、「②哪條線代表什麼？數值多少？完全不清楚」。

①線條太多，不容易檢視

在圖6-21中，折線圖的線條有6條。這樣一來，折線就會混在一起，看不清楚各自代表什麼。

折線圖的目的是「比較」。**線條一旦過多，就不容易比較，所以折線圖的線條應該採用3條，最多4條。**

一旦減少線條，折線圖就會瞬間變得簡單明瞭。把資料加以取捨選擇，僅把比較重要的資料留在折線圖內吧！

或許有人會想問：「難道不能把所有的資料都放進折線圖裡面嗎？」可是，不用擔心！例如，當你把減少成3條折線的折線圖拿給簡報對象看的時候，如果反被質問：「圖表上面沒有C公司、D公司、E公司的資料，你沒有調查嗎？」則可做這樣的回答：「有調查過了，但是因為這些公司的數值比B公司小，如果全部列到圖表裡面，就會變得複雜難懂，所以沒有放到圖表裡面。可是，我也有確實監控C公司、D公司、E公司的動向，請您放心！」確實把「沒有列出的理由」傳達給對方即可。這樣一來，提問者也會感到放心：「原來有確實調查，只是沒有列在圖表上面而已，看來他處理事情的態度挺有分寸的。」

②哪條線代表什麼？數值多少？完全不清楚

圖6-21的折線圖無法一眼就看出哪條折線代表哪個項目。這樣一來，閱讀者就必須自行比對折線的顏色和圖表上面的圖例顏色。也就是說，將造成閱讀者的負擔。折線圖的數值也是同樣的道理。因此，**折線上應該顯示資料標籤，以及表示的數值。**這樣一來，就可以一眼看出哪條線是屬於哪間公司，同時又有多少數字。

解決這些問題的折線圖是圖6-22。那麼，就來介紹該怎麼做，才可以製作出容易閱讀的折線圖。

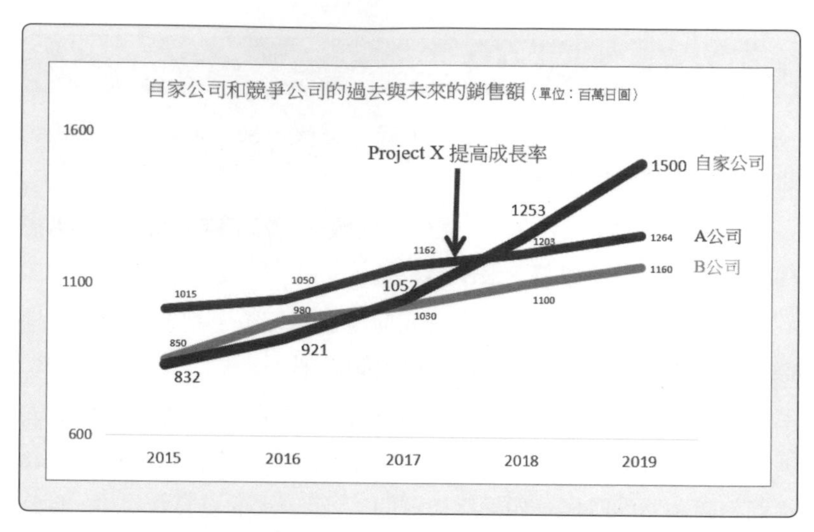

圖6-22：加工成容易閱讀的折線圖

[把折線的數量減至3條]

把預設圖表裡的C公司、D公司、E公司刪除，製作成只有自家公司、A公司、B公司的折線圖。

[把自家公司的折線變更到最上層]

在圖6-20的表格中，「自家公司」位在項目的最上方。把這張表格製成折線圖的時候，自家公司的折線會變成「最底層」。也就是說，當折線重疊的時候，自家公司的折線就會被其他公司的折線遮蓋住。因此，要把自家公司移動到表格的最下方，藉此便可以把自家公司的折線配置在A公司、B公司的上方(圖6-23)。

[折線的顏色和粗細]

折線的顏色要把自家公司設成最濃，其他公司則採用較淡的同色

企業	2015	2016	2017	2018	2019
B公司	850	980	1030	1100	1160
A公司	1015	1050	1162	1203	1264
自家公司	832	921	1052	1253	1500

移動到表格的最下方，使折線變成在上方

圖6-23：變更表格的位置

系。因為在折線圖中最想提及的是自家公司。另外，粗細也一樣，自家公司採用10pt，其他公司則採用略細的8pt。

[在折線上顯示數值]

在折線上點擊滑鼠右鍵，選擇「新增資料標籤」，使數值顯示在折線上方。另外，為了使自家公司的數值更顯眼，就再把字型大小加大。甚至，數值如果和折線重疊，就會不容易閱讀，所以位置也要稍作調整。

[刪除橫軸的框線]

和直條圖相同，刪除橫軸的框線(參考P.248)。

[用文字增加欲傳達的訊息]

利用文字和箭頭線增加「Project提高成長率」這類希望透過折線圖傳達的訊息。

[簡化刻度]

減少縱軸的項目，並簡化刻度(圖6-24)。在預設當中，縱軸的刻度採用從0開始，之後像「200、400……」這樣，每隔200增加一刻度的形式，圖6-24則是採用把最下方設為「600」，之後每500增加一刻度的形式。藉此，刻度就會減少，看起來變得更加簡潔。

刻度的變更方法是雙擊刻度，顯示「座標軸格式」，在「座標軸選項」把「最小值」設為「600」。另外，變更「主要」，可以指定顯示刻度的間隔，因此設定為「500」，藉此減少刻度。

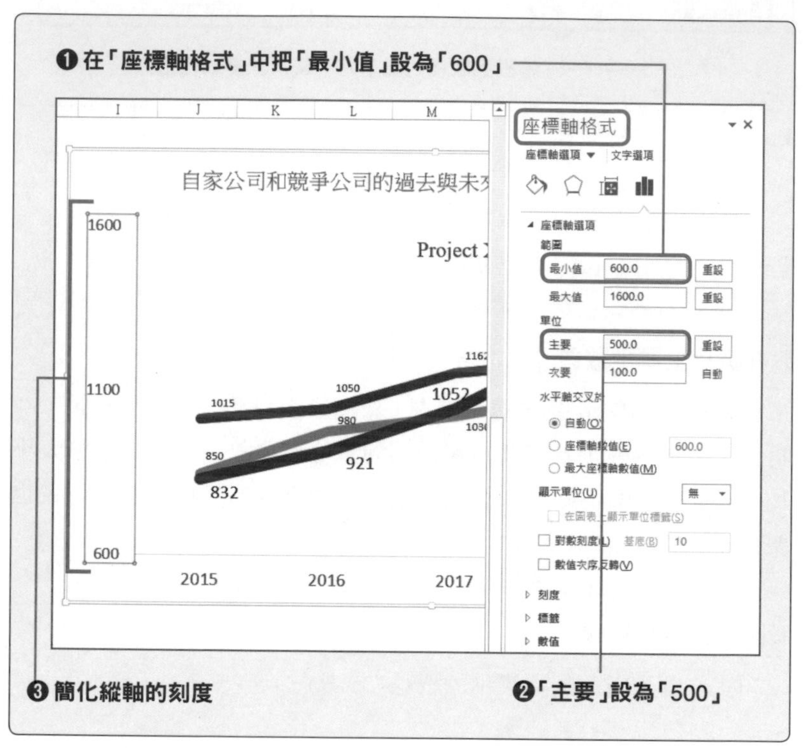

圖 6-24：簡化刻度

Section 12

〔易讀性圖表的製作方法〕

易讀性圓形圖的製作方法

易讀圓形圖的兩個重點

先來簡單說明一下，使圓形圖更容易閱讀的方法。用圓形圖來表現自己想傳達的內容的時候，要注意下列兩個重點。

[①配合人的眼睛進行配置]

檢視圓形圖的人的「眼睛動作」會從上方開始，然後往上右，之後再向左方移動。因此，最大的項目應該放置在右上方，然後從左上方開始依序配置第2、第3、第4的項目，這樣就可以使「人眼的移動順序」和「比例的大小」相互配合。

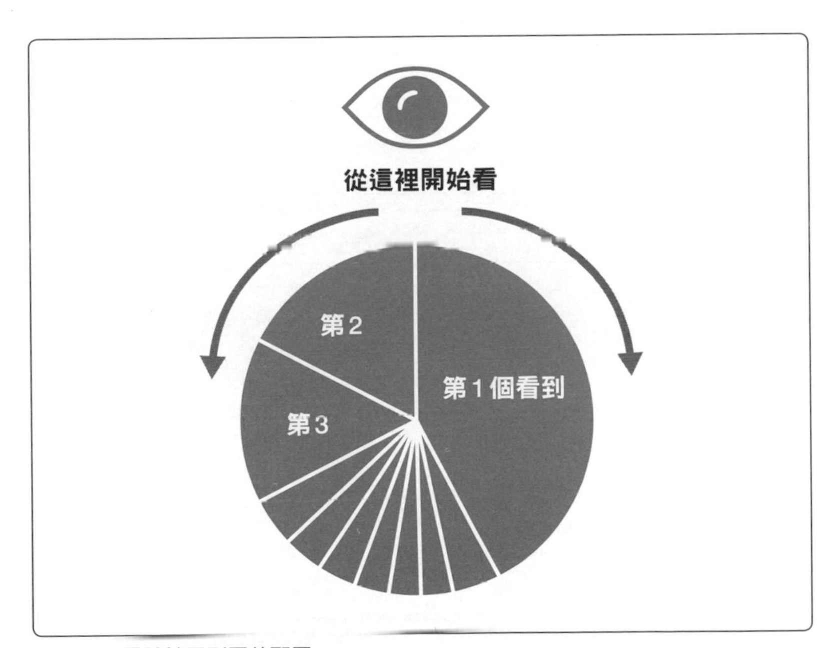

圖6-25：易讀性圓形圖的配置

[②讓想陳述的項目更醒目]

藉由讓自己最想提及的項目更加醒目，就可以更容易傳達欲傳達的訊息。圖6-26是預設的圓形圖；卻完全無法裡解想要傳達這個的訊息。

另一方面，把預設的圓形圖稍作加工後的圖是圖6-27。可以清楚得知，圖表中最想陳述的部分是「H汽車」的銷售比例。最希望強調的H汽車採用最深的顏色。另外，比例比H汽車更高的兩家公司採用略淡的同色系，除外的公司則是採用更淡的同色系，如此就能讓H汽車變得更加醒目。

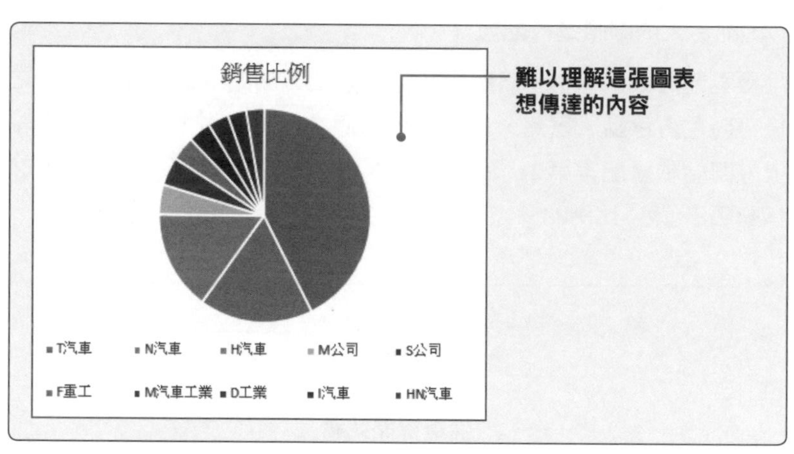

圖6-26：預設的圓形圖

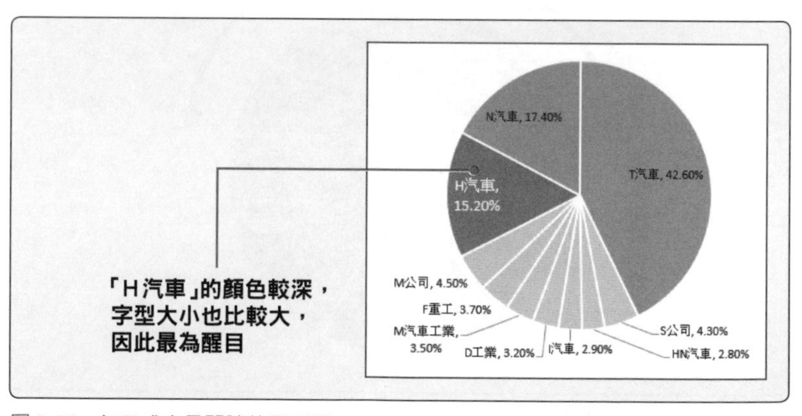

圖6-27：加工成容易閱讀的圓形圖

易讀性圓形圖的加工

接下來說明製作像圖6-27那樣的圓形圖的步驟。首先，就像依照P.255 所介紹的「人眼動作」那樣，變更表格項目的排序。具體來說，就是把比例位居第2以下的資料順序完全顛倒過來（圖6-28）。藉此，就可以變更成符合人眼動作的圓形圖順序。

另外，這裡還把預設圓形圖下方的圖例刪除，並增加了資料標籤，藉此方式加上項目名稱（公司名稱）和數值（標示比例的百分比）。

甚至，還要像P.256所介紹的那樣，進一步變更圓形圖的標色。標色的順序也有訣竅。**首先，選擇圓形圖的全部要素，用套用在最多的要素上的顏色（在這個範例中是最淡的顏色）進行填色。**接著再逐一選擇各要素來變更顏色，就可以更快速地完成顏色的變更。

汽車企業的銷售比例

No.	企業名稱	銷售比例
1	T汽車	42.60%
2	N汽車	17.40%
3	H汽車	15.20%
4	M公司	4.50%
5	S公司	4.30%
6	F重工	3.70%
7	M汽車工業	3.50%
8	D工業	3.20%
9	I汽車	2.90%
10	HN汽車	2.80%

把比例位居1位以外的順序顛倒過來

汽車企業的銷售比例

No.	企業名稱	銷售比例
1	T汽車	42.60%
2	S公司	4.30%
3	HN汽車	2.80%
4	I汽車	2.90%
5	D工業	3.20%
6	M汽車工業	3.50%
7	F重工	3.70%
8	M公司	4.50%
9	H汽車	15.20%
10	N汽車	17.40%

圖6-28：排序表格資料的項目順序

Section 13

〔易讀性圖表的製作方法〕

易讀性散佈圖的製作方法

預設的散佈圖也不差，可是……

關於散佈圖的部分，其實Excel預設的散佈圖並不差。可是，只要在幾處加工一下，就可以讓圖表更淺顯易懂，所以這裡就來介紹一下。

預設的散佈圖就如圖6-29所示，可以改善的地方有下列兩點。

[①不知道X軸和Y軸分別代表什麼]

在預設中，並沒有清楚標示X軸、Y軸分別代表什麼。因此，藉由在X軸、Y軸加上座標軸標題，讓閱讀者清楚知道，例如X軸代表「訪客數」、Y軸代表「販售數」（只要點擊圖表，就可以從顯示的「＋」標記追加座標軸標題）。

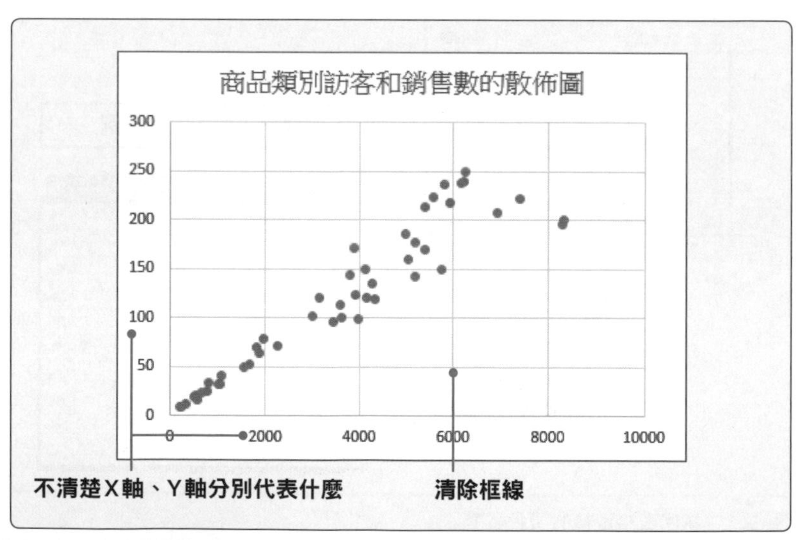

圖6-29：預設的散佈圖

[②清除背景的框線]

圖表應該力求簡潔。只要刪除框線，就可以讓散佈圖呈現得更加簡潔。

其他細部的調整事項

關於其他的細微調整事項，散佈圖的標記顏色只要配合資料的基調色，就可以看起來更加美觀。另外，標記的重疊較多時，把標記的框線設定成白色，就可以使各標記的邊界線更加清楚。

甚至，只要把標記的大小設定成10pt左右，就可以增添標記的存在感，製作出更加容易閱讀的散佈圖。雙擊標記後，就會出現「資料點格式」，適當調整標記的顏色、框線和大小吧！

根據這些重點調整之後的散佈圖就如圖6-30所示。

大家覺得如何？是不是變得比預設的散佈圖更加容易閱讀呢？

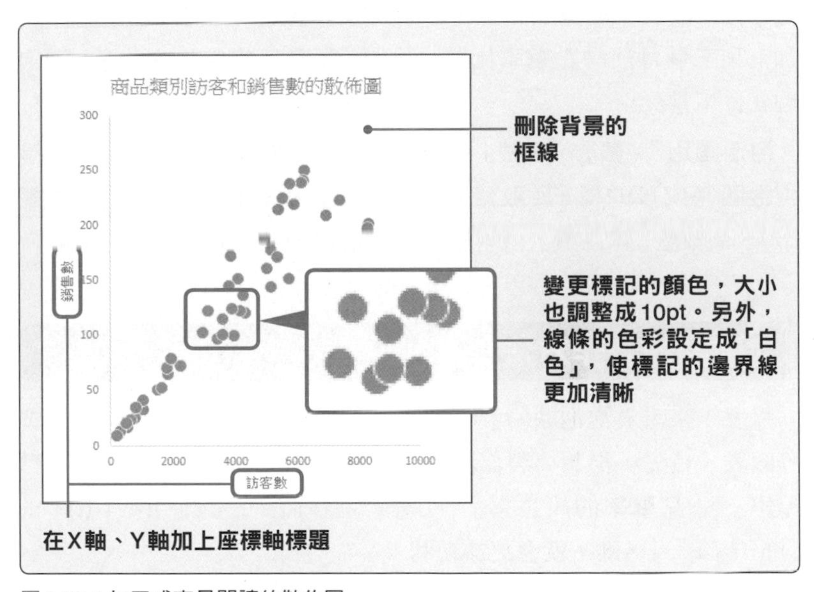

圖6-30：加工成容易閱讀的散佈圖

〔製作更高階的圖表〕

Section 14

用泡泡圖表現三種要素的關係

泡泡圖表現的內容

前面是針對「直條圖」、「折線圖」、「圓形圖」和「散佈圖」，解說自訂得更加容易閱讀的方法。接下來將介紹「更高階」的圖表製作方法。

首先是「泡泡圖」。使用直條圖、折線圖的人應該很多吧！不過經常使用「泡泡圖」的人應該絕對不多。因此，只要學會泡泡圖的使用方法，就會有「工作能力更加精進」的感覺。

希望分析三種要素的時候，泡泡圖是最好用的至寶。例如，第4章介紹的矩陣分析是像「點擊率」和「購買率」那樣基於兩個觀點來進行分析所得到的圖表。可是，如果除了這兩軸之外，希望進一步加上和三個月前的點擊率比較之後的「點擊率的成長率」時，泡泡圖就會相當受用。

泡泡圖用「X軸」、「Y軸」、「泡泡的尺寸」來表現要素。圖6-31是泡泡圖完成後的樣子（收錄在範例的工作表裡面）。X軸是「點擊率」、Y軸是「購買率」，泡泡大小則代表「點擊率的成長率」。

泡泡圖的製作方法

那麼，來看看泡泡圖的製作方法吧！泡泡圖要選擇三種資料來製作圖表。首先，從想要製作泡泡圖的表格中，選擇「購買率」、「點擊率」、「點擊率的成長率」。另外，選擇時，一旦使用「Ctrl」+「Shift」+「↓」鍵，就會更加便利。

接著，從功能區的「插入」選擇圖表，「散佈圖」下方有個「泡泡圖」的項目，請從該處選擇泡泡圖（圖6-32）。

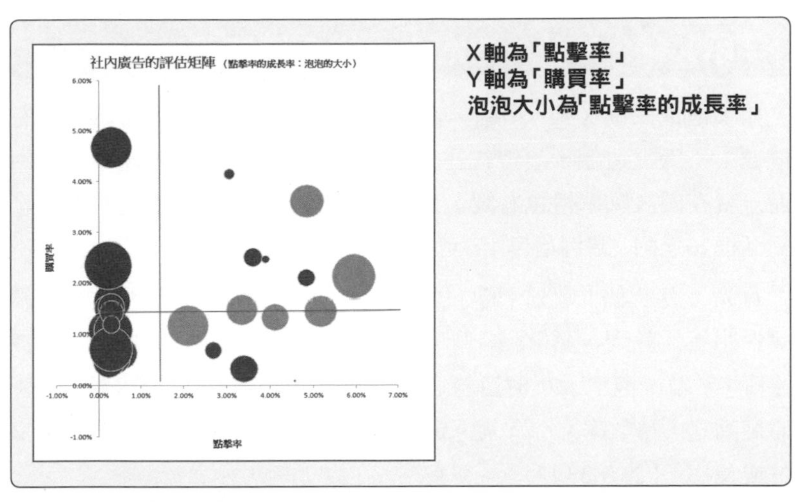

圖6-31：泡泡圖的完成圖

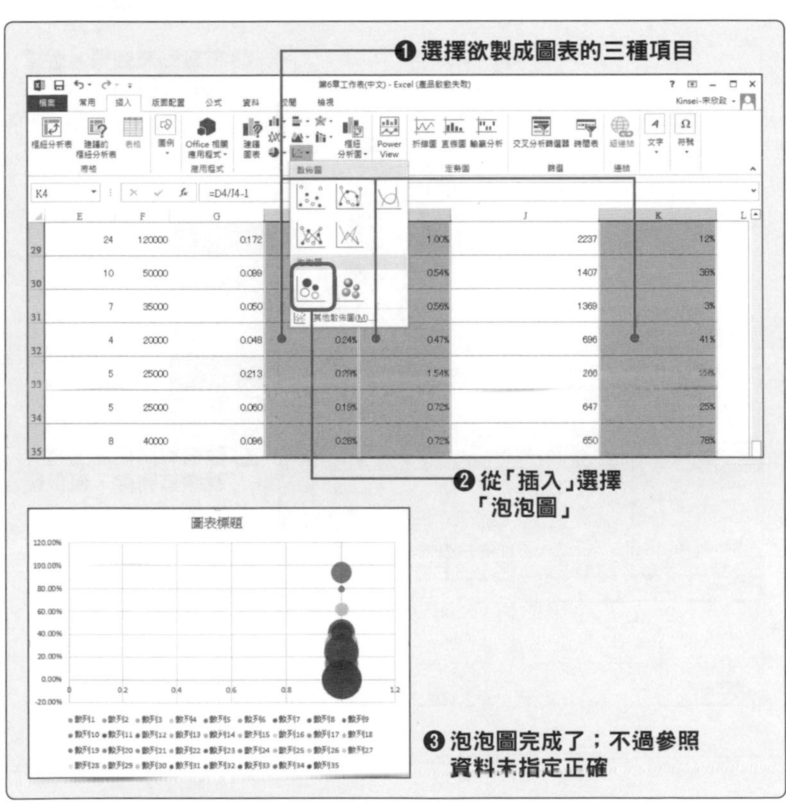

圖6-32：泡泡圖的製作①

顯示X軸、Y軸、泡泡大小的資料修正

如果泡泡圖的X軸、Y軸、泡泡大小表現符合資料，當然就沒有問題；不過很遺憾，事情往往很難如願。如果圖表的表現不如預期時，就在圖表點擊滑鼠右鍵，選擇「選取資料」。「選取資料來源」對話框左邊的「圖例項目」，可以變更參照的資料範圍。

首先，有多個「數列」時，請進行刪除，只保留一個。之後，請選擇剩下的數列，點擊「圖例項目（數列）」的「編輯」，並分別選擇X軸、Y軸、泡泡大小的資料範圍。在這次的範例中，「X軸」的資料範圍是「點擊率」，「Y軸」是「購買率」，泡泡大小則是「點擊率的成長率」（圖6-33）。

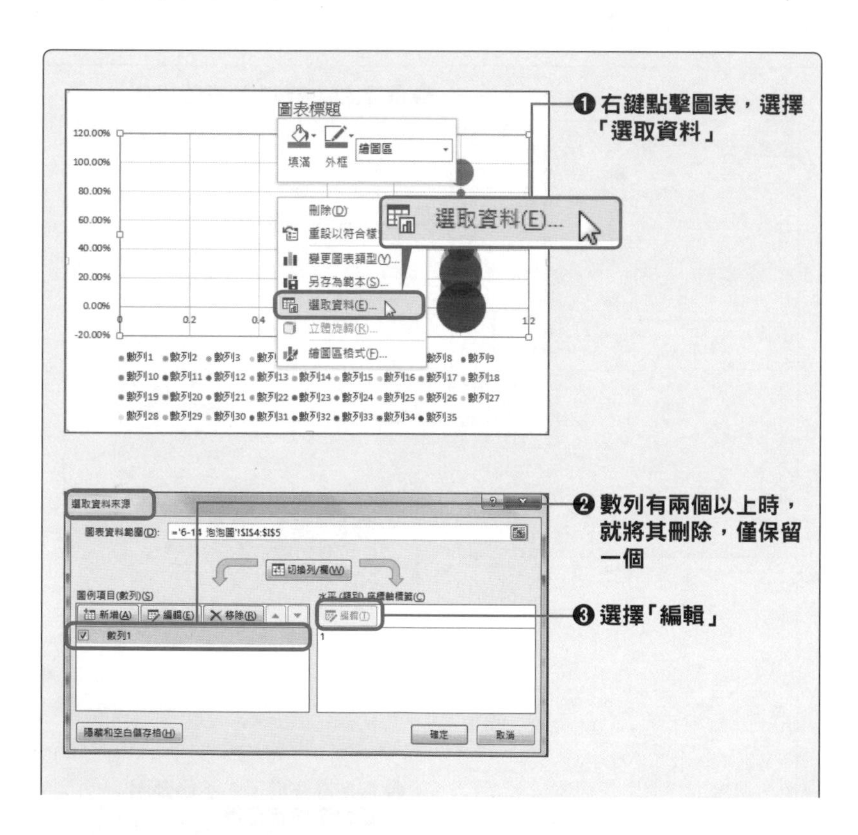

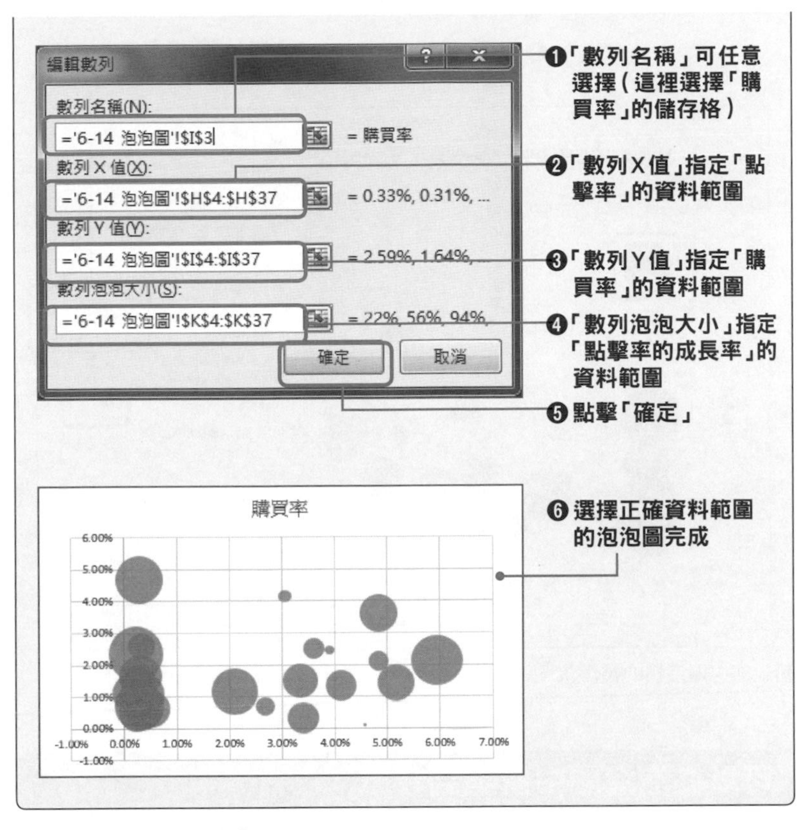

圖6-33：泡泡圖的製作②

調整泡泡的大小

覺得泡泡太小或太大的時候，可以調整泡泡的大小。只要雙擊泡泡，就會顯示出「資料數列格式」。在「調整泡泡的大小為」的欄位中，預設是100，所以請變更成適當的值。

輸入值之後，只要按下「Tab」鍵，泡泡大小就會改變，所以可以一邊確認大小，一邊進行調整。變更成任意大小之後，泡泡圖就完成了（圖6-34）。

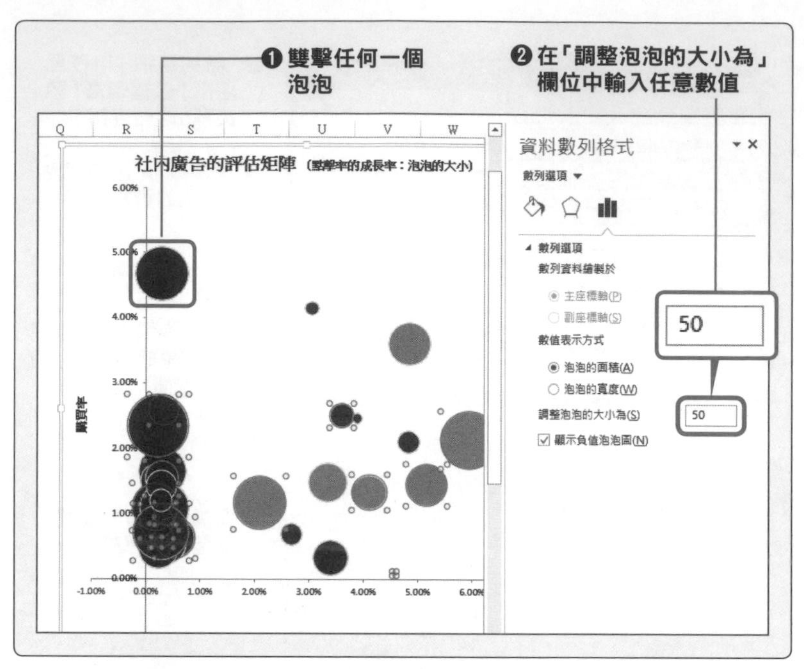

圖6-34：泡泡圖的製作③

可以從泡泡圖中解讀到什麼

既然難得製作了泡泡圖，那就順便來解說一下泡泡圖的解讀方法吧！（圖6-35）

在這次製作的泡泡圖中，顯示出「購買率」、「點擊率」和「點擊率的成長率」三種要素。假如這個是驗證網站廣告成果的圖表，則點擊率2％以上且泡泡較大者可說是點擊率有所改善、效能變好的廣告（只要改變相關泡泡的顏色，就能更加清楚）。一旦像矩陣分析那樣畫出任意的線條來進行四分割，就應該會更加容易閱讀吧！。這些是成長率較高且效能較高的廣告，所以只要仔細地調查廣告的概要，或許就能鎖定改善效能的原因，同時有效應用在其他廣告上面。

另外，在左上的矩陣裡，泡泡較大者是「點擊率低，但購買率較高，或是點擊率也有改善」的項目，所以只要順便調查這些廣告，或許就可以找到某些成長的關鍵。

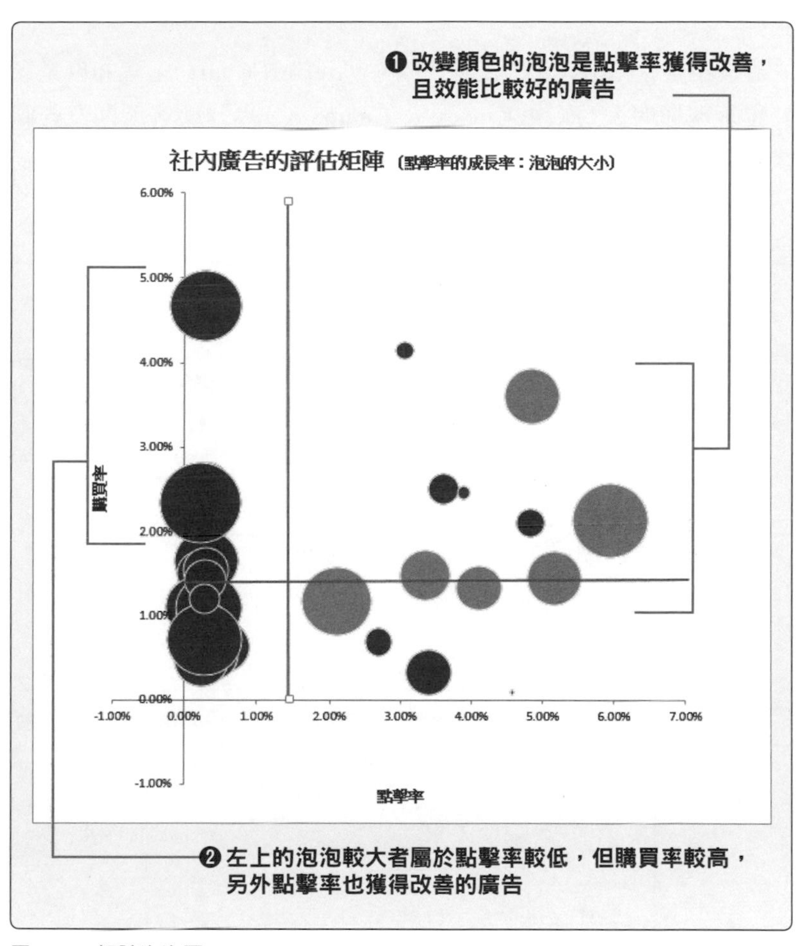

圖 6-35：解讀泡泡圖

〔製作更高階的圖表〕

Section 15 用瀑布圖使結構更易理解的表現

最後希望介紹給大家的是瀑布圖（Waterfall Chart）。瀑布圖是麥肯錫管理顧問公司（McKinsey & Company）專為顧客所開發的圖表，**適合用來觀察各要素的正負影響或是結構。**

例如，把A公司各項事業的銷售額彙整成像圖6-36那樣的表格。要是直接把它製作成直條圖，其結果就會像圖6-37；不過這種圖表一點都不有趣。

A公司的各事業銷售額（單位：百萬日圓）

事業	銷售額
能源	¥24,724
資源	¥16,975
能源 技術	¥7,569
航空	¥21,911
衛生保健	¥18,200
運輸設備	¥5,885
住宅與照明	¥8,338
合計	¥103,602

圖6-36：A公司各項事業的銷售額

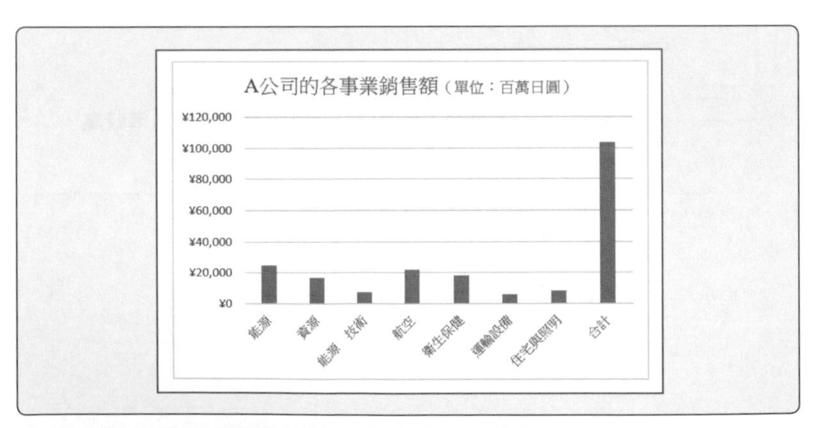

圖6-37：把A公司各項事業的銷售額製成直條圖的範例

如果用瀑布圖來表現這份表格，結果就是圖6-38。從瀑布圖可以看到各個事業累積銷售額，進而創造出公司整體的最高銷售額。另外，也可以一眼看出各事業的銷售額多寡。很多顧問都會使用瀑布圖，可見瀑布圖的表現力肯定優於一般的直條圖。

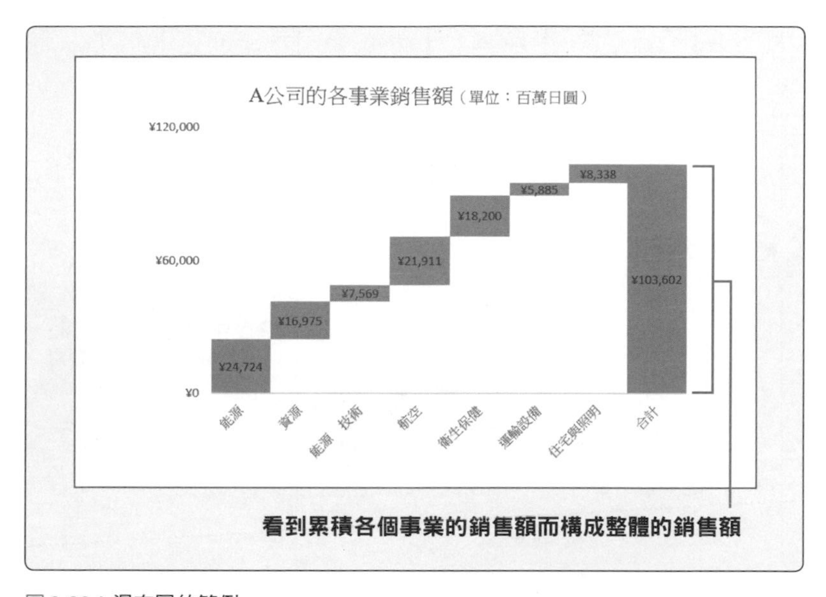

圖6-38：瀑布圖的範例

瀑布圖的製作方法

那麼，來介紹一下這種瀑布圖的製作方法吧！為了製作瀑布圖，要先重新製作表格。為什麼呢？因為除了各事業的銷售額之外，還必須另外指定「要讓該筆銷售額從哪裡開始浮現」。這裡把那個起點稱為「最低值」。在最低值裡請填入表格上一格的最低值和銷售額總計之後的數值(圖6-39)。

接著，請選擇製作好的表格，製作「堆疊直條圖」。堆疊直條的上方會顯示「各事業的銷售額」，下方則會顯示「最低值」。

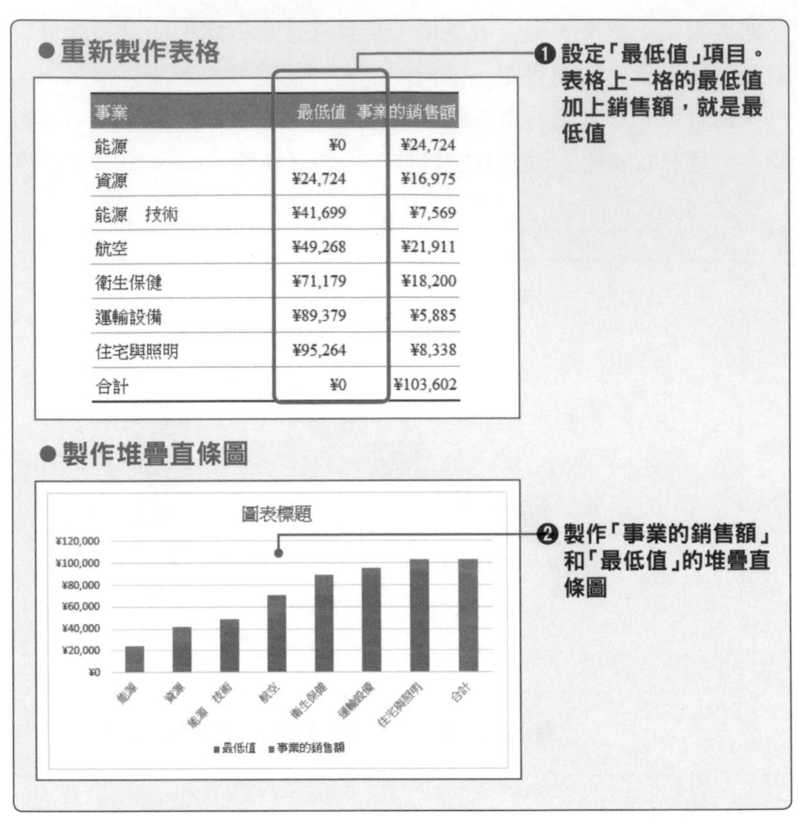
●重新製作表格

事業	最低值	事業的銷售額
能源	¥0	¥24,724
資源	¥24,724	¥16,975
能源　技術	¥41,699	¥7,569
航空	¥49,268	¥21,911
衛生保健	¥71,179	¥18,200
運輸設備	¥89,379	¥5,885
住宅與照明	¥95,264	¥8,338
合計	¥0	¥103,602

圖 6-39：瀑布圖的製作①

堆疊直條圖製作完成後，接著進行下列四種處理。

[①調整直條的間隔]

雙擊直條，顯示「資料數列格式」，把「數列選項」內的「類別間距」設成0%，讓直條宛如相連一般。

[②變更直條的顏色]

把堆疊直條下半部分（最低值）的顏色填滿成白色。於是，各事業的銷售額就會宛如懸空一般。

[③顯示資料標籤]

接下來進行微調。點擊剩下的直條部分，選擇「新增資料標籤」，顯示各事業的銷售額。

[④易讀性調整]

最後，把圖表微調整成容易閱讀。請執行把直條的顏色變更成任意顏色，以及刪除圖例和框線、輸入標題、簡化縱軸的刻度等作業。調整完成後，瀑布圖便大功告成(圖6-40)。

此外，這次製作的是直條的瀑布圖；不過也可以用橫條圖來製作橫條瀑布圖。本書的工作表範例也有橫條瀑布圖的製作範例，請務必試著挑戰看看。

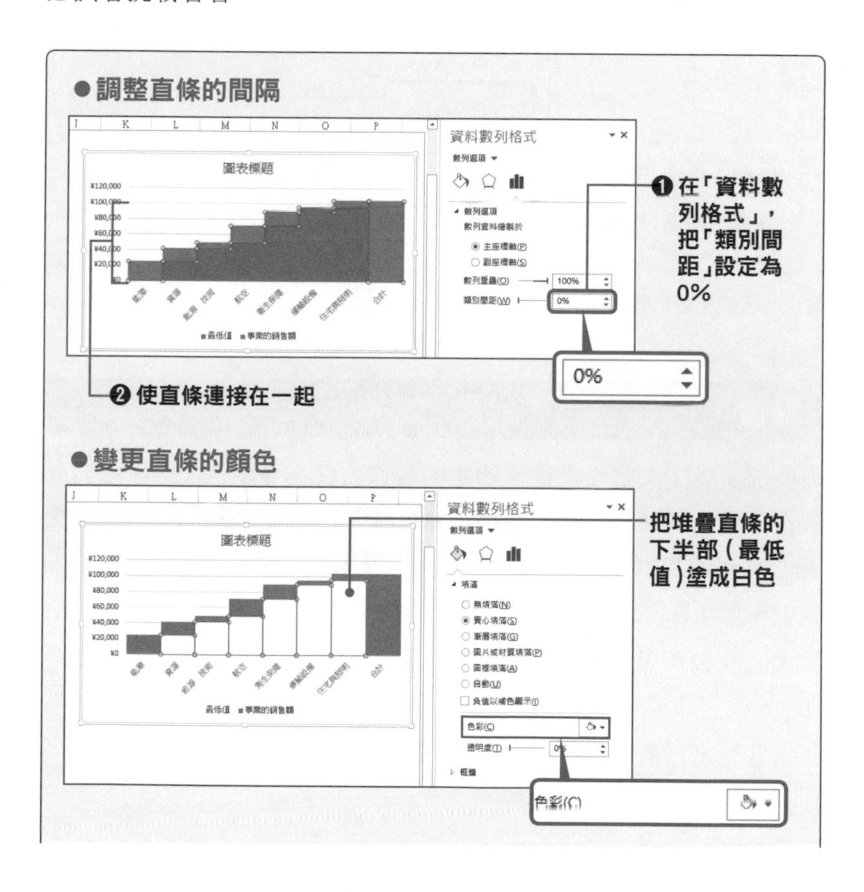

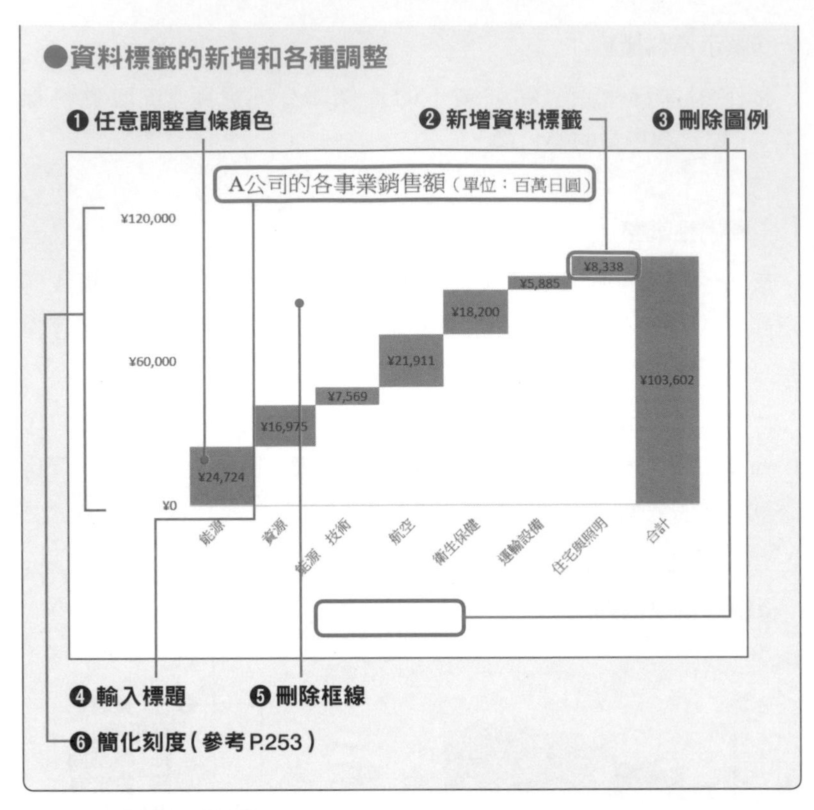

圖6-40：瀑布圖的製作②

最後……

前面解說了易讀性表格、圖表的製作方法。易讀性表格、圖表的製作可以使溝通變得更加順暢。**就算調查、分析、模擬做得再怎麼完美，如果不能把內容傳遞給對方，一切都毫無意義。**只要在表格或圖表上稍微下點功夫，應該就能更容易傳達想傳達的訊息。

大家在製作表格或圖表的時候，請千萬不要吝嗇花費那「一點時間」。

這些都是行銷人員的心得，同時更能夠提高行銷的工作品質。

後記

本書從統計、分析、預測、資料製作的觀點，介紹了有助於行銷業務的數字思考力，以及Excel的使用方法。希望大家可以從這本書找到有助於工作的思考方法、Excel的使用方法。

雖說本書的對象是「行銷初學者」；不過裡面也收錄了以更高階工作為志的內容。

因此，就算沒辦法一次就理解所有內容，也沒有關係。請務必從可以理解的部分、可以應用的部分開始，試著把這些內容應用在你的工作上。

試著實踐過一次之後，可以再試著重複相同的內容，或者在實踐一次之後，下次再試著實踐不同的項目。只要像這樣持續不斷地積極行動，一定可以孕育出小小的成功。然後，在不斷地累積之後，小成功肯定能夠堆積成大成功。

只要堆積出成功，工作就會變得愉快。工作變得愉快之後，生活本身就會變得更加快樂。如果這本書可以幫助你邁向更美好的人生，那將是我最大的喜悅。

最後，想要藉此感謝在撰寫本書時給我許多幫助的每個人。

在企劃階段和我討論、協商，並提供許多寶貴意見的立花源太郎先生、菅恭一先生、堀昌之先生、北能直樹先生。協助確認原稿的村上佳代小姐。從企劃製作階段開始，便和我一起並肩作戰的編輯石原直道先生。還有，一直陪伴在身邊支持著我每天早上寫稿的妻子和兩個女兒，衷心地感謝你們！

植山 周志

作者簡介

植山 周志（Ueyama Syuuzi）

在外商企業從事網路行銷工作。從2008年開始推行，以商務人士為取向的Excel使用法及簡報資料製作法、數字思考力等相關演講。2011年3月自Globis管理學院研究所畢業，並取得MBA。目標是「提供有價值的事物給社會」。同時也是名運動員，從1994年開始的12年期間，在BMX（自行車競賽）的國內外大賽上，擁有高達45次的優勝經驗。興趣是烹飪和家庭派對。著有《「あるある」で学ぶ忙しい人のためのExcel仕事術》（Impress）。

●植山周志的部落格
http://www.shoe-g.com